KAREN DUVE

Dies ist kein Liebeslied

Buch

Seit zwölf Jahren träumt die dreißigjährige Anne Strelau von Peter Hemstadt, doch ihre Gefühle zu ihm blieben während all der Zeit unerwidert. An einem Donnerstag im Juni 1997 beschließt sie spontan, ihre große Jugendliebe ein letztes Mal zu treffen, um ihrer Träumerei endgültig ein Ende zu bereiten. Auf dem Weg nach London, denn dort lebt Peter inzwischen, rekapituliert Anne ihr bisheriges Leben, das vor allem durch eines bestimmt ist: ihr Übergewicht. Sie erinnert sich an ihre unzähligen Diätversuche und die Demütigungen im Turnunterricht, der damals noch nicht Sportunterricht hieß. Und nur eine Freundschaft war unbelastet: Axel, genannt Tellerauge, mit dem sie als Kind versucht hat, verletzte Frösche mit Tesafilm zu heilen. Alle folgenden Verehrer, die sie als Jugendliche hatte, warfen ihr vor, entweder die verkehrten Schallplatten zu hören oder die falschen Klamotten zu tragen. Nach all diesen Schmähungen findet Anne sich schließlich in einer Therapiegruppe wieder, doch die einzige Erkenntnis, die sie dort gewinnt, besteht darin, dass sie schleunigst den Therapeuten wechseln und nie wieder an einem Beziehungsworkshop teilnehmen sollte. Und auch ihr Befreiungsversuch aus der kleinbürgerlichen Welt ihrer Eltern fällt eher kläglich aus, denn er führt sie geradewegs in einen Job als Taxifahrerin und in die nächste unglückliche Beziehung. Nun hofft Anne auf die erlösenden Worte von Peter – jenem Peter, dem sie bald gegenüberstehen wird…

Autorin

Karen Duve, 1961 in Hamburg geboren, lebt trotz Wolfsgang Herrndorfs Diktum – »Karen Duve ist Gott« – ganz irdisch mit ihrer englischen Bulldogge, zwei Hühnern und einem Maultier auf dem Lande. Sie wurde mit zahlreichen Preisen ausgezeichnet, ihre Romane waren Bestseller und sind in 14 Sprachen übersetzt.

Von Karen Duve außerdem bei Goldmann lieferbar

Regenroman (46916) • Die entführte Prinzessin. Von Drachen, Liebe und anderen Ungeheuern (46142) • Taxi. Roman (46956)

Karen Duve

Dies ist
kein Liebeslied

Roman

GOLDMANN
MANHATTAN

Verlagsgruppe Random House FSC-DEU-0100
Das für dieses Buch verwendete FSC®-zertifizierte Papier
München Super liefert Arctic Paper Mochenwangen GmbH.

Manhattan Bücher erscheinen im Wilhelm Goldmann Verlag, München
einem Unternehmen der Verlagsgruppe Random House GmbH

6. Auflage
Taschenbuchausgabe Mai 2004
Copyright © 2000 by Eichborn Verlag AG, Frankfurt am Main
Die Nutzung des Labels Manhattan
erfolgt mit freundlicher Genehmigung
des Hans-im-Glück-Verlags, München
Umschlaggestaltung: Design Team München
Umschlagfoto: Christina Hucke / Eichborn Verlag AG
Satz: Uhl + Massopust, Aalen
Druck und Bindung: GGP Media GmbH, Pößneck
An · Herstellung: Str.
Printed in Germany
ISBN: 978-3-442-45603-1

www.goldmann-verlag.de

Was folgt, ist frei erfunden.
Orte und Handlungen haben nur wenig
mit tatsächlichen Orten und Vorkommnissen zu tun.
Bücher und Filme werden schlampig zitiert.
Und Ihr seid alle nicht gemeint.

Für den armen Heinrich.

Mit sieben Jahren schwor ich, niemals zu lieben. Mit achtzehn tat ich es trotzdem. Es war genauso schlimm, wie ich befürchtet hatte. Es war demütigend, schmerzhaft und völlig außerhalb meiner Kontrolle. Ich wurde nicht wiedergeliebt; es gab nichts, was ich tun konnte, um das zu ändern, und bei dem Versuch, selbst nicht mehr zu lieben, wurde ich beinahe verrückt. Wenn man erkennt, daß man den Verstand verliert, ist es das Klügste, die Sache für sich zu behalten und geistige Gesundheit vorzutäuschen, indem man sich wie alle anderen benimmt. Alle anderen hatten Freunde und Sex, sie hatten Berufe, gingen auf Parties und Reisen, und freuten sich fünf Tage lang aufs Wochenende. Also ging ich ebenfalls mit Männern ins Bett und mit Frauen in Bars, scheiterte in diversen Jobs, langweilte mich auf Festen und woanders und schnitzte mir sonntags mit einem Kartoffelschälmesser Muster in die Oberarme. Unterdessen wurde der FC Bayern München achtmal deutscher Meister. Alle Leute, die ich kannte, kauften sich Uhren mit Digitalanzeige und vertauschten ihre Schlaghosen gegen knöchelenge Jeans oder Karottenhosen. Der Iran erklärte die USA zum großen Satan, und MTV startete sein Programm mit ›Video killed the Radio Star‹ von den Buggles. Englische Soldaten marschierten auf den Falklandinseln ein und sowjetische in Afghanistan und amerikanische auf Grenada. Alle Leute, die ich kannte, tauschten ihre Digitaluhren wieder gegen normale Uhren mit Zeiger und Zifferblatt und kauften sich

Walkmen. Der Atomreaktor Nr. 4 des Kernkraftwerks Tschernobyl verteilte seine Spaltprodukte über ganz Europa, und es wurde empfohlen, zwanzig Jahre lang keine Waldpilze mehr zu essen, und zwei Jahre lang aß man tatsächlich weniger Pilze. Die Sowjetunion zog sich wieder aus Afghanistan zurück, und der kalte Krieg ging vorüber; und als schon längst kein Mensch mehr daran geglaubt hatte, fiel die Berliner Mauer. Die Models wurden immer berühmter und immer dünner, die Computer kleiner und das Ozonloch größer, und die Jogger trabten im Sommer nur noch in den frühen Morgen- und späten Abendstunden, und der Mann, den ich liebte, zog nach London. Es gab den Golf-, den Balkan- und den Tschetschenienkrieg, und Amerika intervenierte in Somalia. In Uganda und Liberia und Georgien brachen Bürgerkriege aus, und Aserbaidschan kämpfte gegen Armenien. Und die Schlager handelten weiterhin von der Liebe. Und Männer und Frauen setzten weiterhin Kinder in die Welt und gingen zu Eheberatern und Therapeuten und ließen sich scheiden. Was auch um mich herum geschah, nie hatte ich das Gefühl, irgend etwas davon hätte mit mir zu tun. Die ganze Zeit über hielt ich gewissermaßen den Atem an und wartete auf meinen Einsatz, wartete auf die entscheidenden Worte, die fallen mußten, damit ich hinter dem Vorhang hervor auf die Bühne treten und mitspielen konnte. Aber das Leben ging weiter und weiter, die Worte fielen nicht, und die Jahre sammelten sich an wie Dreck und Laub in einer Regenrinne. Eines Tages, genauer gesagt am Donnerstag, den 20. Juni 1996, beschloß ich, daß die Sache ein Ende haben müßte, ein schlimmes oder eines, das ich mir nicht vorstellen konnte. Und ich ging in ein Reisebüro und kaufte mir einen Flugschein nach London, wie sich andere Leute einen Strick kaufen.

Jetzt sitze ich also in diesem Flugzeug. Am Fenster. Den Platz am Gang hat ein junger Mann in einem auffälligen hellblauen Anzug. Er blättert in einem Gratisexemplar der ›Woche‹. Glücklicherweise ist der Sessel zwischen uns frei geblieben, vielleicht haben aber auch die Stewardessen dafür gesorgt. Inzwischen wiege ich nämlich hundertsiebzehn Kilogramm, und meine in Khakistoff verpackten Oberschenkel sickern unter den Armstützen hindurch auf das Nebenpolster. Da könnte jetzt sowieso niemand mehr sitzen. Ich hasse meine Beine. Ich wünschte, ich hätte andere. Es wäre viel leichter, jemanden zu besuchen, den man liebt und der einen nicht liebt, wenn man dünne Beine hätte. Nicht, daß ich glaube, derjenige würde dann plötzlich seine Gefühle für mich ändern, aber mit dünnen Beinen könnte ich es leichter ertragen, nicht geliebt zu werden. Eine weibliche Lautsprecherstimme – unterstützt von der Pantomime einer Stewardeß – erklärt, daß man im unwahrscheinlichen Fall eines plötzlichen Druckverlusts die Sauerstoffmaske so zu sich heranziehen und zuerst über die eigene Nase und den eigenen Mund stülpen soll, bevor man seinen ungeschickteren Mitreisenden dabei hilft, das Gummiband über die Ohren zu kriegen. Die elegante Frau schräg vor mir zeigt ihrer eleganten Tochter ein Foto in der ›Vogue‹. Die Frau trägt eine altrosa Kostümjacke und dazu ein grünes Chiffontuch, das ihr bestimmt eine Farbberaterin aufgeschwatzt hat. Ihre blonden Haare sind aberwitzig asymmetrisch geschnitten, die Seite links vom Scheitel reicht knapp übers Ohr und die andere Seite bis zum Kinn. Die lange Seite fällt ihr natürlich ständig vor die Augen, so daß sie sie beim Lesen mit dem Zeigefinger zurückschieben muß. Die gazellenhafte Tochter beugt sich über die Zeitschrift. Hinter mir unterhalten sich lautstark drei Männer über Paul Gascoigne. Ich wette, sie sind unterwegs zum Halbfinalspiel der Fußball-Europameisterschaft in London, England gegen Deutschland. Es ist die Art Männer, die ich am allermeisten verabscheue, die Art, die vor dem Fernseher mit verzerrtem Gesicht »Schieß doch! Schiiiieß!« brüllt. Paul Gascoigne hingegen mag ich. Er erinnert mich an das Springpferd Meteor. Auch Meteor war für einen Spitzensportler erstaunlich übergewichtig, langsam und undiszipliniert, und steckte sie dennoch alle in die Tasche. Die Fußballfreunde hinter mir sagen wieder etwas Gemeines über Gascoigne. Dann lachen sie in blöder Einigkeit und bekommen deswegen nicht mit, wo die Schwimmwesten versteckt sind und wie man am schnellsten die Notausgänge erreicht. Im unwahrscheinlichen Fall einer Notwasserung auf dem Ärmelkanal werden sie in die falsche Richtung rennen, über die elegante Frau und ihre Tochter hinwegtrampeln, sich ineinander verknäulen und alles blockieren, während ich – eingeklemmt an meinem Fensterplatz – zusehen muß, wie das Wasser außen an der Scheibe unaufhaltsam steigt.

Wir rollen zur Startbahn, leise Musik kommt aus der Decke, Melodiefetzen, die sofort in diversen Maschinengeräuschen wieder untergehen. Schwer zu bestimmen, was sie da abspielen, aber jedenfalls ist es nicht die Art von Musik, die man als Letztes hören möchte, bevor man bei einem Flugzeugabsturz ums Leben kommt. Das passende Lied wäre ›No Milk Today‹ von Herman's Hermits. Todtraurig legen die Hermits los, steigern sich, während die

Tragfläche Feuer fängt, zu melancholischer Aufgeregtheit; und mitten in der heftigsten Verzweiflung – mit Geige und allem – setzt plötzlich das sinnlos hoffnungsvolle Gebimmel einer Glocke ein.

Es hört sich vielleicht nicht so an, aber eigentlich fliege ich gern. Ich halte es für ein unverschämtes Glück, am Ende eines Jahrhunderts zu leben, das lauter Wundermaschinen hervorgebracht hat. Kein Mensch in meinem Kulturkreis beneidet mich groß um mein Flugticket oder meinen alten Quelle-Fernseher. Aber ein König der Ottonen hätte doch sein halbes Königreich dafür gegeben, an meiner Stelle sitzen zu können.

Auf der Projektionswand erscheint eine grün-blaue Landkarte. Ein kleines weißes Flugzeug bewegt sich ruckartig eine gestrichelte Linie entlang, die von Hamburg (rot) nach London (ebenfalls rot) führt. Die Musikfetzen reißen ganz ab. Statt dessen meldet sich jetzt der Kapitän über Lautsprecher. Er heißt Hermann Kahr oder Tahr, und bevor Herr K. uns einen angenehmen Flug wünscht, erwähnt er die günstigen Windverhältnisse und sagt, daß die Temperatur hier in Hamburg achtzehn Grad beträgt. Was er genau sagt, ist: »Die Temperatur hier in Hamburg beträgt zur Zeit achtzehn Grad Celsius – gefühlte Temperatur sechzehn Grad.«

Das hat er wahrscheinlich aus dem Fernsehen, diese neue Idioten-Masche, die Temperatur in gemessene und gefühlte zu unterteilen. Als würden alle das gleiche fühlen und das aufs Grad Celsius genau. Man könnte diese Unterteilung auch prima auf andere Bereiche übertragen: statistische Gefahr mit diesem Flugzeug abzustürzen: eins zu zehn Millionen; gefühlte Gefahr: eins zu zwanzig. Die statistische Gefahr errechnet sich aus der bisherigen Unfallquote dieser Airline, dem Sicherheitsstandard der Flughäfen Hamburg-

Fuhlsbüttel und London-Heathrow und dem Umstand, daß wir über Wasser fliegen müssen.

Die gefühlte Gefahr errechnet sich aus meinen Bedenken gegen den Sinn dieser Reise, einem allgemeinen Mißtrauen gegen das Schicksal und aus den Filmen, die ich gesehen habe. Während das Flugzeug dröhnend Schubkraft sammelt, lasse ich mir meine Lieblingsszene aus ›Alive‹, durch den Kopf gehen. ›Alive‹ ist die Verfilmung eines echten Flugzeugunglücks, bei dem eine Rugbymannschaft aus Uruguay in den Anden abstürzte. Einige Spieler überlebten und mußten in eisiger Kälte siebzig Tage lang über die Runden kommen, bevor sie gefunden wurden. Zum Schluß schabten sie mit Glasscherben Fleisch aus den gefrorenen Leichen ihrer Mitreisenden und aßen es. Im Film macht sich einer der Überlebenden auf, um Hilfe zu holen, und bittet die Zurückbleibenden, seine tote Mutter als letzte anzuschneiden. An diese Szene denke ich jetzt aber nicht, sondern an eine frühere, in der das Flugzeug gegen einen Berg prallt und in der Mitte auseinanderbricht. Das vordere Rumpfstück saust ohne Flügel weiterhin durch die Luft, und statt der Motoren ist plötzlich nur noch zischender, jaulender Fahrtwind zu hören. Erstarrt klammern sich die angeschnallten Passagiere an ihre Sitze, ihre Gesichtshaut flattert, Lippen legen Zahnfleisch bloß, hinter den Passagieren klafft dieses riesige Loch, das unsachgemäß verstaute Handgepäck trudelt durch die Luft, und die letzten Sitzreihen werden eine nach der anderen durch den Sog herausgerissen, und gefühlte und tatsächliche Gefahr sind vollkommen deckungsgleich.

Wir rasen die Startbahn entlang. Demonstrativ liest der hellblaue junge Mann neben mir im Wirtschaftsteil seiner Zeitung. Mich als Vielflieger beeindruckt das alles nicht, will er damit sagen. Wahrscheinlich beeindruckt es ihn tatsächlich nicht mehr, den Armseligen. Der Boden bleibt zurück. Wir fliegen. Wir fliegen tatsächlich. Achtundzwanzig Prozent aller Flugunfälle ereignen sich während des Steigflugs.

Mein erster Freund hieß Axel Vollauf. Axel war blond und dünn und hatte große, runde, stets weit aufgerissene Augen, so als hätte er einmal ein Massaker oder einen Meteoriteneinschlag mitansehen müssen und seitdem diesen Gesichtsausdruck beibehalten. Unsere Liebe war heiter und unspektakulär. Wir besuchten dieselbe Klasse und gingen morgens Hand in Hand zur Schule. Axel in seinem braunen Anorak und von der Verkehrswacht mit einer gelben Pudelmütze ausgerüstet, ich in einer dunkelblauen Clubjacke mit einem gestickten Wappen auf der Brusttasche. In das Wappen war der erste Buchstabe meines Namens integriert: ein verschnörkeltes A – für Anne. Das Kopftuch der Verkehrswacht hatte ich bereits einen Tag nach der Einschulung verloren. Wir trafen und trennten uns jedesmal an derselben Straßenkreuzung, und verabredeten uns dort für den Nachmittag, den wir unter einem Rhododendronstrauch im Garten meiner Eltern verbrachten. Auf diesem vermoosten und von Sonne und Schatten gefleckten Stück Erde hatte ich ein Krankenhaus für Tiere eingerichtet. Anfangs hatte ich es allein geführt, war Ärztin und Pflegepersonal zugleich gewesen. Axel hatte bloß zugesehen. Dann wollte er auch Arzt sein, und als er Arzt war, verlangte er, daß ich einen meiner Berufe aufgeben müßte.

»Du kannst nicht Krankenschwester *und* Arzt sein«, sagte Axel und fixierte mich mit seinen großen Augen. Ich entschied, den Arztberuf hinzuwerfen, damit ich weiter die

Schwesternhaube tragen konnte. An der Aufgabenverteilung änderte das nichts. Ich operierte, weil Axel sich davor ekelte, und Axel assistierte mir wie zuvor und pflegte den Moosteppich im Krankensaal. Die Betten bastelten wir aus orangen Zigarettenpackungen. Sie mußten immer wieder ersetzt werden, weil sie durch den nächtlichen Tau und die Feuchtigkeit der Patienten schnell aufweichten. Es waren Froschbetten. In Barnstedt gab es ungewöhnlich viele Frösche. Sie kamen von den nassen noch unbebauten Wiesen hinter den Gärten herauf und stürzten sich geradewegs in die nagelneuen Motormäher, mit denen unsere Nachbarn über ihre frisch angelegten Rasenflächen knatterten. Kein Haus in dieser Straße war älter als fünf Jahre. Die Leute bauten wie verrückt, schufen dauerhafte Sachwerte, legten Fundamente für ein glückliches Familienleben und hielten das Gras kurz. Sie verschuldeten sich und vertrauten darauf, daß es ihnen und der Wirtschaft auch weiterhin immer besser und besser gehen würde. Manchmal erzählte meine Mutter meinen Geschwistern und mir, wie die Nachbarn von gegenüber zwei Jahre lang mittags immer bloß eine Wurst gegessen hatten, um das Geld für ihren Hausbau zu sparen. Zwei Drittel der Wurst hatte Herr Lange gegessen und ein Drittel seine Frau. Wenn meine Mutter erst einmal von der geteilten Wurst angefangen hatte, kam sie unweigerlich auch noch darauf, wie unser Vater unser Haus gemauert hatte.

»Euer Vater hat jeden Stein von diesem Haus in seinen Händen gehabt – jeden einzelnen Stein«, sagte sie.

Wir waren das tüchtigste Volk der Welt. Deswegen haßten und beneideten uns die anderen Völker. Die Häuser, die wir bauten, hatten alle einen Jägerzaun, ein Quadrat aus Glasbausteinen neben der Haustür und auf der Rückseite ein Panoramafenster, an dem sich kleine Vögel das Genick brachen.

In meinem Spital gab es auch ein Bett für Vögel, eine Zigarrenkiste, die ich mit einem Taschentuch und einer Matratze aus einer Pralinenschachtel ausgepolstert hatte. Die Frösche schliefen auf Gras.

Die meisten Nachmittage verbrachten Axel und ich damit zu warten. Währenddessen horchten wir uns gegenseitig die Lungen ab, klopften uns mit dem Gummihammer auf die Knie und bereiteten die nächste Operation vor. Wir legten Plastikskalpell, Spielzeugspritze und Wattestäbchen auf eine Apfelsinenkiste, aber die einzigen Dinge, die wir tatsächlich brauchten – eine echte Schere und eine Rolle Tesafilm –, hielt ich bis zu ihrem Einsatz im Arztkoffer versteckt. Ich hatte sie meiner Mutter aus der Küchenschublade stehlen müssen, weil ich noch nicht allein mit einer spitzen Schere umgehen durfte und Tesafilm so teuer war. Auf der Terrasse lag mein Vater auf einer Gartenliege und schlief. Er hatte einen geheimnisvollen Beruf, dessen Zweck ich nicht verstand und für den es keinen richtigen Namen gab. In der Schule hatten wir erzählen sollen, was unsere Väter von Beruf waren, und ich hatte es nicht gewußt. Jedenfalls brauchte meiner immer nur bis zum frühen Nachmittag zu arbeiten. Wenn es das Wetter irgend zuließ, schnappte er sich dann seine Klappliege, packte sich hinter sein selbstgebautes Haus, rauchte Ernte 23, las das ›Hamburger Abendblatt‹ und schlief dabei ein, während die Sonne ihn immer brauner brannte. Er fing damit schon im März an, schlüpfte in Shorts, wenn andere Leute noch Handschuhe trugen, und er tat das an allen freundlichen Nachmittagen und Wochenenden, das ganze Frühjahr und den Sommer hindurch bis in den Herbst hinein. Er hatte einen leichten, unruhigen Schlaf. Mein Vater wartete wie wir auf das Geräusch eines Motormähers. Er haßte Rasenmäher mit Motor. Er haßte ihren Lärm. Als erstes hörte man einen vergeblichen Startversuch, das kurze Knurren eines gleich wieder absaufenden Motors, oft noch einen zweiten und dritten Versuch, dann dröhnte es gleichmäßig herüber, und mein Vater sprang auf, tigerte seinen Jägerzaun entlang und witterte über Hecken, Koniferen und Rhododendren, wer ihm das jetzt wieder antat.

»Weigoni«, schnaubte er und verschränkte die Arme vor der Brust. »Das kommt von Weigonis. Es ist gar nicht erlaubt, während der Mittagsruhe zu mähen.«

Dann setzte ich meine Krankenschwesterhaube auf und schnappte den Arztkoffer. Axel nahm ein Strohkörbchen und folgte mir. Die meisten Gärten besaßen zu den unbebauten Wiesen hin keinen Zaun, und wir konnten ohne Schwierigkeiten zu den Nachbarn überwechseln. Herr Weigoni wußte schon, was wir wollten. Er nickte uns über seinen dröhnenden und rauchenden Mäher hinweg zu und machte eine einladende Handbewegung, die bedeutete, daß wir die gemähten Rasenstücke gern nach verletzten Fröschen absuchen konnten. Vor dem Rasenmäher hergehen und die Frösche retten, durften wir nicht. Herr Weigoni hatte Angst, daß wir mit den Füßen in die Messer geraten könnten. Axel hielt den Korb, und ich legte die Frösche hinein, Frösche ohne Arme und Beine und große dicke Biester, aus deren Bäuchen gräuliche Därme quollen und Arme und Beine ohne Frösche. Wir behandelten grundsätzlich alle Opfer, selbst die hoffnungslosen Fälle: geköpfte Frösche und Frösche, die in der Mitte durchtrennt waren. Wenn wir in den Garten meiner Eltern zurückkamen, war unser Korb bis oben hin voll, und Herr Weigoni mähte immer noch. Der Geruch von geschnittenem Gras und Benzin erfüllte die Luft. Mein Vater war inzwischen ins Haus geflüchtet, kam aber alle zehn Minuten heraus, um zu überprüfen, ob es endlich wieder still geworden war. Axel schüttete die Patienten auf die Apfelsinenkiste und zählte nach, wieviel Gliedmaßen wir gefunden hatten. Ich nahm zuerst die Bauchverletzungen. Sie bewegten sich nicht mehr und waren deswegen am einfachsten zu behandeln. Ich stopfte die Eingeweide zurück in die Bauchhöhle.

»Das könnte ich nie«, sagte Axel jedesmal so angeekelt wie bewundernd, zog ein Stück Tesafilm von der Rolle ab und hielt es mir hin, damit ich es abschnitt. Ich klebte die Wunde zu und legte den Patienten in eines der orangen Betten. Die Stelle platzte sofort wieder auf und eine durchsichtige Flüssigkeit sickerte heraus. Auf der nassen Froschhaut hielt Tesafilm nicht gut. Ich drückte einen neuen Klebestreifen darüber, dann griff ich mir den nächsten Frosch. Die Arm- und Beinamputierten zappelten wie verrückt. Es gelang mir selten, die Gliedmaßen anzukleben, also legte ich die Patienten einfach so ins Bett. Sie wälzten sich sofort wieder heraus und humpelten mit ihren verbliebenen Beinen unter den Rhododendron. Wir verfolgten sie nicht weiter, legten ihnen bloß ihre abgehackten Beine, Hände und Füße unter den Busch, falls die Frösche sie sich später noch holen wollten. Das war der frustrierende Aspekt an unserem Spital: Bis zum nächsten Morgen hatten sich alle Patienten entweder aus dem Staub gemacht, oder sie waren tot. Ich kann mich nicht erinnern, daß wir jemals auch nur einen einzigen geheilt hätten.

Es war nicht nur mein Vater mit seinen Rasenmähern – jeder in meiner Familie konnte irgend etwas nicht ertragen. Meine Mutter haßte hohe Frauenstimmen. Genaugenommen haßte sie wohl die Stimme meiner Großmutter, die im halb ausgebauten Dachgeschoß unseres Hauses wohnte. Aber das sagte sie nie so direkt. Sie sagte immer nur:

»Diese kreischenden Stimmen, ich kann diese kreischenden Frauenstimmen nicht ertragen. Wie soll man dabei arbeiten?«

Meine Oma konnte das Geräusch nicht ertragen, das die Männer machten, die nachts in ihr Dachstübchen eindrangen. Sie behauptete, daß jede Nacht Männer zu ihr heraufkämen. Diese Männer rissen ihr heimlich Haare aus und nahmen die Deckel von den Töpfen, um damit über die Wandkacheln ihrer Küche zu scheppern. Das Erstaunlichste an der ganzen Sache war vielleicht, daß meine Oma weder Töpfe noch Küche besaß. Sie kochte gar nicht selbst, sondern aß mit bei uns unten.

Meine ältere Schwester haßte Vogelgezwitscher. Wenn sie über ihren Hausaufgaben saß, die Flüsse und Hügelketten einer Landkarte verschiedenfarbig bemalte, oder was man sonst so als Viertklässler aufbekam, schleuderte sie plötzlich die Wachsstifte zu Boden und rief: »Die Vögel, die verdammten Vögel! Wie soll man da arbeiten? Sie schreien die ganze Zeit.« Außer Vogelgezwitscher haßte meine Schwester noch jedes Geräusch, das ich machte.

Ich selber kann es bis heute nicht aushalten, wenn jemand eine Tüte Backpulver drückt und reibt, bis sie knatscht, was mein Leben aber nicht großartig beeinträchtigt. Mein kleiner Bruder war das einzige Familienmitglied, das keinerlei Abneigungen gegen ein spezielles Geräusch hatte. Allerdings konnte er es nicht ertragen, Perlmuttknöpfe anzufassen. Meine Mutter mußte immer sämtliche Knöpfe von seinen Pyjamas abschneiden und die knöpfbaren Stellen zunähen. Münzen dagegen liebte er sehr. Er besaß eine Spardose, die mein Vater von einer Tagung aus Finnland mitgebracht hatte. Ein kleiner durchsichtiger Globus aus Kunststoff, dessen Boden mit einem Schlüssel zu öffnen war, so daß mein Bruder die Münzen immer wieder herausschütteln und zählen konnte. Als er genügend gespart hatte, tauschte mein Vater ihm seine Münzen gegen ein blankes Markstück ein, das mein Bruder von nun an in einer Pappschachtel unter seinem Bett verwahrte. Er zog die Schachtel jeden Abend hervor, küßte und streichelte seine Mark und legte sie wieder in die Pappschachtel zurück.

Eines Abends kam ich nach einem langen und anstrengenden Nachmittag im Froschspital ins Kinderzimmer zurück, hängte meinen Arztkoffer an die Schneewittchen-Garderobe und sah, wie mein kleiner Bruder den Arm aus seinem Gitterbett steckte und nach der Schachtel mit dem Geldstück angelte. Er konnte sie nicht erreichen, weil meine Mutter den Boden gebohnert und die Schachtel dabei bis an die Wand geschoben hatte. Obwohl er schon fünf war, schlief er immer noch in einem Gitterbett. Er tobte so sehr im Schlaf, daß er sonst hinausgefallen wäre. Jetzt fing er an zu brüllen.

»Mein Geld, ich will mein Geld«, heulte er. Meine Schwester kam herein. Wir wohnten alle zusammen in diesem Zimmer, meine Schwester, mein Bruder und ich. Meine Schwester legte sich auf den Boden, stieß sich mit den Händen ab und schlidderte unter sein Bett. Sie trug ein rotkariertes Kleid, das meine Mutter aus dem gleichen Stoff genäht hatte wie meines und das auf dem gebohnerten Linoleum gut rutschte. Als sie wieder auftauchte, stemmte sie den Oberkörper hoch und reichte meinem Bruder die Schachtel. Er nahm sein Markstück heraus, streichelte es und polierte es dann mit einem Ende seines Kissens. Meine Schwester blieb auf dem Boden, schob und zog sich mit den Händen vorwärts und glitt auf dem Bauch durch das ganze Zimmer. »Ich bin ein Krokodil«, sagte sie. »Paßt bloß auf! Ein schnelles, gefährliches Krokodil.«

Mit Schwung tauchte sie unter mein Bett. Wir schliefen

in einem Etagenbett, sie oben, ich darunter, wo ich vor dem Einschlafen gegen einen Matratzenschoner voller Eskimo-, Indianer-, Neger- und Chinesenkinder blickte. Ich hörte meine Schwester rumoren, dann stieß sie sich mit den Füßen von der Wand ab und sauste aus der Dunkelheit hervor, geradewegs vor meine Füße. In der Hand hielt sie den Schuhkarton, in dem ich meine Geheimnisse aufbewahrte. Und bevor ich sie daran hindern konnte, öffnete sie ihn und nahm ein Matchboxauto heraus.

»Wo hast du das her. Das hast du gestohlen.«

»Nein«, sagte ich, »das hat mir Holger Deshusses geschenkt.«

Holger Deshusses war ein Nachbarjunge. Niemand konnte den Nachnamen der Familie richtig aussprechen. Nicht einmal die Erwachsenen. Wir sagten alle »De-süß«. Es war enorm einfach gewesen, dieses Auto zu klauen. Baby-Eier-leicht, wie wir das damals auszudrücken pflegten. Das Matchboxauto war ein völlig unscheinbarer grauer Opel, den Holger Deshusses zusammen mit hunderttausendmillionen anderen Spielzeugautos in einer tapezierten Waschmitteltonne aufbewahrte. Als Holger mit meiner Schwester ins Badezimmer gegangen und ich allein in seinem Zimmer zurückgeblieben war, hatte ich den Opel in meine Unterhose gesteckt und mein Kleid darüber glattgestrichen. Ich war nicht so dumm gewesen, etwas Auffälliges wie ein Polizei- oder Feuerwehrauto oder das Batmobil mit der ausklappbaren Kreissäge im Kühlergrill zu nehmen. Niemand hätte je bemerkt, daß der Opel fehlte.

»Du lügst«, sagte meine Schwester. »Morgen, in der Schule, gehe ich mit dir zu Holger Deshusses und frage ihn.

Und wehe, du lügst!«

An diesem Abend konnte ich nicht gut einschlafen, und ich wachte am nächsten Morgen auch nicht gut auf. Sofort fiel mir die drohende Gegenüberstellung ein. Ich hoffte, meine Schwester hätte das Ganze über Nacht vergessen, und sah sie nicht an, während ich neben ihr im Badezimmer stand und mir im Zeitlupentempo die Zähne putzte und schließlich nach dem Kamm griff. Der Kamm war mit Birkenwasser verschmiert, einem öligen Zeug, mit dem mein Vater seinen Haarausfall bekämpfte. Nur die großen Zinken waren noch halbwegs trocken. Ich trödelte so lange herum, bis meine Mutter hereinkam und mir beim Waschen half, denn meine Oma wartete schon vor der Tür. Meine Eltern hatten ihr spätes Wirtschaftswunderhaus mit drei Kindern und einer Großmutter, aber mit nur einem Badezimmer bestückt. Während meine Mutter mir mit einem Waschlappen über die ausgestreckten Arme fuhr, stieg meine Schwester neben mir auf einen Kinderstuhl, um sich im Spiegel zu besehen. Sie drehte und wand sich, und dann sagte sie zu mir: »Mein Po sieht aus wie ein Apfel. Deiner sieht aus wie ein Milchbrötchen.«

Ich verdrehte den Kopf und begutachtete meinen Po. Er sah so mies aus, wie ich vermutet hatte. Wie ein Milchbrötchen. Meine Schwester sprang vom Stuhl, sah mich streng an und sagte: »Gleich treffen wir Holger Deshusses.«

»Mir ist schlecht«, sagte ich zu meiner Mutter. »Mir tut da was weh! So 'n Pieksen. Da irgendwo.« Ich zeigte auf meinen Bauch. »Ich glaub, ich hab Fieber.«

Meine Mutter legte mir die Hand auf die Stirn.

»Fieber hast du nicht«, sagte sie und nahm die Hand wieder weg.

»Doch« – ich schrie beinahe –, »fühl noch mal!«

Sie legte mir ein zweites Mal die Hand auf die Stirn. Ich schickte eine Welle Hitze aus meinem Bauch in den Kopf

»Wirklich. Und wie! Du gehst sofort wieder ins Bett.«

Ich schlurfte zurück ins Kinderzimmer, zog mein Nachthemd wieder an und kroch unter die immer noch warme Bettdecke. Ich beobachtete meinen kleinen Bruder, der in seinem Gitterbett lag und sich mit dem Zipfel des Kopfkissens die Stelle zwischen Mund und Nase rieb. Meine Schwester und meine Mutter kamen herein, und meine Schwester nahm eine rote Frotteeunterhose vom Tisch und zog sie über ihren Apfelpo. Meine Mutter hielt eine Dose Niveacreme in der Hand. Sie setzte sich zu mir aufs Bett und tunkte die Spitze eines Thermometers in die Nivea.

»Leg dich auf den Bauch!«

Ich hatte neununddreißig Fieber. Ich konzentrierte mich darauf, das Fieber zu halten, bis der Arzt kam. Als er endlich eintraf, war ich von dieser Anstrengung völlig erschöpft. Der Arzt sah mir in den Mund.

»Das sind die Masern«, sagte er. Meine Mutter zog die Vorhänge zu.

Die Masern bedeuteten, daß Holger Deshusses tagelang nicht in dieses Zimmer kommen durfte. Und danach würde die Sache mit dem Matchboxauto längst vergessen sein. Von nun an war ich in Sicherheit. Nicht nur, was Holger Deshusses betraf, sondern für alle Zeiten. Wann immer irgend etwas schiefgehen würde, konnte ich einfach krank werden. Richtig krank, ernstlich und nachweislich – nicht nur so ein bißchen Temperatur oder vorgetäuschte Bauchschmerzen. Die Masern, die Röteln, Windpocken oder Scharlach konnte ich bekommen – und das allein durch Willenskraft. Ein wunderbares Leben lag vor mir. Denn wenn es mir schlecht ging, ging es mir richtig gut. Die Masern bedeuteten ein neues Rätselheft, Kekse und Sunkist ans Bett und daneben eine Kuhglocke, mit der ich nur zu läuten brauchte, und meine Mutter kam angesprungen und brachte mir, was ich sonst noch wollte. Die Masern bedeuteten, daß das Vogelnest mit dem winzigen Ei darin, das Onkel Horst der ganzen Familie zur Anschauung geschenkt hatte, neben mein Bett gestellt wurde. Onkel Horst war der ältere Bruder meines Vaters, ein dürrer Junggeselle, der ein winziges Holzhaus in einer Schrebergartenanlage bewohnte und »vom Staat« lebte. Die Besuche bei ihm waren immer ein Quell der Langeweile. Er besaß weder Radio noch Fernseher. Mein Vater mußte für ihn die Lottozahlen aufschreiben, und Onkel Horst sagte jedesmal: »Was sind denn das für dösige Zahlen, da kommt ja kein Mensch drauf.«

Über die Zigaretten, die mein Vater ihm mitbrachte, freute er sich hingegen sehr. Ich bekam dann die leere Schachtel vom letzten Mal. Manchmal saßen wir vor der Schreberlaube, und Onkel Horst machte uns auf Vogelstimmen aufmerksam: »Hört ihr – eine Kohlmeise: zituit zituit. Und das ist eine Blaumeise: zii-zii-tütütü.«

Er machte die Vogelstimmen wahnsinnig schlecht nach. Als würde er sie aus einem seiner Bestimmungsbücher ablesen. Wenn wir gingen, hatte er jedesmal ein Geschenk für uns, einen großen Tannenzapfen, einen Rehknochen, eine mumifizierte Kröte, die meine Mutter zu Hause sofort in den Ascheimer warf, oder eben das Vogelnest, das dann neben mein Krankenbett gestellt wurde.

Die Masern bedeuteten auch, daß Axel, der die Masern bereits hinter sich hatte, zu Besuch kam und mir einen Strauß gelb und rot geflammter Papageientulpen mitbrachte. Papageientulpen sind die schönsten Blumen der Welt. Es sind die wahren Blumen der Liebe. Aber da die meisten Menschen nichts von der Liebe verstehen, kaufen sie statt dessen rote Rosen. Meine Mutter tat die Papageientulpen in eine Vase und stellte sie auf den Kinderstuhl, auf dem vorher das Nest gelegen hatte. Das Nest hatte man mir wieder weggenommen, weil ich versucht hatte, das Ei auszubrüten. Es war zerbrochen, und ich hatte meinen Pyjama mit dem Dotter und dem winzigen Vogelembryo verschmiert. Axel setzte sich zu mir auf die Bettkante und holte zwei Fünfpfennigstück-große Gummitiere aus seiner Hosentasche. Er wußte, daß ich Gummitiere sammelte.

»Toll – die Krake«, sagte ich und hielt sie gegen das Licht. Die Krake war schwarz und merkwürdig zweidimensional, was sie noch unheimlicher aussehen ließ.

»Und das Schaf«, sagte Axel. Das Schaf hatte ich auch noch nicht.

Axel besuchte mich jeden Tag. Er überredete meine Mutter, die Musiktruhe aus dem Wohnzimmer ins Kinderzimmer zu schleppen und uns ein Album voller Single-Schallplatten zu überlassen. Die Musiktruhe war ein rechteckiger Holzkasten, der auf dünnen, abgespreizten Beinen stand. Der runde Lautsprecher war hinter einem Mattengeflecht verborgen, ließ sich aber ertasten, und die Skala mit den Radio-Frequenzen leuchtete grün. In einem Fotoalbum meiner Eltern gibt es ein Bild, auf dem mein Vater mit einem kleinen Sombrero auf dem Hinterkopf vor dieser Truhe sitzt und eine Schallplatte zwischen den Fingerspitzen hält. Er lacht in die Kamera, und seine – hier noch viel volleren – Haare glitzern vor lauter Birkenwasser. Meine Mutter steht schräg hinter meinem Vater und winkelt schon mal die Arme an, als würde sie am liebsten sofort lostanzen. Sie trägt Caprihosen und einen Rollkragenpullover und sieht umwerfend schön aus, und das findet der fremde junge Mann, der ihr seinen Arm um die Schulter gelegt hat, auch. Es ist eine ziemlich gute Party, alle sind albern und ausgelassen und scheinen wirklich Spaß zu haben. Das Foto stammt aus einer Zeit, als meine Eltern schon verheiratet waren, aber noch keine Kinder hatten.

Axel zog sechs Singles aus dem Album, steckte sie übereinander auf die Wechselachse in der Mitte des Plattentellers und legte den Plattenhalter darüber. Die Truhe funktionierte so, daß eine einzelne Schallplatte herunterfiel und abgespielt wurde, worauf die nächste herunterfiel und sich auf die erste legte, so daß wir ohne Unterbrechung alle Platten nacheinander hören konnten. Dann stimmten wir ab, welche Single uns am besten gefiel. Und dann hörten wir die noch einmal. Beim ersten Mal gewann ›Pigalle‹ von Bill Ramsey, beim zweiten Mal ›Banjo Boy‹ von den dänischen Knaben Jan und Kjeld und beim dritten Mal ›Café Oriental‹, wiederum von Bill Ramsey. Bill Ramsey war überhaupt der Größte. Manchmal machten auch meine Geschwister bei der Schlagerparade mit. Meine Mutter sagte, sie sollten sich ruhig bei mir anstecken, damit wir die Masern »in einem Aufwasch« hinter uns brächten. Aber mir war es lieber, wenn Axel und ich den Sieger allein bestimmten. Wir hatten fast immer den gleichen Geschmack.

Nachdem ich gesund geworden war, verbrachten wir die Nachmittage wieder unter dem Rhododendron. Manchmal nahm mein Vater uns und meine Geschwister auch zum nahegelegenen Olpenteich mit. Dann ermahnte er uns jedesmal, nicht in »unbekanntes Gewässer« zu springen. Vor allem nicht mit dem Kopf voran.

»Prüft immer erst, wie tief das Wasser ist, bevor ihr reinspringt«, sagte er. »Das Krankenhaus Boberg ist voll mit Leuten, die in zu flaches Wasser gesprungen sind. Alles Querschnittslähmungen.«

Es war der Sommer, in dem die Amerikaner auf dem Mond landeten, und ich erinnere mich, daß die ganze Familie bei geschlossenen Gardinen im Wohnzimmer saß, obwohl draußen die Sonne schien. Sonst kämpften meine

Geschwister und ich vergeblich darum, an sonnigen Nachmittagen fernsehen zu dürfen. Mein Vater schaute sich das Ganze bereits zum zweiten Mal an. Das Fernsehbild sah grieselig aus. Manchmal zuckte es auch. So ähnlich, wie wenn mein Vater versuchte, das DDR-Programm reinzukriegen. Ein Astronaut stieg in seinem weißen Anzug unendlich langsam eine Leiter herunter. Dann wurde das Bild auch noch angehalten, und jemand erklärte etwas, und dann sah man Schautafeln, die ich nicht verstand. Besonders aufregend fand ich das nicht. Ich war erst sieben, für mich war das meiste neu, sogar die 50er-Jahre-Schallplatten meiner Eltern. In der Schule hatte ich gerade erst gelernt, daß es einen Gott gab, der für alles verantwortlich war. Zu Hause hatte das niemand erwähnt. Ich nahm Gottes Existenz genauso gleichmütig hin wie die Existenz von Flugzeugen, Telefonen und fließend Warmwasser. Ich glaube, sieben Jahre ist ein Alter, in dem man es sich einfach nicht leisten kann, von neuen Erfahrungen übermäßig beeindruckt zu sein. Was mich wirklich aufwühlte, war, daß unsere Lehrerin erzählte, Tiere hätten keine Seele. Ich mochte Tiere. Tiere waren die kleinen Freunde, die Professor Grzimek mit ins Studio brachte. Lustige Affen oder dünne Geparden, die sich weigerten, still zu sitzen, und deretwegen ich ausnahmsweise länger als bis acht Uhr aufbleiben durfte. Es war nicht einzusehen, warum sie keine Seele haben sollten. Für Raumfahrt interessierte ich mich erst, als es bei den Shell-Tankstellen Sammelmünzen gab, die man in die entsprechend großen Löcher einer Pappkarte hineindrücken konnte. Auf der Pappe war die Trägerrakete abgebildet, die Apollo 11 in die Mondumlaufbahn gebracht hatte, und darüber stand: »Die Eroberung des Himmels«. Jedesmal, wenn mein Vater tankte, bekam er eine kleine Tüte mit einer Münze darin geschenkt. Eigentlich brachte er die Münzen meinem Bruder mit, aber mein Bruder verkaufte mir jede für zehn Pfennige, und ich sammelte sie an seiner Stelle. Es war meine erste ernsthafte Sammlung, womit ich meine, daß sie auf Vollständigkeit abzielte. Bei meiner Gummitiersammlung war es nur darum gegangen, besonders viele und möglichst gefährliche oder ungewöhnliche Tiere zu besitzen. Von der Münzsammlung fehlten mir zum Schluß noch zwei Exponate: »Apollo 8« und »J. Alcock«. »Charles A. Lindbergh« hatte ich dafür dreimal. Ich mußte die Münzen jedesmal blind von meinem Bruder kaufen. Er öffnete die Tüten zwar vorher, ließ mich aber nicht hineinsehen, bevor ich bezahlt hatte. Die beiden Münzen, die mir noch fehlten, bekam ich nie. Die Serie lief aus, und mit Axel, der aus Treue zu mir ebenfalls mit einer Shell-Münzen-Sammlung angefangen hatte, konnte ich nicht mehr tauschen, weil wir nicht mehr befreundet waren.

Irgendwann war es zu kalt zum Schwimmen geworden, das Tierspital hatte mangels Patienten schließen müssen, und Axel und ich spielten nun im Haus. Merkwürdigerweise taten wir das fast immer bei mir. Es kam ganz selten vor, daß wir zu Axel gingen, obwohl dort viel mehr Platz gewesen wäre. Er war ein Einzelkind. Statt dessen stritten wir uns mit meinen Geschwistern so heftig um den Platz im Kinderzimmer, daß meine Mutter uns allen schließlich auftrug, aus Legosteinen Mauern zu bauen, mit denen wir den Fußboden des Zimmers in drei gleich große Stücke teilten. Wenige Zentimeter hohe antigeschwisterliche Schutzwälle waren das, deren Übertretung jedesmal lautes Geschrei auslöste. Doch es waren nicht diese Streitereien, die meine Familie gegen Axel aufbrachten – eher das Gegenteil. Ich weiß nicht mehr genau, wie es anfing, aber irgendwann entwickelte Axel die Angewohnheit, sich plötzlich auf einen zu stürzen.

Zuerst machte er das nur mit mir. Mindestens zweimal am Tag fiel er mich an und klammerte sich an meinem Hals fest, bis mir die Luft wegblieb. Das ging mir ziemlich auf die Nerven. Aber weil ich ihn gern hatte, nahm ich es hin und wartete einfach, bis er von selbst wieder losließ. Doch dann stürzte er sich auch noch auf meine Schwester und meine Mutter, umarmte ihre Taillen, krallte sich fest, preßte seinen Kopf gegen ihre Hüften und war nur mit Gewalt wieder abzulösen. Meine Schwester verabscheute das ganz besonders.

»Hör auf, du Doofmann«, schrie sie und schlug ihm mit der Faust auf den Kopf, »hör sofort auf!«, worauf Axel sich nur noch fester klammerte. Selbst meine Mutter war seinen Attacken mehr oder weniger hilflos ausgeliefert.

»Wenn du das nicht läßt, darfst du nicht mehr kommen«, sagte sie einmal zu Axel, nachdem sie mühsam seine Arme von ihren Hüften gelöst hatte. Axel riß die großen Augen noch weiter auf, stürzte sich sofort auf eines ihrer Beine und umklammerte es so ungestüm, daß meine Mutter beinahe gestürzt wäre.

Am Abend nahm sie mich beiseite.

»Sag deinem Axel, daß er das lassen muß. Das ist ja nicht auszuhalten. Jedesmal wenn ich ihn sehe, habe ich Angst, daß er mich gleich anfällt. Ich trau mich kaum noch, ihm den Rücken zuzudrehen.«

Aber wenn man das Thema Axel gegenüber auch noch so vorsichtig anschnitt, hatte das bloß zur Folge, daß er stumm die Augen aufriß und sich sofort wieder auf einen stürzte. Inzwischen hing er mir mindestens fünfmal pro Tag am Hals, und ich sah seinem immer früheren Erscheinen mit immer weniger Begeisterung entgegen.

Einmal wollten wir gerade zu Mittag essen, als es an der Tür klingelte. Sofort richteten sich alle Blicke vorwurfsvoll auf mich, und mein Vater, der ja stets schon gegen halb zwei von der Arbeit nach Hause kam und deswegen mit am Tisch saß, sagte:

»O Gott, Tellerauge! Jetzt schon!«

»Wir machen einfach nicht auf«, schlug meine Mutter vor und verteilte die Koteletts. Ihr Mann bekam ein ganzes und die Schwiegermutter und jedes Kind je ein halbes. Sie selber aß bloß Gemüse und Kartoffeln. Sie behauptete, sie mache sich nichts aus Fleisch. Wieder ging die Türglocke.

»Das Jüngelchen. Das wilde Jüngelchen ist wieder da«, fistelte meine Oma, die sich, wenn Axel erschien, meistens in ihrer Dachstube versteckte. Allerdings hatte er *sie* noch nie angegriffen.

»Muß der jeden Tag kommen?« sagte meine Schwester. Nur mein kleiner Bruder krähte begeistert: »Tellerauge! Tellerauge« und verstreute seine Dosenerbsen auf dem Resopaltisch.

»Pscht«, sagte meine Mutter und wandte sich dann an meinen Vater: »Sag nicht immer ›Tellerauge‹. Die Kinder sprechen das nach.«

Meine Oma nahm einen feuchten Wischlappen aus ihrer Kitteltasche und fegte damit die Erbsen zusammen. Der Lappen war aus einem braungrauen Stoff. Man brauchte seine Nase gar nicht besonders dicht daranzuhalten, um zu merken, wie widerwärtig er roch. Meine Schwester nannte ihn immer »das Seuchentuch«. Alle Stellen, die mit dem Seuchentuch gewischt wurden, rochen hinterher genauso widerlich. Meine Oma wickelte die Erbsen sorgfältig in den Lappen und steckte das Paket wieder in die Tasche ihres orangegrün geblümten Kittels. Axel klingelte jetzt Sturm. Meine Schwester versuchte, ihr halbes Kotelett gegen meines zu vertauschen, weil ich das Stück mit dem Knochen bekommen hatte, aber ich merkte es rechtzeitig und zog meinen Teller weg, wobei sich wieder ein Schwall Erbsen auf die Tischplatte ergoß.

»Was veranstaltet ihr da für eine Schweinerei! Ihr eßt gleich auf dem Klo weiter!« schrie meine Mutter gegen die Türklingel an. Diese Drohung stieß sie ständig aus, machte sie aber nie wahr. Ich fand den Gedanken, allein im Badezimmer zu essen, gar nicht mal so übel. Meine Oma holte das Seuchentuch heraus und sammelte weitere Erbsen ein, um sie in ihrem Kittel verrotten zu lassen. Dann hörte das Klingeln auf, meine Mutter lächelte erleichtert, und wir lauschten einen Moment in die Stille hinein. Ich klemmte meine Füße hinter die Stuhlbeine, und wir begannen zu essen. Plötzlich verschluckte sich mein Vater, der von seinem Platz aus in den Garten sehen konnte, und fuchtelte hustend mit seiner Gabel in diese Richtung. Wir drehten alle den Kopf zum Panoramafenster. Und dort stand Axel Vollauf, preßte sein Gesicht gegen das Glas und glotzte mit Mühlrad-großen Augen herein. Ich drehte mich rasch wieder nach vorn und tat, als betrachtete ich das Dosengemüse auf meinem Teller.

»Laß ihn bloß rein, bevor er das ganze Fenster verschmiert«, seufzte meine Mutter. Meine Schwester boxte mich auf den Arm und zischte: »Na los, steh schon auf! Tellerauge will zu dir.«

»Tellerauge, Tellerauge!« krähte mein kleiner Bruder.

Viele Jahre später erzählte mir mein Therapeut von einem pädagogischen Trick, den angeblich die Eskimos anwenden, um ihre Kinder davon abzuhalten, an den lebensgefährlichen Rand des Eises zu gehen: Sowie das Eskimokind einigermaßen verständig ist, kommt das ganze Dorf zusammen. Der Vater oder die Mutter sagt zu ihm: »Geh einmal bis zum Eisrand, dorthin, wo das offene Meer beginnt«, und das Kind stapft vor aller Augen los, geschmeichelt von der großen Aufmerksamkeit, die ihm plötzlich zuteil wird. Aber kaum hat es die gefährliche Zone erreicht, beginnen alle Eskimos zu lachen. Das Kind bleibt stehen, es sieht sich verwirrt um, zögert vielleicht, ob es mitlachen soll. Aber dann wird ihm klar, daß es hereingelegt worden ist und die anderen über seine Dummheit lachen. Und es steht am Rand des Eises und weint, und die anderen hören einfach nicht auf zu lachen, bis es den gefährlichen Platz wieder verlassen hat. Mein Therapeut behauptete, ein derart beschämtes Eskimokind würde nie wieder freiwillig an den Eisrand gehen, und diese Art von Erziehung wäre effektiver als jedes noch so strenge Verbot. Ich weiß nicht, ob das stimmt. Vielleicht ist es bloß wieder so eine Geschichte von Leuten, die glauben, daß andere Völker ihr Leben grundsätzlich besser auf die Reihe kriegen. Vielleicht spielen die Eskimos in Wirklichkeit alle Bingo, während ihre Kinder reihenweise ins Eismeer stürzen. Was aber die Methode betrifft, so bezweifle ich nicht, daß sie funktioniert.

Als Axel mir an diesem Nachmittag um den Hals fiel, sich festklammerte und mich dabei wie üblich halb erwürgte, konnte ich es nicht länger ertragen. Meine Geschwister standen auch noch daneben und sahen zu. Ich schlug sofort um mich, boxte ihn in den Magen, trat ihn gegen das Schienbein und stieß ihn schließlich zu Boden.

»Hau ab«, schrie ich ihn an, »hau bloß ab! Ich hasse dich! Ich will dich nie wieder sehen!«

Und ich meinte es genau so. Axel wurde ganz grün im Gesicht. Möglicherweise hatte ich ihn zu fest in den Bauch geboxt. Er zwinkerte, die Augen waren plötzlich nicht mehr starr aufgerissen, sondern sahen ganz klein aus, mit nackten, weichen Albino-Lidern. Dann fing er an zu heulen; er rotzte und schniefte und wischte sich mit dem Ärmel übers Gesicht, rappelte sich auf, stieß mich beiseite und rannte

ohne den geringsten Versuch, sich an irgend jemandem fest-
zuklammern, aus dem Kinderzimmer und auf den Flur. Während sein Heulen sich zu einem immer schrilleren Kreischen
und Plärren steigerte, zerrte er seinen braunen Anorak von
der Garderobe und stopfte seine Füße in die Schuhe. Meine
Mutter kam aus der Küche und fragte, was jetzt schon wieder los sei. Axel riß die Haustür auf und rannte mit losen
Schnürsenkeln und einem halbangezogenen Anorak hinaus. Immer noch kreischend und brüllend. Meine Geschwister und ich sahen ihm nach.

»Ich will dich nie wieder sehen!« schrie mein kleiner
Bruder.

In der ersten Zeit war es durchaus angenehm, Axel vom Hals
zu haben. Es war angenehm, nicht mehr vorwurfsvoll angeschaut zu werden, wenn es an der Haustür klingelte, und angenehm, nicht gewürgt zu werden. Es war angenehm, allein
zur Schule zu gehen und endlich auch mal mit anderen
Kindern zu spielen. Nur, daß ich mit den anderen Kindern
lange nicht so gut spielen konnte. Wir machten genau die
gleichen Sachen, die ich mit Axel gemacht hatte, wir bauten Lego-Häuser und inszenierten Matchbox-Autounfälle
und fütterten die Steiffteddys mit Marmelade oder fesselten
ihnen die Arme auf den Rücken. Aber es war nicht dasselbe. Schließlich wurde ich jedesmal krank, wenn sich ein
Kind aus meiner Klasse mit mir verabreden wollte. Manchmal gab ich mir Mühe und wurde wirklich krank, und
manchmal tat ich bloß so. Von da an saß ich nachmittags
und abends in der muffig riechenden Dachstube meiner
Großmutter. Meine Oma hatte nämlich einen eigenen
Fernseher mitgebracht, als sie bei uns eingezogen war. Und
sie brauchte jetzt jemanden, der für sie umschaltete oder an
der Antenne drehte oder gegen den Apparat klopfte, wenn

das Bild verrutschte. Es fiel ihr in letzter Zeit schwer, aus dem Sessel aufzustehen, und jedesmal, wenn ich klopfen oder an der Antenne drehen mußte, bekam ich einen Groschen für den Kaugummiautomaten. Außerdem konnte ich so fernsehen, ohne daß meine Mutter es rationierte. Leider interessierte sich meine Oma nie dafür, ob Flipper noch rechtzeitig aus dem Fischernetz befreit werden konnte, bevor die ebenfalls darin verfangene Mine gegen einen Felsen trieb, sondern schaute bloß Sportberichte und Spielfilme, in denen viel gesungen und telefoniert wurde. Die Männer telefonierten ganz normal, aber die Frauen in diesen Filmen klammerten sich immer mit beiden Händen an den Hörer. Wenn sie schwarzhaarig oder besonders elegant waren, spielte ihre eine Hand mit dem Kabel. Noch lieber als diese Telefon-Musicals sah meine Großmutter Operetten und »Possen mit Gesang«. Schrecklich. Immer wenn die Handlung gerade ein ganz klein bißchen in Gang gekommen war, fingen die Zirkusprinzessin und die Czardasfürstin an zu singen. Wenn Marika Rökk begann, die Hüften nach vorn und hinten zu schwingen, wußte ich: Jetzt ist erst mal wieder Pause. Dann blätterte ich in der ›Neuen Post‹ oder in ›Das Beste aus Reader's Digest‹, die bei meiner Oma auf dem Tisch lagen. Die ›Neue Post‹ las ich immer von hinten nach vorn. Zuerst die Rückseite mit den Anzeigen für Saunaanzüge und BH-Einlagen und Schlank-Weg-Gürtel und für eine Folie, die man auf den Schwarzweißfernseher kleben konnte, damit aus ihm ein Farbfernseher wurde. Dann las ich die gemalten Witze, und dann blätterte ich durch lauter langweilige Reportagen bis zur Mitte, wo es eine Doppelseite mit vermischten Nachrichten, Kindermund, Tierschicksal und solchen Sachen gab. Meine Lieblingsrubrik war: »Vorsicht Eltern! Verführung auf dem Schulweg.« Die Gefahr lauerte überall. Ein Mädchen wurde überfallen, weil sie sich im Bus die Lippen angemalt hatte. Die Sache ging noch einmal glimpflich aus, und das Mädchen gelobte, sich nie wieder in der Öffentlichkeit zu schminken. Auch ›Das Beste aus Reader's Digest‹ war voller furchteinflößender Geschichten, in denen jemand gleich seinen ganzen Unterkiefer verlor, wenn er so unvorsichtig war, auf einem Grashalm zu kauen. Bei Zahnfleischbluten können die Bakterien auf einem Grashalm nämlich in die Knochensubstanz des Kiefers eindringen.

Hatte die Czardasfürstin zu Ende gesungen, gab es wieder ein bißchen Handlung, viel zu wenig, und schon fing das nächste Lied an. Meine Oma fand den Gesang gut, aber meine Oma hatte ja auch nicht alle Tassen im Schrank. Manchmal begleitete sie die Lieder mit ihrer unschönen Fistelstimme, und bei den Sportsendungen behauptete sie immer, daß sie das alles ebenfalls könne. Selbst als Pelé sein 1000. Tor schoß, sagte sie: »Das kann ich auch.«

Einmal, als ich den Fernseher für meine Oma eingeschaltet und die Bildröhre sich soweit erwärmt hatte, daß etwas zu erkennen war, erschienen weder Sportler noch singende Telefonistinnen auf dem Bildschirm, sondern Männer mit glatten Haaren bis zum Gürtel, die ihre Gitarren so spielten, daß sie beinahe hintenüber fielen. Ein verschwitzter Kerl im Unterhemd drosch auf sein Schlagzeug ein.

»Ach, die ollen Beatles – schalt schnell um«, fistelte meine Großmutter. Die Beatles waren die einzige aktuelle Band, deren Name sogar ich gehört hatte. Und jetzt wußte ich auch, wie sie aussahen. Es dauerte immer etwas länger, bis die Erscheinungen der modernen Welt in Barnstedt ankamen. Stadtrechtlich gehörten wir zwar zu Hamburg, modisch, moralisch und musikalisch hinkten wir aber fünf bis zehn Jahre hinterher. Die wichtigste, wenn nicht die einzige Verbindung zur Gegenwart war das Fernsehgerät. Ich brauchte Jahre, bis ich begriff, daß die Beatles gar keinen Heavy metal spielten.

Leider zeigten sich meine Eltern und Geschwister dafür, daß ich ihnen Axel geopfert hatte, nicht so dankbar, wie sie es meiner Meinung nach ruhig hätten sein können. Meine Schwester hänselte mich immer noch. Jetzt eben in der Vergangenheitsform.

»Du warst in Tellerauge verknallt, total in Tellerauge verknallt«, behauptete sie. Holger Deshusses stand daneben.

»Nein«, schrie ich, »das ist nicht wahr. Ich habe ihn immer gehaßt.«

»Du wolltest ihn sogar heiraten!«

»Ich wollte Tellerauge nie heiraten«, schrie ich, obwohl ich es besser wußte. Ich hatte es Axel selbst vorgeschlagen. Er hatte den Vorschlag übrigens großartig gefunden.

»Doch. Du hast gesagt: ›Ich freu mich schon, wenn wir heiraten.‹ Du warst total in Tellerauge verliebt!«

»Nein«, schrie ich. »Ich liebe niemanden. Nie! Ich werde niemals lieben!«

Mein Vater wollte mir keinen Hund zum Geburtstag schenken. Er sagte, daß Hunde einen unfrei machen, daß man dann nicht mehr verreisen kann, wann und wohin man will. Dabei waren wir bisher bloß nach Dänemark gefahren. In Wirklichkeit saß mein Vater längst in der Falle. Er hatte diese drei Kinder; ihretwegen konnte er sich keinen Italien- oder Spanienurlaub leisten, sondern immer nur verregnete Aufenthalte an der Nordsee. Er war so unfrei, wie es nur ging. Ich dachte, wenn ich mir den Hund stark genug wünschte, würde mein Vater ihn mir am Ende doch noch schenken. Wenn ich versprach, überhaupt keine Schulfreunde mehr zu meinem Geburtstag einzuladen, würden meine Eltern sehen, daß ich einen Hund verdiente.

Dann kam der Geburtstag, und es kamen die Geschenke.

Schokolade von meinen Geschwistern, rosa Wollunterhosen und zwei halbleere Kekstüten von meiner verwirrten Großmutter, Hundebücher und ein Plüschhund von meinen Eltern. Ich tat, als wenn ich mich freute. Es war nicht direkt ein Gesetz, aber tief in mir drin wußte ich, daß meine wichtigste Aufgabe im Leben darin bestand, zu spüren, was andere von mir erwarteten. Also drückte ich den Plüschhund begeistert an mich, während mir die Enttäuschung die Kehle zuschnürte. Vielleicht wollten meine Eltern mir den richtigen Hund erst am Nachmittag geben, wenn alle Gäste dabeiwaren und miterleben konnten, wie ich mich freute. Wenn die Überraschung um so gelungener wäre, weil ich ja nicht mehr damit rechnete. Am Nachmittag kamen die Zweite Oma, Onkel Horst und eine ehemalige Arbeitskollegin meiner Mutter, ein altes Weib, das jedesmal Wäschegarnituren schenkte. Von der Zweiten Oma gab es ein Märchenbuch und von Onkel Horst eine Schachtel Katzenzungen. Keinen Hund. Trotzdem war es immer noch möglich. Es war möglich, daß mein Vater plötzlich aufstehen und mit einem geheimnistuerischen Grinsen verschwinden würde. Es war möglich, daß er plötzlich mit einem Körbchen unterm Arm ins Wohnzimmer zurückkehrte. Am Körbchen wäre eine riesengroße Schleife befestigt, so daß ich zunächst überhaupt nicht sehen könnte, was darin steckte. Erst im letzten Moment würde ich den kleinen Hund erkennen. Es war auch möglich, daß ich plötzlich ein Bellen und Scharren hörte. Meine Eltern würden einander lächelnd ansehen und dann zu mir sagen: ›Sieh doch mal nach, was da für ein Lärm im Schrank ist.‹ Das war doch möglich. Plötzlich würde es irgendwo winseln.

»Nimm Sahne, dann rutscht es besser«, sagte die ehemalige Arbeitskollegin meiner Mutter zu mir und klatschte eine weiße Wolke auf mein Pfirsichtortenstück. Alle anderen schaufelten bereits Torte in sich hinein. Die Großmütter gaben leise, klickende Geräusche von sich, wenn sie mit den Kuchengabeln gegen ihre Gebisse stießen. Mein Vater schob seinen Stuhl zurück und ging hinaus. Ich starrte auf die Tür, bis er wieder hereinkam. Aber er war nur auf der Toilette gewesen. Ich stand ebenfalls auf, nahm mir die Süßigkeiten und das Märchenbuch und zog mich in den Fernsehsessel zurück, der in der äußersten Ecke des Wohnzimmers stand. Ich drehte ihn so, daß mich die Lehne von der Kaffeetafel trennte, und dann würgte ich die Katzenzungen, zwei Marzipanbrote und eine Tüte Haribo 2000 hinunter. Dabei las ich das Märchen vom fliegenden Koffer. Plötzlich stand die ehemalige Arbeitskollegin meiner Mutter neben mir. Sie mußte sich angeschlichen haben.

»Nein«, rief sie und klatschte in die Hände, »jetzt kommen Sie nur mal her« – sie meinte meine Mutter – »und schauen Sie sich diesen kleinen Genießer an.«

Meine Mutter kam tatsächlich an, und sie beglotzten mich zu zweit. Ich hatte den Sessel nach hinten gekippt, so daß ich mich in einer halbliegenden Position befand, und sah, die Backen noch voller Lakritz, zu ihnen auf. Neben dem Sessel türmten sich die leeren Verpackungen.

»Ein richtiger kleiner Genießer«, krähte die Arbeitskollegin noch einmal. Sie trug eine schwere goldene Kette um den Hals, an der sich das alte fette Fleisch zu einem Wulst staute.

»Ja, das macht sie gern«, sagte meine Mutter und lachte. Ich grinste gezwungen, aber mir war durchaus bewußt, daß das, was ich hier tat, besser ohne Zeugen stattfinden sollte.

Auch der Nachmittag ging vorüber, und meine Mutter deckte den Abendbrottisch. Vielleicht hatte der Züchter den ganzen Tag über zu tun gehabt, und mein Vater konnte den Hund erst am Abend abholen. Die Omas, Onkel Horst und die ehemalige Arbeitskollegin meiner Mutter stopften sich mit Waldorfsalat voll, legten sich kleine, trockene, goldene Fische aufs Brot. Meine Geschwister zankten sich um den Dekorations-Fliegenpilz, ein Ei, das eine halbe mit Mayonnaise betupfte Tomate als Pilzkappe trug. Dann gab es für die Erwachsenen noch einen Schnaps und für alle noch ein paar Nüsse aus chinesischen Porzellanschalen, und mein Vater schleppte den Projektor ins Wohnzimmer, um selbstgedrehte Filme zu zeigen. Ich haßte das. Fast in jedem Film gab es eine Szene, in der ich heulte. Diesmal brachte mein Vater die Schwimmbeckenszene. Sie war vor drei Jahren aufgenommen worden, aber man konnte leider immer noch erkennen, daß ich es war. Zuerst sah man meine Geschwister, sportliche, fröhliche, gebräunte Kinder in roter Schwimmontur. Hopp und noch mal hopp sprangen sie ins Becken, tauchten auf wie junge Seehunde und spuckten Wasser. Dann ich, milchbrötchenhaft weiß und schlaff im dunkelblauen Badeanzug. Ich ließ mich mehr fallen, als daß ich sprang – und selbst das mißglückte. Ich schrammte mit dem Hintern über den Beckenrand, und dann hing ich kreischend, mit rotem Kopf in meinen Schwimmflügeln. Abstoßend häßlich und unbeherrscht. Ein ganz und gar widerwärtiges Kind. Mein Vater hatte auf das Gesicht gezoomt, so daß man die zusammengekniffenen Augen und die bebenden, speichelnden Lippen genau betrachten konnte. Die Omas und die Arbeitskollegin meiner Mutter lachten. Die fanden das süß.

»Du hast eben nah am Wasser gebaut«, sagte meine Mutter. »Das hast du von mir. Ich war auch so.«

Nach dem Film fuhr mein Vater die Zweite Oma, Onkel Horst und die Arbeitskollegin meiner Mutter zum Bahnhof. Die letzte Chance. Es war nur vernünftig, das Tier erst zu holen, wenn der ganze Trubel vorbei war.

Aber mein Vater kam ohne Hund zurück, und ich stellte

die Bücher und die Schokolade und den Stoffhund ins Regal, nahm meinen alten Teddy, legte mich ins Bett und preßte mir die Bettdecke auf den Mund, bis ich vor Sauerstoffmangel einschlief.

Natürlich gab es noch Weihnachten, auf das ich hoffen konnte. Auf Weihnachten und auf alle kommenden Geburtstage. Ich achtete jetzt schon auf Zeichen. Kaufte meine Mutter nicht auffällig viel Fleisch ein? Ein fremdes Ehepaar mit einem Pudel ging durch unsere Straße. Vielleicht wollten die Leute ihren Hund so heimlich meinen Eltern vorführen. Ein guter Trick, aber ich bemerkte es natürlich trotzdem. Wenn es mir gelang, den Weg bis zur Schule zu gehen, ohne auf einen einzigen Strich zwischen den Wegplatten zu treten, würde ich den Pudel bekommen. Wenn ich sämtliche Kreuzworträtsel in meinem Rate-mal-Heft lückenlos ausfüllen konnte, wenn ich es schaffte, meine Rechenhausaufgaben innerhalb von fünf – nein, sagen wir acht – Minuten zu lösen, wenn ich es fertigbrachte, diese Stecknadel bis zur Hälfte – nein, sagen wir zu zwei Drittel – in meinem Arm zu versenken, würde ich diesmal einen Hund bekommen. Aber nichts, was ich kontrollieren konnte, hatte auch nur den geringsten Einfluß auf mein Leben.

»Einen ganz kleinen nur«, bettelte ich, »einen ganz kleinen Pekinesen, der bei mir sein soll. Weil ich nicht mehr mit Axel spiele.«

»Kein Mensch hindert dich daran, mit Telleraugе zu spielen«, sagte mein Vater.

Axel hatte seit unserer Trennung kein Wort mehr mit mir gesprochen. Und ich nicht mit ihm. Obwohl wir nur zwei Schulbänke voneinander entfernt saßen und uns in der Pause ständig über den Weg liefen, ignorierten wir uns eisern. Wenn wir uns auf dem Schulweg begegneten, beschleunigte Axel seinen Schritt, während ich langsamer wurde und so tat, als müßte ich meine Schuhe zubinden oder würde etwas am Wegrand betrachten. Dann baute Axel seinen Vorsprung aus, bis ich ihm in einem Abstand von etwa zwanzig Metern folgte. Das behielten wir bis zum Ende der vierten Klasse bei. Als er mich schließlich doch noch ansprach, hatten wir gerade Turnunterricht.

Ich erinnere den Turnunterricht der Grundschulzeit als eine anfangs fröhliche und harmlose Veranstaltung. Kleine Mädchen und Jungen liefen in dunkelblauen Turnhosen und weißen Hemden im Kreis, während unsere Klassenlehrerin, die schöne, große Frau Müller – geschieden, was damals noch der Erwähnung wert war –, dazu auf ihr Tamburin schlug. Die blauweiße Garnitur war von der Schule vorgeschrieben, sie mußte in einem Spezialgeschäft gekauft und zusammen mit den Turnschuhen in einem schwarzen, muffig riechenden Turnbeutel aufbewahrt werden. Die Schuhe brauchten keine besondere Farbe oder Form zu haben, aber in unverabredeter Einigkeit kauften alle Mütter ihren Söhnen blaue Turnschuhe mit weißen Schnürbändern und ihren Töchtern schwarze Ballettschläppchen. Zunächst störte diese Unterscheidung nicht weiter. Wir machten Kniebeugen, Häschenhüpfen, Ringelreihen oder den Hampelmann, warfen und fingen Bälle, sprangen mit dem Seil und rollten auf dem Turnhallenboden herum, was in Ballettschläppchen fast genausogut funktionierte wie in Schuhen mit Schnürsenkeln. Hätte meine Mutter mich als einziges Mädchen mit vernünftigem Schuhwerk ausgestattet, hätte ich mich vermutlich bitterlich beklagt. Wirklich unangenehm wurde es erst ab der dritten Klasse, als das mit den Ballspielen anfing und einem ständig auf die Füße getreten wurde. Das Schlimmste war Völkerball. Zwei Mannschaften

– die Völker – versuchten, sich durch Treffer mit dem Ball gegenseitig auszurotten. Wer getroffen war, schied aus und mußte hinter die gegnerische Linie ins Gefangenenlager. Die Jungen hatten den Ehrgeiz, den Mädchen den Ball so schmerzhaft wie möglich auf die Oberschenkel zu knallen – sofern es sich um die sanften und netten Jungen handelte. Die weniger netten Jungen legten es darauf an, uns den Ball »voll in die Fresse« zu donnern. Ich hätte es ihnen gern heimgezahlt. Aber wie all die anderen Mädchen warf ich dafür einfach zu lasch. Einige von uns warfen nicht einmal weit genug, daß überhaupt jemand getroffen werden konnte, auch wenn wir ausschließlich auf andere Mädchen zielten. Waren wir selber Ziel, so dachten die meisten nicht einmal ernsthaft an Flucht. In einer Ecke zusammengedrängt erwarteten wir den brennenden Schmerz, der gleichzeitig eine Erlösung war, weil man nun ins »Aus« durfte und keine Angst mehr haben mußte. Gleich am Anfang abgeschossen zu werden, war eigentlich das Beste, was passieren konnte. Bis auf ein sehr sportliches Kind namens Steffi machte keine von uns auch nur den Versuch, einen dieser Bälle zu fangen. Unser ganzer Ehrgeiz bestand darin, nicht im Gesicht getroffen zu werden. Manchmal kreischten wir ein bißchen, manchmal weinte eine, zweimal ging eine Brille kaputt, einmal mußte ein Mädchen mit Gehirnerschütterung zum Arzt gefahren werden. Frau Müller in ihrer Unschuld war felsenfest davon überzeugt, daß es sich um Unglücksfälle handelte, die »im Eifer des Gefechts« passiert waren, und vor jeder Turnstunde band Margit Holst Jens Kleinschmidt, der das in der vierten Klasse immer noch nicht konnte, die Schnürsenkel. Woraufhin er während des Spiels ausschließlich auf sie zielte. Als ich nun einmal gerade abgeschossen worden war – ein sauberer, wenig schmerzhafter Treffer auf die Hüfte, der nicht mehr als einen blauen Fleck hinterlas-

sen würde – und am Spielfeldrand entlang ins Gefangenenlager des Gegners lief, warteten dort bereits ein paar Mädchen und Axel. Axel und der dicke Helmut waren die einzigen Jungen, die manchmal noch früher als die Mädchen
abgeschossen wurden. Axel sah mir entgegen. Obwohl das
Spiel inzwischen weiterging, konzentrierte er sich nur auf
mich. Er beobachtete, wie ich ihm entgegenkam. Ich wurde
nervös. Jahrelang hatte er schnell woanders hingesehen,
wenn mein Blick zufällig den seinen getroffen hatte, und ich
hatte es umgekehrt genauso gehalten. Ich gab mir Mühe,
möglichst lässig zu traben, aber jeder Schritt wurde mir quä-
lend bewußt, jede Bewegung meiner Arme schien falsch.
Axel starrte weiter, starrte, ohne zu blinzeln, bis ich dicht vor
ihm stand, ließ seinen Blick an mir herunterwandern und
fragte angewidert:

»Warum schwabbeln bei euch Mädchen beim Laufen eigentlich so die Oberschenkel?«

Wie ein Medizinball voll in die Fresse.

Natürlich verliert man nicht schlagartig sein Selbstwert-
gefühl, bloß weil ein Junge die Beschaffenheit des weibli-
chen Bindegewebes in Frage stellt. Man verliert das Vertrau-
en in sein Aussehen und seinen Wert nicht von einem Tag
auf den anderen. Man verliert es über eine lange Zeitspanne
hinweg, Stück für Stück. Während ich noch über Oberschenkel nachdachte, über Mädchenoberschenkel im allgemeinen und über meine eigenen, kam unsere Klassenlehrerin auf den Einfall, eine Waage in den Unterricht mitzu-
bringen, alle Schüler und Schülerinnen zu wiegen, ihr Gewicht aufzuschreiben und daraus Rechenaufgaben zu formulieren.

Wer ist der schwerste Junge in der Klasse?
Wie hoch ist das Durchschnittsgewicht aller Schüler?
Wer ist das zweitleichteste Mädchen?

Berechne die Differenz zwischen dem schwersten Mädchen und dem leichtesten Jungen!

Wie hoch ist das Durchschnittsgewicht der fünf schwersten Mädchen?

Ich erfuhr zum ersten Mal, wieviel ich wog, nämlich 42 kg. Damit war ich das zweitschwerste Mädchen in der Klasse. Hauptsächlich lag das daran, daß ich das zweitgrößte Mädchen war. Aber ich kann heute gar nicht mehr sagen, wie groß ich damals eigentlich gewesen bin. Hingegen kann ich mich immer noch sehr präzise daran erinnern, daß ich 42 kg wog. Und ich weiß auch noch, daß es ein Mädchen gab, das bloß 28 kg wog.

Berechne die Differenz zwischen dem zweitschwersten und dem leichtesten Mädchen in der Klasse!

Ich hätte alles dafür gegeben, 28 kg zu wiegen.

»Wenn es dich stört, so schwer zu sein, mußt du eben eine Diät machen«, sagte meine Mutter, und die Tage, an denen ich mit Freude, bedenkenlos und ohne Reue gegessen hatte, lagen für alle Zeiten hinter mir.

Der Entschluß zur ersten Diät ist ein einschneidender, wenn nicht sogar der wichtigste Moment im Leben eines Mädchens. Jedenfalls ist er bedeutender als das maßlos überschätzte Ereignis der Entjungferung. Eine Art Initiationsritus, nur, daß du nicht als fertige Frau daraus hervorgehst, sondern immer wieder von vorn anfangen mußt. Du bist elf oder zwölf, und vielleicht bist du auch erst zehn, wenn du begreifst, daß du so, wie du bist, auf keinen Fall bleiben kannst. Fortan wirst du versuchen, anders zu sein, und zwar besser – also weniger.

Die Turnstunde, in der Axel mich auf meine Oberschenkel aufmerksam machte, war die letzte Unterrichtsstunde an jenem Tag. Die Klasse verstreute sich nicht gleich, sondern tobte erst noch auf einer verlassenen Baustelle neben dem

Schulgelände. Bei dieser Gelegenheit gab ich Axel Vollauf, als er strahlend, eifrig und siegesgewiß einen Sandhügel zu erstürmen versuchte, einen so heftigen Stoß, daß er den ganzen Hügel wieder hinunterrollte. Diesmal brach ich ihm nicht das Herz, sondern bloß das Schlüsselbein.

· · · · · · ·

Das Flugzeug wackelt, dabei haben wir den Steigflug längst hinter uns, und der Landeanflug auf Heathrow kann das auch noch nicht sein. Das Flugzeug wackelt einfach nur so. Es wäre gräßlich, jetzt schon sterben zu müssen. Ich wünschte, ich hätte mehr aus meinem Leben gemacht oder wenigstens mehr Spaß gehabt. Ich wünschte, ich hätte Axel Vollauf damals nicht nur das Schlüsselbein, sondern auch noch beide Arme gebrochen. Außer mir nimmt keiner der Passagiere das Wackeln zur Kenntnis. Also ist es wohl nicht so schlimm. Die Frau vor mir bietet ihrer Tochter Lakritzkonfekt an. Es sind natürlich ganz normale Haribos, die sie essen. Die 300 g-Tüte bei Aldi zu 1,39. Aber diese Frau würde ihre Haribos niemals bei Aldi kaufen. Das Geschäft, in dem sie sie erstanden hat, heißt Pralinen-Paradies, mindestens, und dort wurde ihr das lose Lakritzkonfekt mit einer kleinen Schaufel in eine Cellophantüte gefüllt, 100g für DM 2,99. Die Frau hält ihrer Tochter die knisternde Tüte hin. Die Tochter sieht hinein, und dann nimmt sie sich ein einzelnes Lakritz, und danach nimmt sich die Mutter ein einzelnes Lakritz und verstaut die Tüte wieder in ihrer Handtasche. Ich faß es nicht! In einer halben Stunde werden sie die Tüte wieder herausholen und noch einmal jede ein Lakritz nehmen. Wenn ich eines verabscheue, dann Maß und Zurückhaltung. Gebe Gott, daß ich niemals so werde wie diese disziplinierten Schnepfen. Lieber will ich drogensüchtig sein. Oder Alkoholikerin. Lieber will ich auf allen vieren besof-

46

fen durch den Rinnstein und meine eigene Kotze kriechen, als daß ich eines Tages eine Cellophantüte voll überteuerter Haribos aufmache und mir bloß einen Lakritzsolitär herauspicke. Lieber will ich mein Leben lang katastrophal fett bleiben, körperlich ein einziges Debakel, das Horrorszenario für alle ›Fit-for-Fun‹-Leser. Wenn nur diese Beine nicht wären, die in keinen Flugzeugsitz passen. Ich kann mir nicht helfen, aber diese Beine sehen einfach kacke aus.

Mein Walkman liegt ganz unten in der Tasche. Ich muß zuerst alle Kassetten herauskramen; sechs Stück habe ich dabei. Sie sind von sechs verschiedenen Männern aufgenommen worden, mit denen ich einmal zusammen war, und alle nicht ganz neu. Wenn du dir von einem Mann eine Kassette aufnehmen läßt, erfährst du mehr über ihn, als wenn du mit ihm schläfst. Diese hier zum Beispiel hat ein gebasteltes Cover. Falls man bei einer Kassette von Cover sprechen kann. Der Mann, der sie mir geschenkt hat, hat ein Bild aus einem Madheft darauf geklebt, eine Zeichnung abgrundtief häßlicher Mutanten-Menschen, die die Hälse voller Warzen haben. Innen auf der Pappe stehen bloß die Namen der Interpreten: Laibach, Sisters of Mercy, Nick Cave, Lords of the New Church, Screaming Blue Messiahs, Snake Finger, Yello. Die Titel fehlen, und die Reihenfolge stimmt auch nicht. Wenn man den Mann, der mir diese Kassette aufgenommen hat, auf die falsche Reihenfolge ansprechen würde, würde er sagen: »Das ist doch wohl klar, wer jetzt gerade was singt.«

Oder die hier, Nummer zwei: Auf der steht »home taping«, und das gebastelte Cover besteht aus einem Zeitschriftenfoto von Modern Talking. Das soll natürlich heißen, daß hier keineswegs und auf gar keinen Fall Modern Talking drin stecken, sondern lauter Musikstücke, von denen kein Mensch je gehört hat, außer dem Mann, der sie mir damals aufnahm. Er hat weder Interpreten noch Titel aufgeschrieben. Gar nichts. Ich mußte ihn fragen, wie das vierte Stück auf der zweiten Seite hieß, das Live-Stück mit der Gitarrenrückkopplung am Anfang. Und er antwortete: »Was? Was meinst du? Keine Ahnung, was du meinst.« Ich mußte ihm erst die Melodie vorsummen, bevor er mit der Antwort rausrückte: »Ah das, das meinst du! Das ist Nation of Ulysses mit ›Shakedown‹.« Und an seinem Gesicht konnte ich ablesen, daß ich natürlich wieder nach dem allergewöhnlichsten Stück gefragt hatte, nach einem, das er bloß als Zugeständnis an meinen konventionellen Geschmack aufgenommen hatte, so daß ich plötzlich alle Lust verlor, die Platte der Nation of Ulysses zu kaufen.

Die dritte Kassette verzichtet auf ein gebasteltes Cover, ist dafür aber vorbildlich beschriftet. Links auf der linierten Pappe stehen in schwarzer Schrift die Songtitel und rechts in Rot die Interpreten. Die Kassette beginnt mit ›The Belle of St. Mark‹ von Sheila E. Dann kommt ›Midnight Man‹ von Flash and the Pan. Das ist ein Titel, den dieser Mann nicht selbst ausgesucht hat, ich hatte ihn darum gebeten. Er mußte sich die Platte von einem Freund ausleihen, um sie mir aufzunehmen. Dieser Mann hört normalerweise nur Reggae, aber er hat mir nicht seine Lieblingsstücke überspielt. Er hat nicht einmal versucht, Eindruck zu schinden. Er hat die Musik ausgewählt, von der er glaubte, daß sie mir am ehesten gefallen würde. Er ist der Mann, der mich von allen am meisten geliebt hat. Leider ist er auch der Mann, der glaubte, ich würde gern den ›Hitler Rap‹ von Mel Brooks hören.

Die vierte Kassette hat ebenfalls kein Cover, aber einen Titel, der gleichzeitig ein Bowie-Zitat und eine Liebeserklärung an mich ist: ›Ich bin dann König, und Du … Du Königin‹. Es sind ausschließlich Lieder von David Bowie drauf.

Diese Kassette stammt von einem Mann, der von sich selber glaubt, daß er derjenige sei, der mich von allen am meisten geliebt hat. Auf allen Kassetten, die er mir je aufgenommen hat, sind ausschließlich Bowie-Stücke drauf. Bei Kassette Nummer fünf ist das Cover vermutlich mißlungen, denn der Mann, der sie mir geschenkt hat, hat die Pappe anschließend komplett mit schwarzem Edding übermalt. Schwarzer Edding ist überhaupt ein beliebter Stift bei Männern, die Kassettencover basteln. Die Musik stammt überwiegend aus dem Radio. Möglicherweise, weil die Plattensammlung dieses Mannes nicht mehr auf dem neuesten Stand war. Möglicherweise wegen der supercoolen Ansagen des supercoolen englischen Senders, die sind nämlich ein paarmal zu oft mit aufgenommen worden. Anyway – musikalisch ist es eine meiner besten Kassetten.

Aber einlegen werde ich jetzt die Nummer sechs, bei der die ganze Originalpappe ersetzt wurde, und zwar durch ein hübsches festes Paisleypapier. Es stammt vielleicht von dem Deckblatt eines Quelle-Katalogs, aber man erkennt nicht mehr die Wolldecke, die es einmal gewesen sein könnte, man sieht nur noch das Muster. Auf dem Paisleymuster klebt der Satz »It's just a hell of a good time« und darunter eine briefmarkengroße Schwarzweißfotokopie von Helmut Kohl und François Mitterrand, wie sie einander an den Händen halten. Auf der Innenseite sind in ordentlichen kleinen Buchstaben alle Interpreten und Songtitel aufgeführt und voll ausgeschrieben: ›The Mood-Mosaic: a touch of velvet – a sting of brass, The Jesus and Mary Chain: just like honey, Der Plan: Europa Hymne, Box Tops: the letter…‹, Der Übergang von der A- zur B-Seite ist durch dreiundzwanzig winzige Diagonalstriche gekennzeichnet. Innen im Knick – oder im Rücken oder wie man das nennt – stehen die Initialen des Mannes, der diese Kassette aufgenommen hat: P.H.

Die Buchstaben sind merkwürdig in die Breite gezogen und ineinander verschlungen. Daneben steht nicht nur das Jahr, sondern auch der Monat, in dem er die Kassette aufgenommen hat. 10/85. Es hätte ja irgendein anderer Mann, der ebenfalls Ahnung von Musik hat, diese Kassette ein halbes Jahr später in die Finger bekommen können und sagen: »Ganz gut, aber keine wirklich neuen Sachen dabei«, bis er das Datum gefunden hätte, woraufhin er nur noch anerkennend hätte schnauben können. Diese Kassette stammt von dem Mann, den ich liebe. Es hat lange gedauert, bis ich doch noch liebte. Ich schaue wieder aus dem Fenster. Nichts als blaue Atmosphäre und unter mir ein Wolkenbett.

Beim Schulwechsel hatte ich die Wahl zwischen dem als liberal und fortschrittlich geltenden bzw. als links verschrienen Gymnasium Heddenbarg, das später in Carl-von-Ossietzky-Gymnasium umbenannt wurde, und einem eher konservativen Institut, dem Gymnasium Bellhorn, das schon immer Bellhorn geheißen hatte und ewig Bellhorn heißen würde. Der einzige Grund, warum ich mich für Heddenbarg entschied, war der, daß die meisten Kinder aus meiner alten Klasse ins Bellhorn gingen. Zeugen meiner Vergangenheit konnte ich nicht gebrauchen. Mein bisheriges Leben war ein Labyrinth voller Sackgassen gewesen. Das hier war der Ausgang. Während des Aufnahmegesprächs fragte mich der Direktor, mit welcher Freundin ich zusammenbleiben wolle.

»Mit gar keiner«, antwortete ich. »Ich möchte in eine Klasse, in der ich niemanden kenne.«

Er sah mich befremdet an.

»Natürlich habe ich Freunde«, sagte ich betont munter, »ich möchte einfach noch viele neue Freunde dazubekommen.«

Wenn es mir gelang, einer Klasse zugeteilt zu werden, in der mich niemand kannte – so meine Rechnung –, konnte ich eine völlig neue Identität annehmen. Ich könnte sein, was ich wollte, mich völlig neu erfinden. Diesmal würde ich von Anfang an alles richtig machen.

Ich wurde der 5.4 zugeteilt. Die Heddenbarg-Klassen waren nicht alphabetisiert, sondern durchnumeriert.

»Das soll wohl was sein«, sagte meine Mutter.

Mein Plan ging beinahe auf. Nur Gertrud Thode war ebenfalls in die 5.4 gekommen. Wir hatten ein paarmal miteinander gespielt, weil unsere Mütter sich kannten, aber ich war nicht ihre Freundin. Falls sie das beim Aufnahmegespräch behauptet hatte, hatte sie gelogen. Als wir am ersten Schultag unsere neuen Plätze suchten, setzte Gertrud sich prompt neben mich. Sie machte das so selbstverständlich, daß ich es völlig überrumpelt zuließ. Vor mir saß ein wunderschönes großes Mädchen mit langen pechschwarzen Haaren, der Typ, der bei Märchenaufführungen unweigerlich das Schneewittchen spielt. Bis auf einen dunklen Flaum auf ihrer Oberlippe war sie makellos. Warum hatte nicht sie sich neben mich gesetzt? Unsere Klassenlehrerin nahm ein Stück Kreide und schrieb »Schott« an die Tafel. Sofort ging das Gekicher los und von verschiedenen Seiten wurde »Schrott« geflüstert. Die Schott trug zwar einen Kurzhaarschnitt und ein flottes Kostüm, war aber nicht mehr jung. Sie verteilte geknickte Pappschilder, auf die wir unsere Namen schreiben sollten, und dann forderte sie uns auf, einen Klassensprecher zu wählen.

»Irgendwelche Vorschläge«, rief Schrott und stützte die Hände aufs Pult. Ein Junge hob die Hand.

»Anne Strelau«, sagte er. Er schlug mich vor. Ich sah schnell auf sein Namensschild. Er hieß Volker Meyer. Volker Meyer hatte ein rundes Gesicht, einen Mecki-Haarschnitt und Dreck am Kinn. Mein neues wundervolles Leben voller Bedeutung und Freundschaft ging schon los. Und wenn sie mich wählten… –, oh, wenn sie mich doch nur wählten – ich würde sie nicht enttäuschen. Ich würde die beste Klassensprecherin sein, die diese Schule jemals gesehen hatte. Milde und gütig würde ich über meine Klasse herrschen, Unrecht bekämpfen und Mißverständnisse aufklären. Jeder würde mit seinen Sorgen zu mir kommen dürfen, und für jedes Problem hätte ich eine Lösung. Rauschende Sommerfeste würde ich veranstalten, mit gelben Laternen in den Bäumen, und nachdem ich überall nach dem Rechten gesehen und mich überzeugt hätte, daß für alle genug zu trinken und zu essen da war, würde ich erschöpft, aber lächelnd zur Tanzfläche gehen. Der Mond würde sich in meinem silbernen Minikleid spiegeln, und alle würden aufhören zu tanzen, um mir zu applaudieren.

Außer mir wurden noch zwei Jungen vorgeschlagen, Bernhard und Till. Es war eine geheime Wahl. Schrott teilte Zettel aus, die sie aus einem Rechenheft gerissen hatte, und schrieb die Namen der drei Kandidaten an die Tafel. Ich schrieb »Till« auf meinen Zettel und ließ ihn so liegen, daß jeder, der wollte, das sehen konnte. Erst im letzten Moment faltete ich ihn zusammen, als Schrott schon den alten, speckigen Männerhut hinhielt.

»Ich habe dich gewählt«, flüsterte Gertrud Thode mir zu, während sie ihren Zettel in den Hut legte.

Es war knapp. Es war verdammt knapp. Ich tat ganz unbeteiligt, aber bei jedem Stück Papier, das auseinandergefaltet und vorgelesen wurde, bebte ich innerlich und beschwor meinen Namen, und es war wie gesagt knapp, aber am Ende standen hinter meinem Namen doch die meisten Kreidestriche. Schrott kam, um mir zu gratulieren, und fragte, ob ich die Wahl annehmen würde. Ich nickte. Ich konnte nicht verhindern, daß ich rot wurde. Während sie Till, den Jungen mit den zweitmeisten Stimmen, fragte, ob er den Posten des Stellvertreters annähme, überlegte ich, ob ich jetzt nicht eigentlich ein Fest geben sollte und ob es nicht passend wäre, während dieses Festes alle meine Wähler zu beschenken und aus Großmut auch die, die mich nicht gewählt hatten. Ein Junge, auf dessen Namensschild FALKO LORENZ

stand, hob die Hand. Er sah ziemlich gut aus mit seinen zer-
wühlten braunen Haaren.

»Ja bitte?« fragte Schrott.

»Wir haben uns das überlegt«, sagte Falko, »und wir
finden… wir würden gern noch einmal wählen.«

Noch einmal? Wieso denn noch mal? Das Blut sauste in
meinen Ohren. Wir hatten bereits gewählt. Und zwar mich.
Klassensprecherin und Stellvertreter hatten die Wahl angenommen, und nach den einfachen, bewährten Regeln
der Demokratie war die Sache damit erledigt. Was stimmte
denn mit dieser Wahl nicht?

»Ich möchte gern noch Kiki vorschlagen«, sagte Falko.
Schräg hinter ihm saß tatsächlich ein Mädchen, das auf sein
Namensschild KIKI geschrieben hatte, nicht Kirstin oder
Corinna oder wie sie in Wirklichkeit heißen mochte, und
auch keinen Nachnamen, sondern einfach nur KIKI. Sie
war klein und zierlich und hatte lange blonde Haare. Plötzlich war die ganze Klasse heiß darauf, daß noch einmal gewählt wurde. Anscheinend waren alle jetzt erst richtig warm
geworden. Schrott fragte den Stellvertreter und mich, ob
wir damit einverstanden wären, und was blieb uns schon
übrig.

Bei der zweiten Auszählung betete ich nicht mehr um
jede Stimme. Mir war klar, wie es kommen mußte – schon
bevor Schrott auch nur einen Zettel auseinandergefaltet
hatte. Der erste Durchgang war ein fürchterliches Mißver-
ständnis gewesen. Niemand war so blöd, jemanden wie mich
zu wählen. Wie hatte ich so bescheuert sein können, die
Wahl anzunehmen? Sie hatten mich reingelegt. Ich war ein
Idiot! Ich hätte mich gar nicht erst aufstellen lassen dürfen!
Natürlich gewann Kiki. Kikis gewinnen immer. So ist die
Welt eingerichtet. Man muß den Weg dorthin nicht unnötig verkomplizieren. Ich wurde Stellvertreterin. Ich hatte

nicht die Absicht, jemals auch nur den kleinen Finger für diese Drecksbande krumm zu machen, nahm aber trotzdem an, damit es nicht so aussah, als ob ich beleidigt wäre. Nur aus Gleichgültigkeit hatte ich mich nach der ersten Wahl bereit erklärt, Klassensprecherin zu werden. Irgend jemand mußte es schließlich machen. Und jetzt war ich halt Stellvertreterin, das war auch egal.

Ich fand keine Freunde oder Freundinnen in der neuen Klasse. Ich gab mir auch keine Mühe. Damit blieb ich auf der sicheren Seite. Neben mir saß immer noch Gertrud Thode. Jedesmal, wenn sie versuchte, sich mit mir zu verabreden, drehte ich mich weg und tat, als hätte ich sie nicht gehört. Ich brauchte niemanden zu meiner Unterhaltung, und es machte mir auch nichts aus, daß mich keiner mochte. Bloß, daß das gelogen war. Eine Zeitlang sah es so aus, als würde Tanja Kehlmann, das Mädchen mit den Schneewittchenhaaren, meine Freundin werden. Sie lud mich zu sich nach Hause ein, und wir machten gemeinsam Hausaufgaben und spielten Malefiz. Es war so, wie ich es mir gewünscht hatte. Bloß, daß ich die ganze Zeit völlig verspannt war. Tanjas Zuhause sah verstörend seltsam aus. Abstrakte Bilder hingen in halbkahlen Zimmern, und selbst das, was Tanjas Mutter uns einmal zum Mittagessen kochte, war merkwürdig: Kartoffeln und Quark. Kein Fleisch. Und überhaupt nichts aus der Dose. War ich vielleicht froh, daß meine Eltern normal waren. Außerdem wollte ich Tanja gefallen, aber wie sollte ich ihr gefallen, wenn nichts an mir stimmte? Ich hatte die falsche Figur und die falschen Jeans, ich lachte falsch und sagte die falschen Sachen; selbst das Fahrrad, das mir gehörte, war gar kein richtiges Fahrrad, sondern ein Klapprad. Es wäre müßig gewesen, alle meine Fehler aufzuzählen – ich selbst war der Fehler. Wenn ich mich von Tanja verabschiedet hatte und auf meinem Klapprad nach Hause fuhr, fühlte ich mich sofort besser. Nach einer Weile erfand ich Ausreden, um sie nicht besuchen zu müssen. Es war eine elende Zeit. Ich wünschte mir immer noch, daß sie meine Freundin wäre, war ihrer Freundschaft aber noch weniger gewachsen als meiner Einsamkeit. Und dann verabredete sie sich plötzlich mit Gertrud Thode. Vielleicht suchte sie sich absichtlich die häßlichsten Mädchen aus, um neben ihnen noch strahlender zu wirken. Nur gut, daß ich mich rechtzeitig verzogen hatte.

Es war nicht schlimm, allein zu sein. Das Alleinsein selbst war okay. Ich wollte bloß nicht, daß jemand mitbekam, wie einsam ich war. Darum tat ich ständig beschäftigt. Wenn die anderen sich vor der nächsten Stunde noch unterhielten, machte ich bereits die Hausaufgaben der letzten oder las in einem Buch. Dadurch fiel es nicht auf, daß niemand mit mir sprach. Während des Unterrichts konnte ich einigermaßen entspannen. Es dauerte nicht lange, und ich war die Lieblingsschülerin von Schrott. Sie mochte mich, weil ich so aufmerksam war, und ganz und gar zu ihrer Verfügung stand. Vermutlich dachte sie, daß mir ihr Deutschunterricht gefiel, aber das einzige, was mich daran interessierte, war, daß er mir fünfundvierzig Minuten lang die anderen vom Leib hielt. Überhaupt waren mir die alten, strengen Lehrer lieber. Die jungen forderten uns jedesmal auf, die Tische zu einem Kreis zusammenzuschieben. Ständig ließen sie uns Gruppenarbeit machen. Wahrscheinlich, weil sie dann aus dem Klassenzimmer gehen konnten, um draußen eine zu rauchen. Am anstrengendsten waren die großen Pausen. Ich drückte mich im Klassenzimmer herum, bis die Pausenaufsicht mich erwischte und rauswarf. Frische Luft war das, was Schüler nach Lehreransicht am dringendsten brauchten. Dann schlich ich so langsam wie möglich die Treppe hinunter. Blieben noch vierzehn Minuten. Auf dem Hof umkurvte ich weiträumig die Schüler aus meiner Klasse und steuerte dorthin, wo ich niemanden kannte. Ich tat, als hätte ich einen wichtigen Auftrag zu erledigen, und lief mit meinem zielstrebigen Gesichtsausdruck kreuz und quer über den Schulhof, aber natürlich war es trotzdem für alle offensichtlich, daß ich bloß niemanden hatte, zu dem ich mich stellen konnte. Es war wahnsinnig anstrengend. Schließlich kam ich darauf, mich während der Pausen in der Mädchentoilette zu verstecken. Von nun an verbrachte ich eine Menge Zeit in Toiletten.

Es war nur gut, daß ich gar nicht mehr versuchte, beliebt zu sein oder irgendwo mitzumachen. Das ersparte mir das Schlimmste. Nein, das Schlimmste ersparte es mir natürlich nicht. Denn das Schlimmste waren die Turnstunden, die jetzt Sport hießen. Ich war in eine Klasse voller sehniger, muskulöser Sportfanatiker geraten, und das galt für die Mädchen genauso wie für die Jungen. Mit Begeisterung droschen sie sich gegenseitig den Völkerball aufs Fell, genossen es richtig, wenn sie abgeschossen wurden, stöhnten ekstatisch auf und versuchten auch noch zu fangen. Es machte ihnen überhaupt nichts aus, wenn sie sich dabei einen Finger verstauchten. Sie waren völlig verliebt in Schmerz und Anstrengung und Turnhallengestank. Die Mädchen trugen jetzt alle schwarze oder dunkelblaue Gymnastikhosen, deren elastischer Stoff die Beine mit leichtem, aber festem Griff umspannte. Natürlich schwitzte man sich darin halbtot. Sie verrutschten auch, und es war nicht einfach, sie hochzuziehen, ohne dabei albern auszusehen. Aber sie bändigten die Erschütterungen des Fleisches, und meine Beine wirkten darin so schwarz, glatt und fest wie aus Kunststoff.

Völkerball haßte ich immer noch. Doch solange wir Völkerball spielten, mußten wir wenigstens nicht an Geräten turnen. Geräteturnen war die Hölle, war Folter und mit der Menschenwürde nicht vereinbar. Schon nach der zweiten Woche teilte unser Sportlehrer die Klasse in drei Leistungsgruppen. Die erste Gruppe war die ›Jugend-trainiert-für-Olympia-Gruppe‹. Sie bestand aus acht Mädchen, die genau das taten. Jedes Jahr fuhren sie dafür nach West-Berlin zu einem großen Wettkampf, und wenn es regnete, holten sie so blöde kleine Umhänge aus ihren Taschen, auf denen JUGEND TRAINIERT FÜR OLYMPIA stand und die sie noch über ihre Regenjacken drüberzogen. Diese Mädchen mußten am normalen Sportunterricht gar nicht teilnehmen. Sie hatten eine Ecke der Turnhalle für sich, wo sie unglaubliche Dinge mit ihren Körpern anstellten, ohne weitere Hilfsmittel in die Luft sprangen und sich dort zu Schrauben verdrehten und überschlugen. Die zweite Gruppe versammelte so ziemlich den Rest der Klasse, der halt ohne doppelte Salti, aber doch mit einfachem Handstandüberschlag über die Kästen und Böcke kam. Die dritte war die ›Die-bringen-es-nie-Gruppe‹. Sie bestand bloß aus drei Leuten: Ich war natürlich auch dabei, und dann gab es noch die dickliche Helga Steinhorst und Ines Dubberke. Ines Dubberke trug eine jener Brillen, die Gott immer nur an sowieso schon geprügelte Gestalten verteilt, um sie endgültig fertigzumachen – quallenartige Gläser mit ungefähr 28 Dioptrien. Wenn ich an diese Zeit denke, so sehe ich mich wie einen nassen Sack am geknoteten Ende eines Kletterseils hängen. Ich sehe mich, wie ich nicht mal über den niedrigsten Bock springen kann. Ich sehe, wie ich am Stufenbarren mühsam einen Aufschwung hinbekomme, spüre die Übelkeit, wenn ich mit dem Magen auf einen der Barren aufschlage, ohne daraus auch nur für fünf Pfennig Schwung zu gewinnen, spüre wieder Erniedrigung, Ohnmacht, Schmerz und Scham, die fürchterliche Scham, wenn ich meinen Körper vor allen bewegen soll, spüre das Gewicht dieses Körpers, das mich unbarmherzig zu Boden zieht. Ich sah nicht ein, warum ich überhaupt zu all diesen Sachen gezwungen wurde. Warum war Sport ein gleichwertiges Fach wie Mathematik oder Englisch? Es gab keinen einzigen Beruf, in dem man über einen Bock springen mußte, es sei denn, man wollte Sportlehrer werden. Nicht einmal ein Feuerwehrmann mußte einen Handstandüberschlag können. Warum ließ man nicht einfach die Sportidioten für Olympia trainieren und mich in Ruhe?

Wenn ich von der Schule kam, aß ich zu Mittag, machte meine Hausaufgaben, und dann legte ich mich ins Bett und schlug eines der Bücher auf, die ich mir gleich stapelweise aus der Bücherhalle holte. Zu meiner Oma mochte ich nicht mehr, weil sie inzwischen Windeln tragen mußte und entsprechend roch. Meine Mutter war selig, daß ich nie Freunde mit nach Hause brachte. In ihren Augen war ich ein unkompliziertes Kind, das sich ganz wunderbar mit sich selbst beschäftigen konnte. Irgendwie stimmte das auch. Mein Bett war eine Insel im haifischverseuchten Ozean des Lebens. Wenn ich auch nur den Fuß hinausstreckte, konnte es mir übel ergehen, aber in diesen Kissen war ich in Sicherheit. Es hätte mir nichts ausgemacht, den Rest meines Lebens im Bett zu verbringen. Wenn meine Geschwister nicht da waren, zog ich auch noch die Gardinen zu. Ich las jetzt hauptsächlich Mädchenbücher. Hanni und Nanni kamen ins Internat. Dolly kam auch ins Internat und mußte dort als Jüngste die Mädchen der älteren Jahrgänge bedienen. Sie lehnte sich dagegen auf, aber am Ende kriegten die sie doch noch klein, und Dolly war plötzlich total scharf darauf, die anderen zu bedienen. Das Buch machte mich völlig krank. Unglaublich, wofür man hier Partei nehmen sollte. Deliah erging es besser. Deliah zog in einem Planwagentreck durch den Wilden Westen. Der Treck wurde von Indianern überfallen, und alle außer Deliah wurden abgeschlachtet. Allerdings hatten die Indianer sie nur verschont, um sie am Marterpfahl zu Tode zu foltern. Britta, Billie und Gundula lebten in einer perfekten Welt, in der es zuerst einige Schwierigkeiten zu bestehen galt und am Schluß das geliebte Pferd als Geschenk auf sie wartete. Dann beschlossen die jeweiligen Eltern auch sogleich, ihre Wohnung aufzugeben und auf einem efeuumwucherten Bauernhof auf dem Land zu leben, und beim Umzug entdeckten sie dann einen traurigen, verlassenen Hund am Straßenrand, der fortan bei ihnen wohnen durfte. Über Britta, Billie und Gundula wachte ein gütiger Gott und sorgte dafür, daß sie beim Reitturnier trotz eines schlechten Starts doch noch den ersten Preis machten.

Ein stetiger Strom von Schokolade und Weingummi half mir, mich ins Vergessen zu spülen. Lesen allein genügte einfach nicht. Ich hielt es mit den Süßigkeiten wie mit den Büchern – der Inhalt war zweitrangig. Ich brauchte vor allem eine Quantität, die mich sicher über den Nachmittag brachte. Was ich eigentlich gebraucht hätte, wäre Alkohol gewesen, aber Schnaps zu trinken fiel mir einfach nicht ein. Außerdem hätte meine Mutter vermutlich etwas dagegen gehabt, wenn ich mich jeden Tag in meinem Bett betrunken hätte.

Oft dachte ich, ich sollte das sein lassen mit der Schokolade und statt dessen gar nichts mehr essen. Ich war nicht richtig dick, nicht so, daß man mich deswegen gehänselt hätte. Die Hänseleien fing Helga Steinhorst ab. Sie war gar nicht so viel dicker als ich, aber sie hatte ein rundes Vollmondgesicht, und das rettete mich, wenn ein Opfer gesucht wurde.

Einmal war ein richtig dickes Mädchen aus einer höheren Klasse in den Englischunterricht geplatzt, um einen Zettel abzugeben. Während sie vorne bei Mrs. Meyer-Hansen stand, fingen einige an zu kichern, und das dicke Mädchen errötete. Als sie wieder gegangen war, stellte uns Mrs. Meyer-Hansen zur Rede. Sie war schlank und hübsch und konnte sich das erlauben.

»Könnt ihr mir bitte sagen, warum ihr eben gelacht habt?« fragte sie sehr aufgebracht.

Schweigen.

Dann sagte Kiki: »Weil die so schlank war«, und alle kicherten noch mehr.

»Ich finde das nicht fair«, sagte Mrs. Meyer-Hansen. »Es gibt nämlich Leute, die sind drüsenkrank und können überhaupt nichts dafür, wenn sie dick sind.«

Krankheit! Krankheit war das einzige, was einen entschuldigte. Wer bloß zuviel gefressen hatte, war zum Abschuß freigegeben. Und wirklich in Sicherheit war nur, wer dünn war. Wenn ich schlank gewesen wäre, hätte ich sogar dann noch elegant ausgesehen, wenn ich am Reck keinen Umschwung schaffte oder auf dem Bock hängen blieb. Bloß, daß es Wochen gedauert hätte, bis ich richtig dünn gewesen wäre. Bloß, daß ich jetzt schon etwas brauchte gegen die Scheißangst, die ich ständig vor dem nächsten Tag hatte. Denn entweder war am nächsten Tag Geräteturnen dran, oder wir machten Gruppenarbeit, oder irgend etwas anderes Widerliches stand mir bevor. Und selbst, wenn nichts Besonderes anlag, gab es immer noch die großen Pausen, die ich rumkriegen mußte. »Angst« ist vielleicht eine Nummer zu groß für das, was ich fühlte, vielleicht war ich eher bedrückt. Aber jedenfalls war es ein widerliches Gefühl. Und dem konnte ich nur entkommen, wenn ich mich ins Bett legte und meinen Mund mit etwas verkleisterte, das so penetrant süß war, daß alle anderen Empfindungen daneben verblaßten.

»Genau wie ich«, sagte meine Mutter, wenn sie in mein Zimmer kam, »ich habe früher auch immer so gern gelesen.«

Das behauptete sie ständig, daß ich genau so wäre wie sie. »Du bist wie ich. Du bist genau wie ich, und deine Schwester ist genau wie Tante Magda.«

Tante Magda kam manchmal zu den Geburtstagsfeiern, aber nicht so oft. Sie war die ältere Schwester meiner Mutter. Als beide Kinder gewesen waren, hatte Tante Magda sich am Mittagstisch immer eine Hand neben das Gesicht gehalten, um meine Mutter nicht sehen zu müssen. So sehr haßte sie sie.

Ich wollte nicht wie meine Mutter sein. Sie war glanzlos, ängstlich und ständig müde. Wenn meine Geschwister und ich ins Haus kamen, ließen wir unsere Anoraks und unsere dreckigen Schuhe einfach fallen, und meine Mutter hob sie auf. Sie war ein Nichts. Auf manchen Briefen, die meine Mutter bekam, stand nicht einmal ihr Name. »An Frau Robert Strelau« stand auf ihren Briefen. Und ich war ihr ähnlich. Ich war ihr so ähnlich, daß ich immer ganz genau wußte, was sie gerade fühlte.

Dabei wäre ich lieber wie meine Schwester gewesen. Die war nicht bloß älter und hübscher als ich, sie war mir auch in allem anderen maßlos überlegen. Schon, daß meine Mutter ständig etwas an ihr auszusetzen hatte, sprach für sie. An mir gab es nichts auszusetzen. Die einzige Jeans, die ich besaß, hatte noch nicht einmal besonders viel Schlag. Meine Schwester lief in hohen weißen Stiefeln und einem roten Minikleid aus Kunstleder herum und trug eine Jackie-O.-Sonnenbrille. Trotz ihrer Lärmempfindlichkeit schaute sie sich jede Woche mit ihrer Freundin die ZDF-Hitparade an. Einmal konnte der Sänger Danyel Gérard seine Melodie nicht pfeifen, weil ihn etwas zum Lachen brachte, und meine Schwester und ihre Freundin brachen in entzückte Schreie aus und rückten näher an den Bildschirm.

»Ist er nicht süß?« rief meine Schwester. Danyel Gérard hatte einen Vollbart und trug einen schwarzen Schlapphut. Mir war nicht klar, was an ihm süß sein sollte. Ich begriff überhaupt nicht, was in meine Schwester und ihre Freundin gefahren war, aber es wirkte weltgewandt. Es war, als hätten sie ein intimes Verhältnis zu Gérard, das es ihnen gestattete, auf mütterliche Weise gerührt zu sein, wenn ihm ein Fehler unterlief.

Als meine Schwester ihren ersten Freund kennenlernte, erweiterte sich ihre Plattensammlung um ›Spiel nicht mit den Schmuddelkindern‹ von Franz Josef Degenhardt und eine LP von Leonard Cohen. Ich konnte den Freund meiner Schwester nicht ausstehen. Er war schon zwanzig, studierte Psychologie und behauptete, ich könne ihn nur deswegen nicht leiden, weil ich heimlich in ihn verliebt sei. Wenn meine Schwester nicht zu Hause war und nicht gerade mein Vater im Wohnzimmer schlief, hörte ich mir ihre Platten auf der Musiktruhe an. Manche Lieder ließ ich zehnmal hintereinander laufen. Zehnmal ›Lieber Rudi Dutschke würde Vati sagen‹. Mann, was für ein Lied! Es machte mir so richtig deutlich, wie zurückgeblieben ich war. Die beiden einzigen Platten, die ich selber besaß, waren ›Noah‹ von Bruce Low und ›Ich wünsch mir 'ne kleine Miezekatze‹ von Wum, dem Zeichentrickhund mit dem birnenförmigen Schädel aus der Sendung ›Drei mal Neun‹.

Meine Schwester hatte nicht nur den besseren Musikgeschmack, sie hatte auch durchgesetzt, daß sie ein eigenes Zimmer bekam, in das sie sich mit ihrem Freund einschließen konnte. Sie hatte so lange auf meine Eltern eingeredet, bis die ihr Schlafzimmer räumten und sich ein Klappbett ins Wohnzimmer stellten.

»Drei Kinder in solchen Wohnverhältnissen sind gerade-zu verantwortungslos«, hatte meine Schwester gesagt. »Dieses Haus ist nicht groß genug für sechs Personen. Ihr hättet euch mit einem Einzelkind begnügen müssen.«

Das ehemalige Schlafzimmer meiner Eltern war beinahe doppelt so groß wie das Kinderzimmer, in dem wir bisher zu dritt gewohnt hatten. Meine Schwester hatte selbst bestimmen dürfen, wie es eingerichtet wurde. Die Wände waren mit Rauhfaser tapeziert und weiß gestrichen. Es gab eine weiße Schrankwand, ein weißes Bücherregal, einen weißen Flokatiteppich, einen weißen Schreibtisch, einen weißen Stuhl, ein weißes Bett und – jetzt kommt's – einen knall-roten »Knautschi«, einen Sitzsack, wie auch Wum einen hatte. Aus dem Reißverschluß rieselten kleine weiße Styro-porkügelchen. Das Kinderzimmer, in dem mein Bruder und ich zurückblieben, wurde ebenfalls neu tapeziert. Aber mein Vater suchte die Tapete aus, und es waren riesige, kindische orangegelbe Mohnblüten darauf

»Das sind fröhliche Farben«, sagte mein Vater.

In die Mitte des Zimmers bekamen wir ein Regal als Raumteiler gestellt, sonst blieb alles beim alten. Man brauchte sich nur die beiden Zimmer anzusehen, das sagte eigentlich alles über meine Schwester und mich.

In der Schule fehlte ich so oft wie möglich. Eigentlich fühl-te ich mich jedesmal krank, wenn meine Mutter mich morgens weckte. Mit bleiernen Füßen und dumpfem unge-richteten Haß im Herzen wankte ich zum Badezimmer. Meistens war es bereits besetzt. Ich lehnte mich neben der Badezimmertür gegen die Wand, schloß noch einmal die Augen und versuchte, im Stehen weiterzuschlafen. Ich ver-fluchte meine Mutter. Wieso konnte sie nicht warten, bis das Badezimmer frei war, bevor sie mich weckte? Irgendwann kam meine Oma oder mein Vater heraus, und ich taumelte zum Klo, pinkelte und blieb dann ein paar Minuten mit geschlossenen Augen auf der Brille sitzen, während bereits meine Schwester und mein kleiner Bruder an die verschlossene Tür hämmerten. Ich wußte nicht, wie ich es je fertigbringen sollte, meine Augen wieder zu öffnen, aufzustehen und mich zu waschen, aber dann hatte ich es doch irgendwie wieder hingekriegt, hielt mein Gesicht unter den Wasserhahn und zog mir den mit Birkenwasser verschmierten Kamm durch die Haare. Das Ganze war es einfach nicht wert. Wenn ich mir ausmalte, daß das noch Jahre und Jahre so weitergehen würde, mindestens bis zum Ende der Schulzeit – und warum sollte es danach eigentlich besser werden? –, dann war die menschliche Sterblichkeit eine ganz passable Einrichtung. Ich glaubte sowieso nicht mehr daran, daß ich je wie meine Mitschüler werden und an ihrer Art von Leben teilhaben konnte.

Manchmal ging es mir morgens so grauenhaft, daß ich gar nicht erst aufstand und mich nur stöhnend gegen die Wand drehte. An solchen Tagen wurde ich krank. Zum Beispiel, wenn ein Sportfest bevorstand. Das einfachste wäre natürlich gewesen, für immer bettlägerig zu bleiben, aber es wollte mir einfach nicht gelingen, im großen Stil dahinzusiechen. Über Röteln und Mumps kam ich nicht hinaus. Ich wäre gern blind gewesen. Dann hätte ich endlich einen Hund bekommen. Einen Blindenhund. Auch gelähmt wäre nicht schlecht gewesen, dabei hätte ich weiterhin lesen können. Einen Hund hätte mein Vater mir dann ja wohl trotzdem geschenkt. Wenn man so krank war, wurde einem nichts abgeschlagen. Überhaupt hätte ein großes, sichtbares Leid alles viel einfacher gemacht. Blind oder gelähmt wäre ich natürlich vom Sportunterricht befreit gewesen, aber ich hätte von diesem Vorteil keinen Gebrauch gemacht. Ich hätte darauf bestanden, weiterhin mitzuturnen. Blind wäre ich im Völkerballspiel herumgeirrt, und niemand hätte gewagt, auf mich zu schießen. Ich aber hätte mich am Geräusch des fliegenden Balles orientiert, hätte mich in seine Bahn geworfen und ihn zum Erstaunen aller gefangen. Einer der besten Spieler wäre ich gewesen, eine Art Wunder, und ›Das Beste aus Reader's Digest‹ hätte eine Geschichte über mich gebracht, wie ich tapfer mein Schicksal besiegte. In meinem Rollstuhl hätte ich mich zum Stufenbarren schieben lassen und verlangt, daß man mich an den oberen Barren hebt. Niemand hätte sich etwas davon versprochen, aber auch niemand hätte gewagt, dem Krüppel nicht seinen Willen zu lassen. Ich aber, mit den muskulösen Oberarmen des Rollstuhlfahrers und den verkümmerten dünnen Beinen unten dran, die kaum noch als Ballast zu zählen waren, wäre von Stange zu Stange geschnellt, so leicht und elegant, daß alle in spontanen Applaus ausgebrochen wären. Ich war mir ganz sicher: Wenn niemand mehr das Normale von mir verlangte, dann war ich in der Lage, Außergewöhnliches zu vollbringen.

Was die Querschnittslähmung betraf, so kam ich über ein paar Einlagen gegen schwache Fußgelenke nicht hinaus. Bei dem Versuch, durch reine Willensanstrengung zu erblinden, brachte ich es immerhin zu einem Teilerfolg von minus vier Dioptrien. Zuerst freute ich mich, eine Brille zu bekommen. Es brachte mich nicht nur meinem Ziel näher, es würde mich auch verändern, und Veränderung erschien mir grundsätzlich wünschenswert. Außerdem war ich die einzige in meiner Familie, die eine Brille tragen mußte. Wenigstens darin war ich also nicht wie meine Mutter. Ich freute mich aber nur so lange, bis ich die Brille in der Hand hielt: ein Kassengestell aus einem durchsichtigen, braunrosa Kunststoff. Dies war nicht die Art von Veränderung, die einen weiterbrachte.

»Zum Glück ist das nicht mehr so wie früher; jetzt kriegt man ja richtig schöne Brillen auf Krankenschein«, sagte meine Mutter.

Die Brille war nicht dramatisch genug, daß man mir deshalb irgendwelche Vergünstigungen eingeräumt hätte. Sie war bloß der Grund, daß es aus dieser Zeit keine Fotos von mir gibt.

Die einzige Art von körperlicher Betätigung, bei der mir nicht schon übel wurde, wenn ich nur daran dachte, waren die Ausritte mit Susi Klaffke. Falls es überhaupt jemanden gab, mit dem ich in dieser Zeit im weitesten Sinne befreundet war, dann wohl mit ihr. Auf der Grundschule hatten wir uns nicht sonderlich gut verstanden. Einmal hatten Susi Klaffke und ein anderes Mädchen mir auf dem Schulweg aufgelauert, um meinen Ranzen auszuschütten. Aber erstens trug ich jetzt keinen Ranzen mehr, sondern eine Kunstleder-Aktentasche, und zweitens besaß Susi Klaffke neben vielen anderen Vorzügen auch noch zwei Pferde – einen großen Fuchswallach mit weißen Beinen, der Caliban hieß, und ein bösartiges, fettes Shetlandpony. Selten, sehr selten, durfte ich den Fuchs reiten. Wenn ich auf Caliban saß, war ich ein anderer Mensch – größer, stärker, schöner. Die Unzulänglichkeit meines eigenen Körpers spielte keine Rolle mehr. Es war irgendwie … erhaben. »Erhaben« ist, glaube ich, kein zu starkes Wort. Normalerweise mußte ich natürlich das schwarze Shetlandpony nehmen. Es hieß Prinz und trat und schnappte nach allem, was näher als einen Meter an ihn herankam, Menschen, Hunde, Pferde, Hühner. Prinz haßte die ganze Welt. Ich konnte das gut verstehen. Aber natürlich hatte er keine Chance. Wir trieben ihn auf der Weide in eine Ecke, packten ihn am Halfter und banden ihn während des Putzens so kurz an einen Pflock, daß er vor Wut knirschend ins Holz biß. Das Pony hatte keinen vernünftigen Sattel, bloß ein Shetty-Kissen, ein kaum gepolstertes Lederstück mit zwei Steigbügeln daran, das auf seinem runden Rücken bedenklich rutschte. Wenn man die Bügel nicht ganz gleichmäßig belastete, hing man schnell unter dem Bauch.

Natürlich war es nett, von einem warmen Wesen durch Wiesen und Wälder getragen zu werden, aber worauf es mir wirklich ankam, worauf ich die ganze Zeit hinfieberte, war die vierhundert Meter lange Rennstrecke in einer ehemaligen Kiesgrube. Das Pony sah das genauso. Je näher wir kamen, desto idiotischer führte es sich auf. Das war vermutlich das einzige, was uns verband: diese Sehnsucht nach der einen wilden Minute, wenn es sich mit einem Schnaufen streckte und seine kurzen Beine so schnell über den Boden trommelten, daß ich auf seinem Rücken kaum noch eine Bewegung spürte. Wie einbetoniert stand ich in den Bügeln, während unter meinen Füßen das Gras in der Geschwindigkeit verwischte. Ich beugte mich weit nach vorn, folgte mit den Zügeln dem Takt des nickenden Mauls und gab mich dem Tempo hin. Falls das Pony jetzt stolperte oder aus Bosheit bremste, war ich geliefert. Und genau das tat es gern und häufig, rammte plötzlich die Vorderhufe in den Boden und keilte mit dem Hinterteil aus. Ich beschrieb stets die gleiche Flugbahn: Zuerst schoß ich diagonal nach oben, machte am höchsten Punkt einen halben Überschlag und stürzte dann, den flüchtenden Himmel als letztes Bild vor Augen, senkrecht zu Boden, wo ich mit dem Rücken aufschlug. Der Aufprall preßte mir die gesamte Luft aus den Lungen. Wenn Susi Klaffke mich endlich im hohen Gras gefunden hatte und vom Pferd herunter fragte, ob alles in Ordnung sei, konnte ich bloß noch seltsame, knarrende Laute von mir geben. Es tat so unglaublich weh, daß ich jedesmal überzeugt war, mir sämtliche Rippen durch die Lunge gestoßen zu haben. Ich hätte diese Stürze verhindern können, wenn ich mich zurückgelehnt und die Zügel verkürzt hätte. Aber das hätte wie eine Bremse gewirkt. Wenn ich das Rennen richtig auskosten wollte, mußte ich mich vorbeugen und ausliefern, mußte ich dem Pony vertrauen, auch wenn die Erfahrung gelehrt hatte, daß man ihm nicht unbedingt vertrauen durfte. Doch wenn es sich – aus welchen Gründen auch immer – entschied, mich diesmal zu dulden, riß mich die Geschwindigkeit in einen regelrechten Glücksrausch. Ich hörte auf, als feste Materie zu existieren, und verwandelte mich in Bewegung, ich war Bewegung. Daß ich jeden Moment damit rechnen mußte, mir den Hals zu brechen, machte es nur noch besser. Was tat es noch, unbeliebt und häßlich zu sein, dieses Gefühl war die Schönheit selbst.

Ein Pferd zu bekommen, war noch aussichtsloser als einen Hund. Ich weiß, man kann Wörter wie »aussichtslos« nicht steigern, aber es war wirklich noch aussichtsloser.

»Boberg ist voller Querschnittsgelähmter – alles Reitunfälle«, sagte mein Vater. Anscheinend ging er davon aus, daß man erst dann vom Pferd fiel, wenn es einem gehörte. Das andere Argument hieß natürlich Geld. Wenn ich gekonnt hätte, hätte ich mir das Pferd selbst erarbeitet. Aber ich war zu jung, ich durfte noch nicht einmal das ›Hamburger Abendblatt‹ austragen. Ein paar Straßen von unserem Haus entfernt gab es ein brachliegendes Grundstück. Ich legte mich nach der Schule nicht mehr ins Bett, sondern rodete das Grundstück und legte eine Weide an. Ich arbeitete so hart, zerschrammte mir beim Fällen der Birken Arme und Beine, buddelte Baumstümpfe aus, bis meine Hände voller Blasen waren – das mußte doch irgendeine Auswirkung haben und mich einem Pferd – wenn auch noch so geringfügig – näherbringen. Ich zeigte meinem Vater das gerodete Grundstück. Er zuckte die Achseln. Nichts konnte ich tun. Gar nichts.

Anfangs hatte ich meinen Vater bloß deshalb auf seinen Spaziergängen begleitet, um ihn unterwegs zu bearbeiten, mir ein Pferd zu kaufen und ihm meine Kompetenz zu demonstrieren, indem ich ihm die fünfzig verschiedenen Kopfzeichnungen eines Pferdes aufzählte: Stern, Blesse, Strich, Schnippe, Strich und Schnippe verbunden, Laterne, Blitz, Flocke... Aber obwohl mein Vater meinen Wünschen gegenüber so hart und gleichgültig wie eine Kokosnuß blieb, stellte ich irgendwann fest, daß ich richtig gern mit ihm durch die Wälder ging und daß ich ihn mochte. Natürlich hatte ich ihn vorher auch schon gemocht. Es war leicht, ihn zu mögen. Im Gegensatz zu dem Leben meiner ständig verfügbaren Mutter schien seines aufregend und mysteriös. Ich hatte immer noch keine klare Vorstellung davon, welchen Beruf er eigentlich ausübte. Während er mit seinem Opel unterwegs war, kamen Pakete an, manchmal zwanzig große Pakete auf einmal. Nur er durfte sie öffnen, wobei mein kleiner Bruder und ich ihm ehrfurchtsvoll über die Schulter schauten. Meistens steckte bloß Papierkram darin oder Tuben, aber manchmal auch interessantere Dinge wie Gumminilpferde, römische und ägyptische Relieftafeln oder hundertfünfzig knallrote lebensgroße Füße aus Gips. Inzwischen hatte ich begriffen, daß mein Vater unglücklich war. Vielleicht auf eine ähnliche Art wie ich. Vielleicht war ich gar nicht wie meine Mutter, sondern wie mein Vater. Neuerdings bildete ich mir manchmal ein, auch seine Gefühle mitempfinden zu können. Wenn ich sah, wie er sich in seine Lamahaar-Decke gewickelt auf dem Sofa zusammenrollte, schnürte es mir die Kehle zu. Allerdings taute mein Vater schnell auf, wenn wir Besuch hatten. Er fühlte sich bloß elend, solange er mit seiner Familie allein war. Vor den Besuchern riß er ununterbrochen Witze und erzählte jedem, daß er theoretisch drei Ferraris in der Garage hätte. Mein Vater hatte nämlich in der Zeitung gelesen, daß ein Kind von der Geburt bis zum Ende seiner Ausbildung im Schnitt 100 000 Mark kostete – genausoviel wie ein Ferrari. Seitdem machte er ständig diesen Witz. Aber ich wußte, daß er es auch ein bißchen ernst meinte und daß das Leben, das er führte, nicht das war, was er sich einmal erträumt hatte. Ich nahm mir vor, ihn nicht mehr um ein Pferd anzubetteln. Mein Vater hatte es schwer genug. Wenigstens das konnte ich ihm ersparen. Da ich ihm aber bisher ausschließlich die Vorzüge der verschiedenen Pferderassen und die Möglichkeiten preiswerter Tierhaltung aufgezählt hatte, mußte ich mich nach einem neuen Thema umsehen. Natürlich konnten wir nicht darüber reden, daß wir unglücklich waren. Wir redeten über Natur und Technik, über Physik und Chemie. Seit meine Geschwister und ich denken konnten, hatte mein Vater uns abgefragt, wie die chemische Formel für Wasser lautete, so daß wir inzwischen wie aus der Wasserpistole geschossen »Ha-Zwei-Oh!« brüllten. Selbst die Gutenachtgeschichten, die er uns früher erzählt hatte, waren verkappte Physikaufgaben gewesen. In jeder Geschichte stellte ein König seinen drei Söhnen ein Rätsel, und jedesmal konnte es nur der jüngste Prinz lösen. Zum Beispiel war ein Ball in eine schmale U-förmig unter der Erde liegende Röhre gerollt. Wer ihn wiederherausholen konnte, sollte das Königreich erben. Die beiden älteren Prinzen scheiterten wie gewohnt. Der jüngste Prinz hielt einfach einen Gartenschlauch hinein, und als genug Wasser in die Röhre gelaufen war, wurde der Ball an die Oberfläche gespült.

Ich erzählte meinem Vater, daß wir in der Schule eine

Fahrradglühbirne und eine Batterie durch Drähte verbunden und die Glühbirne zum Leuchten gebracht hatten. Zu meiner Erleichterung sprang er sofort darauf an. Ich war mir nie sicher, wie lange mein Vater meine Gesellschaft auf seinen Spaziergängen noch ertragen würde, aber jetzt dozierte er lebhaft über geschlossene Stromkreisläufe. Ich fragte ihn, wie die Energie in die Batterie gekommen wäre, und er erzählte, daß es noch niemandem je gelungen sei, ein Perpetuum mobile herzustellen. Dabei war das ganz einfach:

»Du mußt dir eine Wassermühle vorstellen«, sagte er »die in der Mitte eines geschlossenen Behälters angebracht ist, der rechts mit Luft und auf der linken Seite mit Wasser gefüllt ist. Die Schaufeln sind aus einem Material, das leichter als Wasser ist. Rechts fallen die Schaufeln runter, weil sie natürlich schwerer als Luft sind. Dann kommen sie an der linken Seite durch die Auftriebskraft des Wassers wieder hoch. Das Problem ist nur die Dichtung, wie die Schaufeln von dem Luftbereich in den Wasserbereich wechseln können, ohne daß das Wasser in die rechte Seite läuft.«

Ich war überwältigt von der Klugheit meines Vaters. Die Idee war einfach genial. Vielleicht würde ich später Physik studieren und das Problem mit der Dichtung lösen. Es war eine aufregende, heroische Welt, zu der mir mein Vater den Zugang verschaffte, wenn ich ihn bloß dazu bringen konnte, weiterhin mit mir zu reden. Ich zermarterte mir den Kopf nach Themen, die ihn so sehr interessieren könnten, daß er darüber vergessen würde, daß bloß ich es war, mit der er sprach. Meine Mutter wollte natürlich ständig mit mir reden. Sie fragte, wie es in der Schule war oder was ich gern zu Mittag essen wolle, oder sie erzählte, was irgendeine langweilige Nachbarin gesagt hatte. Sie war ein Kleingeist und würde niemals ein Perpetuum mobile erfinden. Außerdem haßte ich ihre nassen Küsse. Natürlich war mir bewußt, wie erbärmlich es war, daß ich die Gesellschaft meines Vaters brauchte, weil sonst kaum jemand etwas mit mir zu tun haben wollte. Andererseits glaubte ich nicht, daß einer meiner Klassenkameraden auch nur annähernd so kluge und interessante Dinge zu sagen imstande gewesen wäre wie er. Ich mochte, wie mein Vater sich für seltsame Probleme begeisterte. Ob ein geschlossener Würfel, in dem 200 Wellensittiche eingesperrt sind, weniger wiegt, wenn man in die Hände klatscht, so daß alle Wellensittiche auffliegen. Ob man überleben kann, wenn man in einem abstürzenden Fahrstuhl genau in dem Augenblick in die Luft springt, in dem der Fahrstuhl auf dem Boden aufknallt. Wenn er mich so etwas fragte, fühlte ich mich ihm nah. Er hatte so viel Spaß an seinem Wissen. Aber manchmal hielt er mittendrin inne, sah mich stirnrunzelnd an und schwieg dann, als könnte er es gar nicht fassen, daß er seine brillanten Ideen gerade vor jemandem wie mir ausgebreitet hatte.

Eines Sonnabendmorgens, als die ganze Familie im Garten um den Frühstückstisch saß, versuchte ich die Aufmerksamkeit meines Vaters zu gewinnen, indem ich von einem Chemieversuch in der Schule erzählte. Während ich gerade mit leichten Übertreibungen die Größe einer violetten Wolke beschrieb, stand mein Vater plötzlich auf, sammelte wortlos die Eierschalen vom Tisch ein und ging damit quer durch den Garten zum Komposthaufen. Ich starrte ihm nach. Das konnte nicht sein Ernst sein. Vermutlich hatte er bloß vergessen, mich aufzufordern mitzukommen. Ich lief hinter ihm her. Als ich ihn erreicht hatte, ging mein Vater schneller, ich mußte beinahe rennen, um mit ihm Schritt zu halten. Jetzt konnte ich spüren, was er dachte.

»Wann hört das auf?« dachte er. »Wann hört das endlich auf? Hört das denn nie auf?«

73

Mir wurde klar, daß ich besser zum Frühstückstisch zu-rückkehren sollte. Und zwar sofort! Statt dessen redete ich atemlos auf meinen Vater ein, redete wie um mein Leben, versuchte mich vor seinem Widerwillen und meiner Scham hinter einem Schwall von Worten zu verschanzen. Am Komposthaufen blieb mein Vater stehen und drehte sich zu mir um. Sein Gesicht war ganz verzerrt.

»Warum rennst du ständig hinter mir her«, stieß er her-vor. »Kannst du mich nicht in Ruhe lassen? Sag mal, hast du einen Ödipuskomplex, oder was ist los?«

In diesem Moment explodierte meine Welt. Ich wußte, was ein Ödipuskomplex war. Etwas mit Sex. Mir wurde ganz schlecht. Es war, als würde ich fallen und fallen und fallen. Und als ich dachte, ich wäre jetzt auf dem Grund der Scham angekommen, da war da immer noch kein Boden, und ich fiel weiter in einen zweiten Keller, in dem der Selbstekel wohnte. Ich war meinen Vater angegangen. O Gott, war ich widerlich! Ich weiß nicht mehr, wie ich von dem Kompost-haufen fortgekommen bin, ob ich rannte, um mich heulend auf mein Bett zu werfen, oder ob ich den lächerlichen Ver-such machte, die Fassung zu wahren: ob ich mich ruhig um-drehte, zurückging und mich wieder an den Frühstückstisch setzte und tat, als wäre nichts vorgefallen. Das scheint mir noch das Wahrscheinlichste. Vermutlich schmierte ich mir ein Marmeladentoast, während meine Seele brach und brach und brach. Vielleicht löffelte ich auch meinen Jo-ghurt – einen Löffel für die Erniedrigung, einen Löffel für die Enttäuschung, einen Löffel für den Selbstekel und einen großen Löffel für den Haß. Okay, ich war aufdringlich, häß-lich und peinlich – aber welchen Anlaß hatte ich meinem Vater gegeben, zu denken, ich wollte mit ihm ins Bett? Womöglich hatte er das schon die ganze Zeit gedacht. All die Wochen, die wir miteinander spazierengegangen waren, hatte er sich gesagt, daß kein normales Mädchen im Alter von zwölf freiwillig mit ihrem Vater spazierenging und daß ich folglich scharf auf ihn sein mußte. Was für ein Arschloch! Was für ein dämliches Arschloch! Und ich hatte ihn so bewundert. Er war doch mein allerklügster und liebster Papa. Liebster? Ich war ja so widerlich! Mein Vater hatte vollkommen recht! Wenn es so etwas wie mich doch bloß nicht gegeben hätte! Ich mußte mich töten, mußte mir mit der Nagelschere die Pulsadern aufschneiden. Aber selbst dazu war ich zu erbärmlich, und dafür haßte und schämte ich mich auch.

Eines Tages, als ich in die Mädchentoilette ging, lehnten an der gekachelten Wand gegenüber den Sperrholzkabinen zwei Schüler aus der neunten Klasse und rauchten. Die Toiletten der Neunten lagen ein Stockwerk höher und wurden kontrolliert. Deswegen kamen sie zum Rauchen zu uns runter.

»Hör mal«, sagte einer der Jungen und wies auf eine verschlossene Kabinentür, »da sitzt tatsächlich jemand zum Pinkeln. Hör doch bloß!«

In der Stille hörte ich es leise plätschern. Kurz danach ging die Kabinentür auf und Ines Dubberke, das Mädchen mit der Quallenbrille, kam heraus. Die Jungen lachten und warfen ihre Zigaretten auf den Fußboden. Ich drückte mich ans Waschbecken und ließ sie vorbei. Dann ging ich in eines der Klos, riß einen halben Meter Toilettenpapier ab und ließ es vom Brillenrand bis in den Abfluß hängen. Wenn man genau auf das Papier pinkelte, lief der Urin daran entlang und sickerte geräuschlos ins Wasser. Als ich wieder herauskam, stand Ines immer noch am Waschbecken.

»Die halten die Tür zu«, sagte sie.

Ich sah ihr an, daß sie froh war, nicht allein eingesperrt

zu sein. Draußen wurde gekichert. Ich schaute durch das Schlüsselloch. Ich konnte Kiki erkennen, ein Mädchen, das Barbara hieß, und die dicke Helga. Dann verdunkelte sich das Schlüsselloch, und ein Auge starrte direkt in meines.

Sie machten das öfter – ein Mädchen einsperren. Das war nichts Persönliches. Es konnte jede erwischen. Kiki und Tanja natürlich nicht, aber sonst alle. Ich lehnte mich mit verschränkten Armen ans Waschbecken und wartete. Spätestens wenn die Mathelehrerin die Treppe hochkam, würden sie loslassen und in die Klasse flüchten. Ines zerrte wild an der Tür. Sie war dumm. Wahrscheinlich hingen die da draußen zu zehnt an der Klinke. Aber Ines war ja sogar zu dumm, um geräuschlos zu pinkeln. Ich hörte die Mädchen wieder kichern und scharren. Sie drängten sich vor dem Schlüsselloch, um einen Blick auf uns zu werfen, auf die mit der dicken Brille und die, die beim Sport nicht einmal über den kleinsten Bock springen konnte. Zum Totlachen, daß zwei solche Idiotinnen nicht aus dem Klo kamen.

»Wenn sie noch einmal hier reinglotzen, schmeiß ich ihnen Seife in die Augen«, sagte ich.

»O ja, tust du das wirklich?« flüsterte Ines und ihre Augen funkelten. Vielleicht war es aber auch nur das Toilettenlicht, das sich in ihren Prismengläsern brach. Ich holte mir eine Handvoll Seifenkrümel aus dem Spender, und als sich das Schlüsselloch wieder verdunkelte, pfefferte ich die volle Ladung dagegen.

»Los jetzt«, schrie ich. Ines und ich rissen zusammen an der Klotür. Sie gab nach und wir stolperten rückwärts. Als wir rauskamen, versuchte niemand, uns aufzuhalten. Die Mädchen umringten Doris Pohlmann, die kleinste Schülerin aus unserer Klasse. Sie wurde von allen Klein-Doris genannt, weil es noch ein großes Mädchen gab, das auch Doris hieß. Klein-Doris saß mit zusammengekniffenen Augen auf dem Boden. Eines der Mädchen lief zum Waschbecken, machte ihr Taschentuch naß und wischte ihr damit die Augen aus. Ines rückte von mir ab, und alle blickten entsetzt auf mich. Langsam bekam ich es mit der Angst zu tun. Was, wenn ich Klein-Doris ernsthaft verletzt hatte? Ich fand immer noch, daß sie es verdient hatte. Sie hatte sich ansehen wollen, wie ich eingesperrt war und nicht wußte, was ich machen sollte. Und jetzt heulte sie eben Seifenschaum. Die Mädchen wirkten nicht einmal vorwurfsvoll – bloß entsetzt. Einige Jungen blieben stehen und fragten, was los sei, und dann kam die Mathelehrerin, und alle bewegten sich automatisch ins Klassenzimmer, Klein-Doris immer noch von den anderen Mädchen umringt. Ich setzte mich auf meinen Platz. Ich fand es nicht angemessen, ihr zu helfen. Ich war verfemt. Die anderen hatten einen harmlosen, netten Schülerstreich gemacht, ich aber war bösartig, ich hatte jemanden verletzt. Endlich kriegte auch die Lehrerin mit, daß etwas nicht stimmte, ging zu Klein-Doris und fragte, was los sei. »Jemand hat ihr Seife in die Augen geworfen«, sagte Kiki. Ich malte Kringel in mein Heft. Die Mathelehrerin untersuchte Doris' Augen.

»Einer von euch muß Doris nach Hause bringen«, sagte sie, »Tanja, willst du das tun?«

Tanja bekam frei. Das hatte sie mir zu verdanken.

»Wer hat das gemacht?«

Es wurde getuschelt, und die Mathelehrerin sah wütend zu mir herüber.

»… aber es tut ihr selber leid«, hörte ich Kiki. »Sie wollte Doris bestimmt nicht mit Absicht weh tun.«

Kiki nahm ihren Job als Klassensprecherin anscheinend mächtig ernst. Mir schoß soviel Blut in den Kopf, daß ich dachte, gleich würde eines meiner Ohren platzen. Die Mathelehrerin wandte sich an mich.

»Anne, hast du das mit Absicht gemacht? Hast du Doris weh tun wollen?«

Was für eine dumme Pute. Natürlich sollte es weh tun. Genau deswegen wirft man doch jemandem Seife in die Augen – damit es weh tut. Weswegen denn sonst?

»Nein«, sagte ich leise, »das habe ich nicht gewollt. Es tut mir leid.« Bei der Vorstellung, daß Klein-Doris vielleicht erblinden könnte, wurde mir ganz schlecht. Dann würde ich für den Rest meines Lebens bei ihr wohnen und als ihr Sklave all das für sie erledigen müssen, zu dem sie nicht mehr fähig war. Und trotzdem würde meine Schuld nie geringer werden. Doch aus irgendeinem Grund waren alle davon überzeugt, daß ich es nur unabsichtlich gemacht haben konnte. Es war besser, sie in diesem Glauben zu lassen.

Noch bevor die Stunde zu Ende war, packte ich meine Aktentasche, und beim Läuten lief ich vor allen anderen aus dem Raum.

Am nächsten Schultag ging ich als erstes zu Klein-Doris. Das hatte ich mir während einer langen schlaflosen Nacht vorgenommen. Ihre Augen sahen ganz normal aus.

»Ich wollte mich entschuldigen«, sagte ich. »Es tut mir leid, was ich da gemacht habe. Tut es noch weh?«

»Nein, ist schon wieder vergessen«, sagte sie freundlich. Die Pflicht war erledigt. Jetzt kam die Kür.

»Es tut mir wirklich sehr leid«, sagte ich noch einmal. Es tat mir kein Stück leid, das spürte ich plötzlich mit überwältigender Klarheit.

»Ist schon gut«, antwortete sie, »echt. Laß doch!«

»Nein«, sagte ich, »das war wirklich schlimm. Es tut mir so leid. Ich habe das wirklich nicht gewollt.«

Ich drückte ihr die Hand, und dann ging ich statt ins Klassenzimmer wieder nach Hause. Als ich zu Hause ankam, hatte ich Fieber. Ich sagte meiner Mutter Bescheid und legte mich ins Bett. Ich stellte mir vor, daß Klein-Doris heute auf ihrem Heimweg einen Unfall haben würde, einen Unfall, der mit mir überhaupt nichts zu tun hätte. Ein Tanklastzug würde ins Schleudern geraten, Doris auf ihrem Fahrrad rammen und in ein Gebüsch schleudern. Dann würde der Tanklastzug an einer Hauswand zerschellen. Giftige, ätzende Säure würde auslaufen, genau dorthin, wo Doris im Gebüsch lag. Die Säure würde ihr Gesicht zerfressen, sie für alle Zeit entstellen und ihr Augenlicht zerstören. Ich flehte Gott um einen Tanklastzug an. Dann nahm ich ein neues Buch von dem Stapel, den ich mir vor zwei Tagen aus der Bücherhalle geholt hatte. Dolly war immer noch im Internat. Inzwischen gehörte sie zu den älteren Jahrgängen und durfte sich von den Jüngeren bedienen lassen. Sie war so nett, daß die jüngeren Schülerinnen sich alle darum rissen, ihr das Feuer im Kamin anzumachen oder den Tee für sie zu kochen. Es war wieder so ein Buch, bei dem ich mich am liebsten erbrochen hätte. Zum Glück war ich sowieso schon krank. Ich blieb es eine Woche.

Klein-Doris wurde meine Freundin. Selbst in der achten Klasse sah sie immer noch so aus, als gehörte sie auf die Volksschule – vierte Klasse höchstens. Sie hatte einen schmalen verkniffenen Mund und kurzes, dünnes, hellblondes Babyhaar. Klein-Doris sah nicht nur aus wie ein Kind, sie zog sich auch so an. Sie trug ein Kinderkleid mit großen roten und blauen Karos, und statt einer Aktentasche benutzte sie einen Ranzen. Der Ranzen war aus feinem teuren Schweinsleder, und vermutlich war er auch besser für die Haltung, aber dämlich sah es natürlich trotzdem aus. Während des Unterrichts zeichnete sie mit spitzem Bleistift Bilder von Dörfern, auf denen Millionen Einzelheiten zu sehen waren, hundert kleine Häuser, bei denen Gardinen in den Fenstern hingen; und nicht nur, daß die Gardinen alle verschiedene Muster hatten – hinter einer Gardine schaute auch noch eine klitzekleine Katze hervor und hinter einer anderen sah man eine umgefallene Blumenvase, kaum größer als die Kugel, die man aus einer Füllerpatrone popeln konnte. Eine kleine Kirche hatte eine winzige Kirchturmuhr, auf der es zwanzig vor elf war, über der Kirchentür stand »Gott segnet« und die Jahreszahl: »1872«. Im Hafen lagen Schiffe, die »Heini« und »Möwe« hießen, und die Ruderboote hatten haarfeine Ruder. Beim Bäcker lagen reiskorngroße Brote im Schaufenster, beim Uhrmacher standen stecknadelkopfgroße Wecker, und im Musikladen hingen ameisenkleine Trompeten von der Decke. Ich mußte das alles mitansehen, denn Klein-Doris saß neben mir. Unser Klassenzimmer war jetzt in einem blauen Pavillon untergebracht, der einige Jahre später als asbestverseucht abgerissen werden mußte. Die Schott war in Pension gegangen, und wir hatten einen neuen Klassenlehrer bekommen, der auch Sport unterrichtete. Das war meine Rettung. Geräteturnen sowie sämtliche andere Sportarten ließ Koopmann nämlich meistens für Fußball ausfallen. Ich weiß nicht, ob Fußball im Lehrplan überhaupt vorgesehen war, jedenfalls bestimmt nicht so häufig, wie wir es spielten. Die ›Jugend-trainiert-für-Olympia‹-Mädchen durften weiterhin in der Halle trainieren – Mädchen zählte Koopmann nicht als Verlust –, aber alle andern mußten raus auf den Platz. Karlo Dose war der einzige aus der Klasse, dem Fußball wirklich etwas bedeutete. Till Hinsberg und Volker Meyer spielten zwar genausogut, aber sie machten sich nichts aus dem Drumherum. Keiner von ihnen war in einem Verein. Dose schon. Ohne Fußball wäre er eingegangen wie ein Primelpott. Er hatte zwei selbstgemalte Bundesligatabellen an die Wand des Klassenzimmers

gepinnt. Eine, die die tatsächliche Rangfolge in der Fußball-
bundesliga wiedergab und laufend aktualisiert wurde, und
eine mit der Reihenfolge, die Dose sich gewünscht hätte.
Wenn wir von der Turnhalle zum Platz gingen, scharte
Koopmann die besten Fußballspieler um sich und lief mit ihnen vorweg. Der evolutionäre Ausschuß trottete hinterher.
Ich war froh, plötzlich nur noch einer unter vielen Sportver-
sagern zu sein. Auf dem Fußballplatz gehörte ich zum un-
teren Durchschnitt, wobei der Durchschnitt allerdings auch
schon ziemlich mies war. Wenn ich mit der Fußspitze trat,
schoß ich gezielt und kräftig. Mit der Fußspitze war ich richtig gut. Aber Koopmann merkte das jedesmal, und dann
brüllte er:

»Nicht mit Pieke!«

Wenn ich es mit dem Spann versuchte, knallte der Ball
entweder völlig unkontrolliert durch die Gegend, oder ich
trat gleich ganz daneben. Danebentreten war das Peinlich-
ste überhaupt. Danebentreten passierte meistens dann,
wenn ich dachte, diesmal hätte ich den Bogen raus und es
könnte ein richtig guter Schuß werden. Darum versuchte
ich es irgendwann gar nicht mehr. Es war besser, den Ball absichtlich lahm zu schießen, nur halbherzig zuzutreten, schon
vorher zu wissen, daß es kein guter Schuß werden würde,
und sich nur ein bißchen, aber nicht total zu blamieren.

»Mehr Wumm! Der Ball beißt nicht!« brüllte Koopmann.
Trotzdem war es ungerecht, daß ich bei der Mannschafts-
wahl immer als eine der letzten drankam. Hinsberg, Meyer,
Lorenz und so weiter gingen natürlich als erste weg, aber
sonst war es gar nicht einmal so klar, nach welchen Kri-
terien ausgesucht wurde. Es gab Mädchen, die deutlich
schlechter spielten als ich, Mädchen, die jede ehrgeizige
Mannschaft zur Verzweiflung bringen mußten und die trotzdem vorher gewählt wurden. Während ich darauf wartete,

daß sich endlich ein Mannschaftskapitän meiner erbarmte, malte ich mir jedesmal aus, wie ich ihnen eines Tages beweisen würde, daß ich mehr wert war. Das Ganze würde folgendermaßen ablaufen:

Unsere Klasse hat ein großes Fußballspiel gegen die verhaßte Mannschaft einer feindlichen Schule auszutragen. (Eine feindliche Schule gab es natürlich überhaupt nicht, aber in den Büchern von Erich Kästner kam so etwas ständig vor.) Jedenfalls ist das Spiel furchtbar wichtig. Wenn wir gewinnen, kommen wir in die nächsthöhere Gruppe oder Liga oder was auch immer. Falko Lorenz trifft seine Wahl: Karlo Dose, Till Hinsberg, Hoffi Hoffmann... Mich möchte er auf keinen Fall in der Mannschaft haben, aber über die Hälfte der Klasse ist an einer japanischen Grippe erkrankt, und wenn er mich nicht nimmt, muß er Ines Dubberke mit der Prismenbrille nehmen, sonst wäre die Mannschaft nicht komplett. Und Ines ist eine totale Katastrophe. Also entscheidet er sich knurrend für mich und schärft mir ein, hinten zu bleiben und den Ball immer sofort abzugeben. Am liebsten würde er mich ins Tor stellen, aber da steht schon Karlo Dose, weil der sich zu allem Unglück auch noch beim Aussteigen aus dem Schulbus den Fuß verstaucht hat. Karlo Dose versagt und läßt bereits in der siebten Minute einen Ball durch. Unsere Mannschaft ist demoralisiert und spielt immer schlechter. Wäre ich nicht jedesmal dazwischengesprungen, hätten wir noch zwei Tore kassiert. Ich sehe einige Chancen, die die anderen vertun, und als ich den Ball im Strafraum erwische und völlig frei stehe, halte ich es nicht mehr aus. Ich laufe mit ihm nach vorn, laufe, laufe, fast über die ganze Länge des Grüns, und trotz meiner angeblichen Schwäche am Ball umdribble ich dabei fünf gegnerische Abwehrspieler. Doch kurz bevor ich mein beherztes Solo mit einem Schuß aufs Tor vollenden kann, schreit Falko Lorenz, der mitgelaufen ist: »Gib ab, hierher!«, und ich spiele zähneknirschend zu ihm rüber. Aber Falko vergeigt, er schießt meterweit am Tor vorbei, die Chance ist vertan, und wir gehen mit einem psychologisch fatalen Null zu Eins in die zweite Halbzeit. Falko Lorenz hat mich jetzt aus der Verteidigung genommen und in den Sturm gestellt, was ich kommentarlos hinnehme. Die gegnerische Mannschaft läuft zur Hochform auf. Ich muß immer wieder in die Verteidigung zurück, um zu verhindern, daß wir noch ein Tor fangen. In der 80sten Minute steht es immer noch 0:1, und alles scheint verloren. Aber dann erwische ich wieder den Ball und stürme nach vorn, Falko Lorenz rennt auf der anderen Seite mit, zwei gegnerische Abwehrspieler kommen mir entgegengelaufen, ihre Beine strecken sich nach dem Ball, ich täusche mit dem Körper nach links, renne weiter geradeaus, und der Ball klebt mir förmlich am Fuß, ist mein Ball, tut, was ich will. Ich höre meinen Namen, erst vereinzelt, dann vielfach, dann wird es ein Brausen, ein einziger Schrei aus kollektiver Zuschauerkehle.

»Anne! Anne!!«

Falko Lorenz immer noch auf gleicher Höhe. »Gut gemacht!« schreit er. »Jetzt zu mir!«

Aber ich bin ja nicht verrückt. Ohne zu bremsen, hebel ich das rechte Bein seitwärts aus dem Körper, erwische den Ball mit der Fußspitze, winde mich in die Luft und dresche ihn über die vergeblich sich streckenden Finger des Torwarts ins Netz. Tosender Applaus. Die ganze Schule ist gekommen, um dieses wichtige Auswärtsspiel zu erleben. Sogar Koopmann hält es nicht mehr auf dem Sitz. Die Jungs meiner Mannschaft kommen alle angewackelt und wollen mir auf die Schulter klopfen; und ich trabe ein bißchen am Spielfeldrand entlang, um sie vom Hals zu haben. Sieht aus, als wenn es ein Unentschieden geben würde. Die letzte Minute bricht an. Die gegnerische Mannschaft stürmt vor. Meine glänzende Reaktion verhindert wieder ein Tor. Ich stehe immer noch weit hinten, aber weil nur noch wenige Sekunden zu spielen sind und weil es sonst keine Chance gibt, wage ich es einfach; ich spiel mir den Ball kaltblütig mit dem Unterschenkel zurecht, und dann donnert er wie eine Kanonenkugel durch die Luft, über die halbe Länge des Spielfelds, der gegnerische Torwart hechtet danach, er berührt ihn, aber er kann ihn nicht halten und »jaaaaa ... Tooooor!« Ich habe die Führung für Heddenbarg erzielt. Schlußpfiff. Wir haben gewonnen. Und alle kommen angerannt, die ganze Mannschaft, sie wollen mich auf ihre Schultern heben, und die Zuschauer laufen aufs Spielfeld, Koopmann allen voran, sie stürzen zu mir hin ... und plötzlich trauen sie sich nicht weiter. Weil mein Blick so kalt und vernichtend ist. Ich sehe ihnen ruhig entgegen. Wenige Meter vor mir bleiben sie stehen und scharren mit den Füßen. Und ich drehe mich um und stecke die Hände in die Hosentaschen und gehe quer über den Fußballplatz alleine fort. Das war übrigens in vielen meiner Phantasien die Schlußeinstellung. Am Ende ging ich ganz allein über einen weiten, leeren Platz.

Mit vierzehn Jahren dämmerte mir, daß ich niemals einen Freund haben würde. Auch wenn ich keinesfalls die Absicht hatte, mich zu verlieben, wäre ein Freund wichtig gewesen. Die Erwachsenen taten immer so, als hätte man in meinem Alter alle Trümpfe in der Hand. Doch für die Jungs in meiner Klasse bedeutete meine Jugend nichts. Vierzehn und fünfzehn waren sie selbst. Jugend war kein Trumpf, sondern eine Grundvoraussetzung. Zum Glück ging es den meisten Mädchen genauso. Zwar redeten alle ständig davon, welche Jungen sie mochten, aber nur Kiki und Tanja hatten überhaupt schon einmal geküßt. Sie hatten etwas drauf, wozu es bei Mädchen wie Gertrud Thode, Ines Dubberke, Klein-Doris oder mir einfach nicht reichte. Unser Schicksal war jetzt schon besiegelt. Wir würden immer am Rande stehen, einander Kuchen schenken, die Herrmann hießen, und zusehen, wie die flotten Mädchen das wahre, das lohnende Leben führten. Atemlos würden wir ihren Geschichten lauschen und uns damit trösten, daß wir die besseren Klassenarbeiten schrieben. Denn wenn Kiki und Tanja auch viel mehr wußten als wir, so waren sie doch in allen Fächern ein bißchen schlechter. Typisch für uns graue Mäuse war, daß wir uns bloß nach den Jungen aus der eigenen Klasse umsahen. Zu mehr reichte unsere Vorstellungskraft nicht. Mir war vollkommen egal, wer mich küssen würde, es sollte bloß ein Junge sein, in den möglichst viele von den anderen Mädchen verliebt waren, Falko Lorenz, Till Hinsberg oder Kai – Hoffi – Hoffmann. Doch nie nahm eines dieser bewundernswerten Wesen, die einzig in der Lage gewesen wären, mir Ansehen und Respekt zu verschaffen, Notiz von mir. Bloß auf der Straße riefen mir manchmal fremde Jungen etwas hinterher, besonders wenn sie zu mehreren waren. Dann schrien sie: »Der Arsch, der Arsch! Kuck dir den Arsch an!« oder so etwas. Ich verstand nie, warum sie das taten. (Na gut, ich war potthäßlich – aber konnte man es nicht einfach dabei belassen?) Meine Mutter behauptete, ich hätte als einzige Frau in unserer Familie schmale Hüften. Das war natürlich völliger Blödsinn. Ich hatte überhaupt keine schmalen Hüften. Wenn mir Jungen etwas hinterherriefen, dann hatte es fast immer mit meinem Arsch zu tun. Und plötzlich fingen auch noch erwachsene Männer damit an. Immer wieder war ich so dumm, stehenzubleiben, wenn mich einer auf der Straße ansprach. Manchmal fragten sie ja wirklich nur nach dem Weg. Ich konnte doch nicht bei jedem voraussetzen, daß er mir schweinische Sachen zuflüstern wollte. Sie sagten die merkwürdigsten Dinge, Wörter, die ich noch nie zuvor gehört hatte. Aber ich verstand trotzdem immer ganz genau, was sie meinten. »Na, schon stichreif«, rief mir ein Mann aus seinem Garten zu, als ich mit dem Fahrrad vorbeikam. Ich fuhr jeden Tag an diesem Garten vorbei. Es war mein Schulweg. Was machte diesen

Mann so sicher, daß ich nichts erzählen würde? Oder was machte ihn so sicher, daß mir niemand helfen würde? Wann immer ich ihn später in seinem Garten hantieren sah, wich ich zur anderen Straßenseite aus. Dann lachte er triumphierend. Inzwischen wurde mir schon übel, wenn ich Baustellen bloß von weitem erblickte. Je näher ich kam, desto mieser fühlte ich mich, ich wurde zu einem Insekt, einem Käfer, der eine Stiefelsohle auf sich zukommen sah. Ich schaute zu Boden und stellte mich taub, während verschwitzte, braungebrannte Arbeiter in Unterhemden einander aufzählten, was man alles mit mir anstellen könnte. Was stimmte nicht mit mir, daß man mir solche Dinge sagte und über mich lachte? Wenn ich nicht ständig gefressen hätte, wenn ich nur dünner gewesen wäre, dann hätten die alten Säcke mich übersehen, und die Jungen aus meiner Klasse hätten mich endlich zur Kenntnis genommen und bemerkt, wie schön ich eigentlich war. Denn manchmal war ich auch schön.

Wann immer meine Eltern zu einem ihrer Dia-Abende gingen, blieb ich lange auf und sah noch fern, während meine Geschwister längst schliefen. Es gab einen Punkt gegen zehn, an dem ich ganz müde wurde, aber wenn ich den überwunden hatte, dann war es, als müßte ich von nun an nie mehr schlafen. Nach Sendeschluß legte ich die Beatlesplatte auf, die ich mir gekauft hatte, nachdem wir im Musikunterricht ›Eleanor Rigby‹ analysiert hatten. Ich öffnete die Wohnzimmervorhänge. In der Spiegelung der nächtlichen Fensterscheibe sah ich plötzlich aus wie das Mädchen, das ich hätte sein können. In dieser verwunschenen Stunde war ich hübsch. Sogar mit Brille. Ich starrte mich an, hielt mit einer Hand meine Haare hoch, berührte mit der anderen ehrfürchtig das kalte Glas und konnte nicht fassen, daß ich das sein sollte. Ich tanzte ein bißchen mein Spiegelbild an. Manchmal lief ich schnell in den Flur, wo ein richtiger Spiegel hing. Darin sah ich nicht mehr ganz so gut aus wie in der schwarzen Scheibe. Ich nahm die Brille ab und beugte mich so weit vor, daß ich mein Gesicht auch ohne erkennen konnte. Ohne Brille könnte ich vielleicht sogar schön sein. Irgend etwas stimmte nicht, schwer zu sagen, was es war, aber wenn das verschwände, und wenn ich dann noch zehn Pfund abnähme, könnte ich eines Tages richtig gut aussehen. Bereits in diesem Moment sah ich viel hübscher aus, als ich es je zuvor tagsüber gewesen war. Warum klingelte jetzt nicht einer der Jungen an meiner Haustür. Vielleicht Till Hinsberg, weil er um ein Uhr morgens zufällig gerade durch die Straße radelte, in der ich wohnte, und genau vor meiner Haustür einen Platten hatte. Vielleicht Volker Meyer, weil er sich heimlich in mich verliebt hatte und es nun nicht mehr aushielt. Wenn ich ihm jetzt aufmachte, würde er von meiner Schönheit überwältigt sein. Ich öffnete die Haustür, leise, damit meine Geschwister nicht erwachten, schaltete die Außenlampe an und stellte mich in den Lichtkegel. Jeder, der an unserem Haus vorbeifuhr, konnte sehen, wie unglaublich schön ich war. Doch um diese Zeit wartete man stundenlang, bis ein Auto vorbeikam. Wer hier nicht wohnte, fuhr hier auch nicht durch. Ich stand eine Weile im Licht, dann schaltete ich es wieder aus und ging ins Bett.

Erstaunlicherweise erklärte sich mein Vater bereit, mir Kontaktlinsen zu kaufen. Sie kosteten enorm viel Geld. Es war das erste Mal, daß ich etwas Großes, das ich mir dringend wünschte, auch bekam. Vielleicht fand mein Vater meine Brille genauso schlimm wie ich. Unbebrillt kam mir mein Gesicht zuerst ungewohnt nackt und weich vor. Ich umrahmte meine Augen mit einem schwarzen Kajalstift, das gab ihnen wieder Kontur. Darüber pinselte ich einen metallicblauen Lidschatten. Jetzt mußte ich nur noch schlank werden.

Meine Mutter, meine Schwester und ich machten die Mayo-Diät. Meine Mutter hatte sich das Rezept bei einer Nachbarin abgeschrieben. Es war total leicht, abzunehmen. Ich aß morgens eine halbe Grapefruit und drei hartgekochte Eier, mittags eine halbe Grapefruit und drei hartgekochte Eier und abends drei hartgekochte Eier und einen grünen Salat mit Zitronensaft. Am nächsten Tag wog ich bereits zwei Kilo weniger, und die Hosen schlotterten. Am zweiten Tag aß ich morgens drei harte Eier und eine halbe Grapefruit, mittags drei harte Eier und eine halbe Grapefruit und abends ein halbes Hähnchen ohne Haut. Nach all den Eiern schmeckte das Hähnchen einfach super, man wurde sogar beinahe satt. Am nächsten Morgen hatte ich bereits drei Kilo abgenommen. Das ging jeden Tag so weiter mit dieser Unmenge von Eiern, nur abends gab es gekochtes Fleisch oder Fisch und eine widerwärtige gegrillte Tomate. Bis zu acht Pfund konnte man angeblich pro Woche verlieren. Ich verlor zwölf. Natürlich war einem die ganze Zeit schwindlig. Wenn ich in der Schule die beiden Treppen zum Sprachlabor hochging, mußte ich manchmal stehenbleiben und mich am Geländer festhalten, weil mir wieder schwarz vor Augen wurde. Außerdem begann man ab dem dritten Tag phosphorn zu stinken. Aber was machte das schon, wenn ich endlich wieder fünfundfünfzig Kilo wog. Ich hatte schon einundsechzig Kilo gewogen, also über sechzig. Nun sah ich endlich gut aus. In jeder Pause rannte ich aufs Klo, um mich im Spiegel zu betrachten. Wenn ich mich sehen konnte, ging es mir gut. Wenn ich mich nicht sah, fühlte ich mich immer häßlich.

Leider nahm ich in den ersten beiden Tagen nach der Mayo-Diät gleich wieder zwei Kilo zu. Deswegen fing ich die Diät von vorn an, bis ich wieder fünfundfünfzig Kilo wog. Meine Augäpfel färbten sich gelblich. Als ich keine Eier mehr sehen konnte, machte ich mit der Brigitte-Diät weiter. Fünfundfünfzig Kilo war die Schallgrenze. Wenn ich mehr wog, fühlte ich mich schuldig. Entweder fühlte ich mich schuldig oder hungrig. Aber eigentlich fühlte ich mich auch schuldig, wenn ich fünfundfünfzig Kilo wog, eigentlich hätte ich neunundvierzig wiegen sollen. Neunundvierzig Kilo wäre ein akzeptables Gewicht gewesen, oder siebenundvierzig.

Als ich vierundfünfzig Kilo wog, sprach Hoffi Hoffmann mich an. Es war auf der Rückfahrt von einer Klassenreise. In der Disko der Englandfähre. Hoffi kam zu mir herüber und sagte: »Hallo.«

»Hallo«, sagte ich und hielt mich an seiner Schulter fest, weil die Prinz Hamlet gerade von einer Seite auf die andere rollte. Das Leben war ganz einfach. Er fragte mich, ob ich mit ihm aufs Deck wollte, und bot mir eine Zigarette an. Ich nahm sie, das gab uns etwas zu tun. Wir liefen übers Deck und rauchten und wußten nicht, wovon wir reden sollten. Der Wind pustete uns die Haare ins Gesicht, machte unsere Haut klebrig und feucht. Es wurde immer kälter, ich zitterte und schlotterte, auch weil ich seit zwei Tagen nichts gegessen, nur Wasser getrunken hatte. Dann fror ich immer so schnell. Wir gingen wieder hinein, und Hoffi rieb mir die Arme und die Schultern, vorgeblich, um mich aufzuwärmen. Ich spürte seine Verlegenheit und Unsicherheit, und das machte mich selbst noch verlegener und unsicherer. Er rieb meine Arme langsamer und kam näher. Es war hell auf diesem Gang. Hier wohnte die zweite Klasse, und Männer in Geschäftsanzügen gingen vorbei und sahen schmunzelnd zu uns herüber. Ich hätte die Sache am liebsten abgebrochen, aber da küßte er mich schon. Seine Zunge drang tief in meinen Mund ein, fuhr meine Zähne entlang und betastete den Gaumen.

»Komm, setzen wir uns hierhin«, sagte er danach, und wir glitten mit dem Rücken an der Wand herunter und setzten uns auf den Boden. Wir redeten wenig, und ab und zu küßte Hoffi mich. Ich spürte, wie seine Haut heißer wurde, wie sein Atem schneller ging. Das Blut in seinem Hals klopfte gegen meine Handfläche. Später schlief Hoffi ein, den Kopf an meine Schulter gelehnt. Ich war ganz ruhig, nur ein wenig angeekelt und sehr stolz, daß Hoffi mir gehörte.

Am nächsten Morgen saßen wir alle in der Cafeteria und frühstückten. Es war kein Platz mehr frei, deswegen saß ich auf Hoffis Knien, bei den interessanten Jungen. Falko Lorenz redete die ganze Zeit. Alle anderen waren zu müde dazu. Die Mädchen sahen herüber und beneideten mich. Ich trug immer noch meine Satinklamotten von der letzten Nacht und wußte, daß mein Haar durcheinander und mein Augen-Make-up verschmiert war. Klein-Doris trug eine rote Latzhose, eine Blümchenbluse und hatte drei Haarklemmen aus Blech in ihren dünnen Strähnen. Ihr war nicht zu helfen. Doris aß kein Frühstück, sie fing eine Diät an. Sie war schon immer dünner gewesen als ich, und jetzt aß sie eben noch weniger, um diesen Abstand noch zu vergrößern. Ich merkte, was sie vorhatte, und aß einfach auch nichts.

Der Glanz, den es bedeutete, mit Hoffi zusammenzusein, umschwebte mich wie eine Aura. Es war angenehm, wenn er mir in den Schulpausen einen Kuß auf die Wange drückte, während die anderen Mädchen dabeistanden; es war schmeichelhaft, mit ihm auf Parties aufzukreuzen, zu denen ich sonst niemals eingeladen worden wäre. Ich mochte, wie Hoffi seine Zigarette an meiner ansteckte. Aber meistens bedeutete mit ihm zusammenzusein bloß, daß wir in seinem Zimmer saßen und um alles in der Welt nicht wußten, worüber wir uns unterhalten sollten. Er erwartete irgend etwas von mir, das konnte ich deutlich fühlen, aber er war sich wohl selbst nicht darüber im klaren, was er erwartete. Wenn wir lange genug geschwiegen hatten, küßte er mich. Das war noch schlimmer.

Wir blieben elf Wochen zusammen. Bis zum Beginn der Sommerferien. Am letzten Schultag kam Hoffi zu spät zum Unterricht, und als er in die Klasse trat, trug er einen Sombrero. Alle johlten. Klein-Doris stieß mich mit dem Ellbogen an.

»Jetzt schau dir bloß Hoffi an«, sagte sie schadenfroh. Ich zitterte vor Empörung. Wofür nahm ich das alles auf mich, die Küsse, seine feuchten suchenden Hände, diese unglaublich öden Nachmittage – wenn er mein Ansehen, das doch so unmittelbar von seinem abhing, so leichtfertig aufs Spiel setzte. Er lächelte zu mir herüber. Wie ich ihn haßte! Wie konnte er mir das antun? Hoffi zu bekommen, war wichtig gewesen; ihn zu haben, war lästig und ein gar nicht abzuschätzendes Risiko. Ich lief an diesem Tag nach Hause, ohne noch ein einziges Wort mit ihm zu wechseln. Am Telefon ließ ich mich von meiner Mutter verleugnen. Sie tat das bereitwillig. Und als die Ferien zu Ende gingen, waren Hoffi und ich nicht mehr zusammen, ohne daß das noch hätte ausgesprochen werden müssen.

Bald darauf gab Falko Lorenz eine Party, und obwohl ich nicht mehr mit Hoffi zusammen war, lud er mich ein. Ich hatte inzwischen schon ein paar andere Jungen geküßt, aber jetzt war ich zum ersten Mal von einem der interessanten Jungen eingeladen worden. Es sagte überhaupt nichts aus, wenn ein interessantes *Mädchen* dich einlud. Nachdem Kiki, die große Doris und Ines Dubberke sitzen geblieben waren, waren wir so wenige Mädchen in der Klasse, daß, egal welche von uns ein Fest gab, jedesmal alle eingeladen wurden, selbst Klein-Doris. Die interessanten Jungen nahmen solche Rücksichten nicht. Wenn einer von ihnen feierte, dann lud er höchstens vier von uns ein, die anderen Mädchen holte er sich aus den Parallelklassen; einige Mädchen auf Falkos Party kamen sogar von der Mittelschule. Die Mädchen von der Mittelschule wirkten ein bißchen bedrohlich, so, als wüßten sie etwas, was uns noch nicht bekannt war und was sie jederzeit gegen uns verwenden könnten. Ich war erleichtert, als jemand eine Otto-Platte auflegte, weil nun alle zuhörten und man nicht mehr miteinander reden mußte.

Falko hatte ein oranges Partyzelt im Garten aufgebaut. Nachdem die Otto-Platte zu Ende war, standen alle um den Grill herum und rauchten. Falkos Mutter kam aus dem Haus und stellte eine Schüssel Nudelsalat auf den Campingtisch. Falkos Mutter war völlig anders als meine. Sie hatte lange glatte Haare und trug Jeans, und obwohl sie aus irgendeinem Grund schlechte Laune hatte und sich auch keine Mühe gab, das zu verbergen, blieb sie mindestens eine Stunde bei uns. Währenddessen rauchte sie mehr als wir alle zusammen. Sie ließ sich jedesmal von einem anderen Jungen Feuer geben, sah ihn dabei durch die Flamme hindurch an und blies ihm anschließend den Rauch ins Gesicht. Als es dunkel wurde, trat sie ohne erkennbaren Grund gegen den Grill und ging wortlos ins Haus. Falko irritierte das nicht im geringsten. Er sammelte die heruntergefallenen Grillwürstchen auf, putzte sie am Tischtuch ab und legte sie wieder auf den Rost. Die Mädchen von der Mittelschule ließen eine Zigarettenschachtel herumgehen. Sie hatten eine besondere Rauchmethode, die sie mir beibrachten. Man nahm den ersten Zug, inhalierte tief, hielt den Rauch so lange wie möglich in der Lunge und stieß ihn wieder aus. Soweit alles normal. Aber jetzt kommt's: Man atmete zwischendurch nicht ein, sondern nahm gleich den nächsten Zug. Die Lungen waren nun total gierig auf Sauerstoff. Und alles, was sie kriegten, war wieder Rauch. Es blieb ihnen nichts übrig, als sich diesen Rauch in ihre feinen Alveolen und Lungenläppchen zu saugen und zu hoffen, daß da irgendwo auch noch ein bißchen Sauerstoff mit drin sein könnte. Schon wurde einem angenehm merkwürdig. Und abermals stieß man den Rauch aus, und statt nun endlich die dringend benötigte Luft zu atmen, nahm man zum dritten Mal einen tiefen Zug aus der Zigarette. Wenn man stand – und natürlich standen wir, um diesen Effekt auch voll auszukosten –, knickten einem jetzt die Beine ein, man wurde eine halbe Sekunde ohnmächtig, sackte zu Boden, und wenn man wieder zu sich kam, fühlte man sich sehr weich und friedlich. Die Jungen sahen uns zu. Sie fanden das »süß«, wenn wir zusammenbrachen.

»Süüüüß! Total süß«, quietschte Dirk Buchwald, ein Junge aus einer Parallelklasse, und dann faßte er mich um die Taille, legte meinen rechten Arm um seine Schulter und half mir auf, und die anderen Jungen sahen zu, daß sie ebenfalls ein zusammengebrochenes Mädchen aufsammelten. Wie Rotkreuzsanitäter die leichter Verwundeten von einem Schlachtfeld führten uns die Jungen ins Partyzelt und legten uns auf den Matratzen ab. Es war gut, einen Augenblick zu liegen und in die bunte Lampenkette zu blinzeln. Nicht nur, weil mir schwindlig war. Wenn ich stand, tat mir schnell der Rücken weh, und ich war auch nicht in der Lage, lange zu sitzen. In diesem Jahr war ich wie Unkraut gewachsen. Mindestens zwölf Zentimeter. Die Augen meiner Mutter umwölkten sich, wenn sie mich ansah. Sie schwärmte für China, hatte alles von Pearl S. Buck gelesen und pries ständig den grazilen Körperbau der asiatischen Frauen. Noch im letzten Jahr hatte sie jubiliert, wie klein und zart ich wäre – die erste zierliche Frau in der Familie. Das war natürlich völliger Schwachsinn. Ich war immer und überall in meiner Altersgruppe eines der größten Mädchen gewesen. Aber meine Mutter hatte sich heroisch geweigert, das zur Kenntnis zu nehmen, und mich statt dessen mit meiner Schwester verglichen. Die war natürlich größer gewesen als ich, schließlich war sie zwei Jahre älter. Doch in diesem Jahr überholte ich sogar meine Schwester; größer als alle anderen Mädchen in meiner Klasse war ich sowieso schon, und von den Jungen überragten mich gerade noch vier. Als ich einen Meter achtzig maß, schleppte meine Mutter mich zu einem Orthopäden, um feststellen zu lassen, wohin das alles noch führen sollte, und mir notfalls die Pille verschreiben zu lassen. Der Orthopäde röntgte meine Handgelenke und sagte, daß ich nicht mehr wachsen würde. Ich war nicht erleichtert. Ich fand, daß es bereits zu spät war. Meine Größe war furchtbar auffällig und Anlaß zu hundert Kommentaren. Als fühlten sich die Leute durch meinen Körper persönlich beleidigt und wollten es mir heimzahlen.

»Bald kannst du aus der Dachrinne schlappen«, hatte selbst Onkel Horst gesagt.

Dirk Buchwald legte sich neben mich und saugte an meinem Hals. Er trug eine Jeansweste und ein blaukariertes kurzärmeliges Hemd. Die Taschen der Weste waren ausgebeult. Die eine rechteckig, da waren die Marlboros drin, und aus der anderen schaute der rote Plastikstiel einer Bürste heraus. Links auf die Weste hatte er sich mit Kugelschreiber den Kopf des Pillhuhns gemalt, auf der rechten Schulter stand AC/DC. Mit einem gezackten Pfeil dazwischen. Er hatte lange strähnige Haare, ein knochiges Gesicht und hübsche braungebrannte Unterarme. Um sein rechtes Handgelenk hing ein silbernes Kettenarmband mit einer kleinen Platte, auf die sein Vorname graviert war.

»Hast du Lust, mit mir hinters Zelt zu gehen«, fragte er.

Ich verstand nicht, warum er woanders hinwollte. Alle anderen knutschten auf den Matratzen. Dafür waren sie da. Hinter dem Zelt war es stockduster. Dirk Buchwald nahm meinen Kopf in seine Hände und begann, mich zu küssen. Noch nie hatte ein Junge beim Küssen meinen Kopf in seine Hände genommen. Dirk Buchwald kam mir wahnsinnig souverän vor. Allerdings küßte er so heftig, daß er mich dabei in die Lippen biß. Ich dachte, das passierte ihm aus Versehen, also ließ ich es zu und wehrte mich nicht, um ihn nicht zu beschämen. Daraufhin rammte er mir regelrecht die Zähne in den Mund. Ich schmeckte Blut. Ich wollte mich aus seinen Händen winden, aber er hielt mich fest und zog seine Schneidezähne kreuz und quer über meine Lippen, bis mir das Blut übers Kinn lief. Als er mich endlich losließ, war ich eher verwirrt als geängstigt. Ich war mir nicht sicher, ob es mir nicht vielleicht sogar gefallen hatte und ob ich mich nicht noch ein zweites Mal küssen lassen sollte, um das herauszufinden. Während ich noch darüber nachdachte und in meinen Hosentaschen nach einem Tempo suchte, furzte Dirk Buchwald plötzlich laut los. Wieder dachte ich zuerst, es wäre ihm aus Versehen passiert, und nun müßte es ihm furchtbar peinlich sein, noch peinlicher, als es mir für ihn war, aber dann spürte ich durch die Dunkelheit hindurch, daß er mich selbstzufrieden angrinste. Ich konnte nichts sehen, Null, nur tintige Schwärze. Doch das Grinsen spürte ich so deutlich, als hätte ich ihm die Finger auf den Mund gelegt, und da wurde mir klar, daß er es ganz absichtlich gemacht hatte. Das fand ich noch tausendmal schlimmer als das Blut, das ich mir vom Mund wischen mußte. Es widerte mich so an, daß ich fortlief, meine Jeansjacke holte, mich auf mein Mofa setzte und nach Hause fuhr. Mein Mofa war eine blau-weiße Puch. Wenn man die Kupplung schnell genug kommen ließ, konnte man ein Stück auf dem Hinterrad fahren. Ich hielt mich für einen ungewöhnlich geschickten Mofafahrer, allen anderen haushoch überlegen. Andererseits waren viele Dinge, die meine Mitschüler so nebenbei erledigten, für mich einfach nicht zu schaffen. Zum Beispiel war ich nicht in der Lage, Bus und Bahn zu fahren, ausgenommen die Strecke zum Hauptbahnhof, bei der ich nicht umsteigen mußte. Ich begriff die Fahrpläne nicht. Ich kriegte es nicht einmal fertig, mir die Fahrpläne anzusehen. Wenn ich unbedingt in die Innenstadt mußte, war ich die zwanzig Kilometer bisher immer mit dem Fahrrad gefahren. Als ich das gebrauchte Mofa kaufte, hatte mein Vater natürlich wieder von der Querschnittslähmung angefangen:

»Boberg ist voll mit Rollstuhlfahrern – alles Mofa-Unfälle.«

Während ich nach Hause fuhr, fragte ich mich, ob Dirk Buchwald das immer tat, einfach losfurzen, nachdem er jemanden geküßt hatte, oder ob er sich das nur bei mir herausnahm. Nur bei mir, dachte ich. Es regnete ein bißchen. Ich hielt mein Gesicht den feinen Nadelstichen der Tropfen entgegen und drehte auf, ließ meine Haare bei 38 km/h flattern. Den Helm hatte ich auf den Gepäckträger geklemmt. Ich vergaß Dirk Buchwald, summte ›Kiss You all over‹ vor mich hin und legte mich in die Kurve. ›… love you …‹ summte ich, »… need you …« Plötzlich schmierte das Kopfsteinpflaster einfach so unter meinem Hinterreifen weg. Da war nichts, überhaupt nichts, worauf das Profil noch Halt fand. Ich legte mich auf die Seite und schlidderte mitsamt dem Mofa die Straße entlang. Als ich endlich nicht mehr rutschte, blieb ich einfach liegen und weinte. Nicht weil ich mir weh getan hatte, sondern weil ich so ein Versager war. Ich hätte mir ein zartes langsames Mädchen-Mofa kaufen sollen, eine Velo-Solex, oder ich hätte weiter Fahrrad fahren sollen. Warum konnte ich nicht endlich akzeptieren, daß ich unfähig war, komplett unfähig, total verblödet. Ich blieb noch eine Weile im Regen liegen; nicht mal mein Bein zog ich unter dem Tank hervor. Ich tat so, als wäre ich schwer verletzt und bewußtlos. Ich hoffte, von einem Auto überfahren zu werden. Aber in diesem Kaff war nach Mitternacht natürlich kein Mensch mehr auf der Straße.

Zwei Wochen nach dem Unfall verkaufte ich die Puch an Yogi Rühmann, einen Jungen aus meiner Klasse. Mein linkes Knie tat immer noch weh. Ganz sicher war ich mir da allerdings nicht. Ich hatte mich schon so oft krank gestellt, daß ich inzwischen nicht mehr auseinanderhalten konnte, ob ich tatsächlich Schmerzen hatte oder ob ich sie mir bloß wünschte.

Auf der nächsten Party stellte Yogi mich zur Rede, weil die Mofa – er sagte beharrlich die Mofa – unter ihm zusammengebrochen war, und nachdem ich mich geweigert hatte, ihm sein Geld zurückzugeben, fragte er mich, ob ich mit ihm gehen wollte. Yogi Rühmann war wie die meisten Jungen kleiner als ich. Wenn er neben mir stand, mußte ich mich zusammenfalten, den Rücken krümmen, ein Bein anwinkeln und das andere diagonal wegstemmen. Er war dünn wie ein Wiesel, hatte schmale Augen, rauchte zwei Packungen Rothhändle am Tag und wirkte hinterhältig. Durch den Schmelz seiner moosigen kleinen Zähne schimmerte es schwarz. Trotzdem konnte ich nicht nein sagen, als er mich fragte, ob ich mit ihm gehen wolle. Drei Mädchen aus meiner Klasse waren in ihn verliebt. Sie behaupteten, Yogi Rühmann wäre süß. Tatsächlich hatte er eine Babynase, die gen Himmel zeigte, und wenn das ausreicht, um als süß durchzugehen, dann war er es wohl. Außerdem hatte Yogi mir einmal, als er hinter mir ins Sprachlabor ging, zugeflüstert:

»Du hast einen ganz schön fetten Arsch.«

Es war also ganz und gar nicht selbstverständlich, daß er mich wollte. Vielleicht würde mich nie wieder jemand wollen. Mit meiner Größe hatte auch mein Gewicht zugenommen. Es pendelte jetzt zwischen 65 und 68 kg. Wenn es mir gelang, mehrere Tage hintereinander nichts zu essen und zu trinken, wog ich auch schon einmal 64 kg, aber ich schaffte es nicht, unter die magische Grenze von 60 kg zu kommen. 59, oder nein, besser eigentlich noch 57 kg wäre mein Wunschgewicht gewesen. Jeden Morgen stellte ich mich auf die Waage, jeden Morgen war ich zu dick. Manchmal wog ich mich zusätzlich nachmittags oder abends. Dann war ich erst recht zu dick. Und zu groß war ich auch. Vielleicht hatte ich einen Tumor im Rückgrat, der die Wirbel auseinanderdrückte. Eines Tages würde man ihn entdecken und entfernen. Durch einen Fehler des Narkosearztes würde ich ins Koma fallen, und wenn ich dann zwei Monate später doch noch erwachte, wäre ich plötzlich acht Zentimeter kleiner und außerdem mitleiderregend abgemagert. Dann würde das Leben beginnen. Immerhin konnte man jetzt schon meine Rippen sehen. Auch meine Hüftknochen standen hervor. Wenn ich abends im Bett lag, betrachtete ich zufrieden meinen flachen Bauch und diese Knochen, die im Liegen noch deutlicher, noch knochiger hervorstanden. Einmal hatte ein Junge meine Hüften gestreichelt und zu mir gesagt: »Mensch, bist du dünn!«

Nur, daß das leider nicht stimmte. Meine Beine waren nicht so dünn, daß sie zu diesen Knochen gepaßt hätten, und mein Arsch war so fett, daß manche Männer ihn unwillkürlich berühren mußten und Yogi ihn nicht sehen konnte, ohne Bemerkungen darüber zu machen. Es gab Jungen, die hatten Jeansgröße 26. Ich trug Wranglerjeans in Größe 31. 29 wäre akzeptabel gewesen, 29 oder 28. Die Jeans saßen sehr eng, und der Stoff spannte sich vorn von Hüftknochen zu Hüftknochen, ohne den Bauch zu berühren. Während ich ging, rutschten die Jeans auf den Knochen hin und her und scheuerten die Haut darüber auf. Ich mochte das Gefühl. Es erinnerte mich daran, wie dünn ich dort war. Ein anderer guter Schmerz war das ständige leichte Stechen, wenn sich mein Magen in sich selbst verbiß. Ich aß nie soviel, daß es verging.

»Bauchschmerzen sind gut«, bestätigte Klein-Doris. »Wenn du Hunger hast, soviel Hunger, daß dir der Magen weh tut… in dem Moment, wo es weh tut, nimmst du ab.« Demnach hätte ich ständig abnehmen müssen. Aber plötzlich schnellte mein Gewicht dann doch wieder auf 67 kg hoch. Klein-Doris hingegen wurde von Woche zu Woche dünner. Nie größer. Immer bloß dünner. Sie war noch genauso klein wie damals, als ich ihr Seife in die Augen geworfen hatte. Bei ihr standen die Knochen überall heraus, und ihre Arme und Beine begannen sich mit einem gelben Flaum zu überziehen – wie bei einer Biene. Ihr würde niemals jemand vor dem Sprachlabor zuflüstern, daß ihr Hintern zu fett sei. Andererseits würde Yogi jemanden wie sie auch nicht fragen, ob sie mit ihm gehen wolle. Doris fand auch, daß ich einen dicken Arsch hätte, aber sie meinte, daß ich mich damit abfinden müßte. Das wäre eben Veranlagung. So wie es ihre Veranlagung war, klein zu bleiben.

»Ich werde niemals richtig gut aussehen«, sagte sie. »Ich muß eben meinen niedlichen Typ betonen.«

Ich war baff. Klein-Doris war zwar relativ klein, aber ich wäre nie auf die Idee gekommen, sie für niedlich zu halten. Schmale Lippen, großes Kinn… – und außerdem war sie viel zu verbiestert. Jetzt ging mir auf, warum sie sich ausschließlich in teuren Kinderboutiquen einkleidete.

»Mensch, Doris«, sagte ich. »Du machst da einen Riesenfehler. Wie willst du je einen Jungen abkriegen, wenn du in diesen karierten Hängerchen oder den gelben Spielhosen herumrennst? Mit deiner Figur würde ich mir den schärfsten Mini aller Zeiten anziehen.«

»*Ich* habe einen sehr guten Geschmack«, sagte Doris. »Die Latzhose ist von Oshkosh. Ich spare nämlich mein Geld und kaufe mir bloß alle halbe Jahr etwas Neues, dann aber etwas qualitativ Hochwertiges. Du! Du hast überhaupt keinen Stil! Du ziehst billige und völlig geschmacklose Sachen an.«

Das stimmte. Ich sah eigentlich immer scheiße aus. Entweder trug ich Jeans mit einem nichtssagenden dunkelblauen Sweatshirt und einem verknäulten indischen Halstuch, oder ich hatte einen Mechanikeroverall, einen Blaumann, an, dessen Kragen ich hochklappte, damit er ein bißchen nach Mao-Uniform aussah.

Trotzdem hatte ich mehr Erfolg als Doris – bei Jungen, meine ich. In der Schule wurde ich natürlich immer schlechter. Ich ließ Klein-Doris jetzt allein für die Klassenarbeiten büffeln. Sie lernte eigentlich ständig. Das begriff sie eben auch nicht, daß gute Zensuren ihr überhaupt nicht weiterhalfen.

Als ich mich bereit erklärte, mit Yogi zu gehen, sagte er:
»Als mir die Mofa unterm Arsch weggesackt ist, hättest du mir nicht im Dunkeln begegnen dürfen.«

Im Hellen kamen wir auch nicht besonders gut miteinander aus. Wenn wir uns bei ihm trafen, waren meistens seine Freunde mit dabei, und Yogi unterhielt sich ausschließlich mit ihnen, während ich stumm daneben saß. Seine Freunde waren Falko, Hoffi Hoffmann und ein Junge namens Natz, der aus einer höheren Klasse kam. Manchmal war Locke dabei, dann hatte auch ich jemanden zum Reden. Locke war das Mädchen, das auf der Schule den schlechtesten Ruf hatte. Die Jungen griffen ihr zur Begrüßung an den Busen wie an ein Radiogerät und sagten:

»Na, soll ich dir mal den Sender einstellen?«

Sie luden Locke zu allen Parties ein, weil sie ziemlich gut aussah und alles mitmachte, aber gleichzeitig nahmen sie ihr das übel und redeten abfällig über sie. Yogi hatte einen Haufen kaum glaubhafter Locke-Geschichten parat. Wie sie es einmal drei Jungen gleichzeitig besorgt hätte. Wie sie es geschafft hätte, in Physik noch eine Vier zu bekommen. Wie sie bei Falko hinten auf dem Mofa gesessen und ihm während der Fahrt einen runtergeholt hätte. Ich bewunderte Locke. Ich glaube, alle Mädchen bewunderten sie heimlich. Sie war etwas, was wir uns nicht zu sein trauten. Die meisten taten so, als könnten sie sie nicht leiden, aber wenn sie vorbeiging, sahen sie ihr unwillkürlich hinterher. Ich stellte mir vor, daß Locke sehr einsam war und uns alle verachtete. Sie war das einzige Mädchen, das Fußball spielen konnte. Ihre Mutter trat mit Pythonschlangen auf. Ich wünschte mir, daß Locke meine Freundin werden würde, aber sie ging dann bald von der Schule ab und arbeitete in einer Parfümerie. Außerdem vertrug sie die Pille nicht und wurde dick. Richtig dick. Nicht nur so wie ich, sondern überbordend, auseinanderquellend, Spezialgrößen-dick. Sie zog sich praktisch selbst aus dem Verkehr, denn nun luden die Jungen sie natürlich nicht mehr ein.

Wenn Locke und die Jungen wieder gegangen waren, lagen Yogi und ich auf seiner Matratze, bis es ganz dunkel geworden war. An den Wänden über der Matratze hingen Poster, eines mit einem Aschenbecher in der Form eines Mundes, unter dem »Wer küßt schon gern einen Aschenbecher« stand, und eines mit einem gelben Gebiß und der Überschrift: »Nikotin macht Küsse so sexy«. Solche Poster hingen immer bloß bei Leuten, die wie die Schlote rauchten.

Yogi fuhr mir kurz unter das Hemd und ließ seine Hand dann zum Reißverschluß meiner Jeans rutschen. Er zwängte seine Hand vorne rein, ohne den Knopf zu öffnen, und obwohl die Jeans wahnsinnig eng war, schaffte er es, seine Hand zwischen meine Beine zu wühlen. Das zuzulassen, war der unvermeidliche nächste Schritt, wenn ich einmal so werden wollte wie Locke. Yogis Finger scheuerten meine trockenen Schleimhäute auf. Es tat so weh, daß ich mich hin und her wand, um diesen Fingern zu entkommen, um sie wenigstens an einer anderen, noch nicht so schlimm aufgeriebenen Stelle weiterscheuern zu lassen. Die reinste Qual. Aber sagen konnte ich das nicht. Doch wenn Yogi mich eine Weile gequält hatte, war es plötzlich, als hätte jemand lauter Schalter in meinem Inneren umgelegt, und mein ganzer Körper begann zu summen wie ein Elektrizitätswerk. Der Schmerz war immer noch da, hatte aber plötzlich eine ganz andere Bedeutung, und dann rollte es wie eine Woge durch mich hindurch, unaufhaltsam, und Schmerz, Scham und Verzagtheit lösten sich in einem klasse Gefühl auf. Heiß und weich, besser als alles, was ich je zuvor gefühlt hatte, sogar besser als essen. Ich versuchte, mir nichts anmerken zu lassen, aber etwas in meinem Körper schoß wie eine Flipperkugel von Bande zu Bande, selbst dann noch, wenn das klasse Gefühl schon wieder vorbei war und die Schmerzen einfach bloß wieder Schmerzen waren. Ich wollte, daß Yogi aufhörte. Wir führten richtige Ringkämpfe deswegen auf. Irgendwann tat es so weh, daß ich seine Hand festhielt und doch etwas sagte:

»Hör auf! Bitte!« sagte ich, und wenn ich das sagte, war das, als hätte plötzlich jemand das Licht angemacht und zeigte mit dem Finger auf mich. Aber wenigstens hörte Yogi endlich auf. Er freute sich, wenn ich ihn darum bat. Er dachte, er sollte bloß deswegen aufhören, weil es *zu* gut war.

Yogi hatte bereits mit Mädchen geschlafen. Das wußte ich. Das wußten alle. Ich würde also auch mit ihm schlafen müssen. Als seine Mutter übers Wochenende verreiste und er mich fragte, ob ich bei ihm übernachten wollte, sagte ich sofort ja. In der Apotheke besorgte ich mir Patentex Oval. Alle Mädchen, von denen ich wußte, daß sie schon mit Jungen geschlafen hatten, verhüteten damit. Zuerst wollte die Apothekerin wissen, wie alt ich sei, aber dann gab sie mir die Packung doch, obwohl ich meinen Personalausweis nicht dabeihatte. Als nächstes fragte ich meine Mutter. Ich machte mir nicht die Mühe, eine Lüge zu erfinden. Ich ging davon aus, daß sie es ohne weiteres erlauben würde. Normalerweise mischte sie sich nicht in mein Leben ein. Doch diesmal fing sie erstaunlicherweise an zu zetern. Wenn ich mich richtig erinnere, war das Hauptargument, daß ich zu jung war, und daß sie wegen Kuppelei belangt und vor Gericht gestellt werden könnte. Völliger Blödsinn. Ich war fünfzehn, und ich kannte Mädchen, die hatten schon mit vierzehn ihre erste Abtreibung hinter sich. Der Freund meiner Schwester hatte auch schon bei uns übernachtet, bevor sie sechzehn war.

»Genau deswegen«, sagte meine Mutter. »Damit ist jetzt Schluß! Das ist hier kein Bordell!«

Ich antwortete nicht, sondern rannte die Treppe hoch. Inzwischen wohnte ich nämlich in dem Dachstübchen meiner Oma. Sie war ins Heim gekommen, als sie es nicht mehr die Treppen hinauf geschafft hatte, aber ihr Omageruch hing selbst nach der Renovierung noch im Raum. Mein Vater war wütend gewesen, weil ich das Zimmer dunkelbraun angestrichen hatte – auch die Zimmerdecke.

»Wie im Schuhkarton«, hatte er gesagt. Wenn es nach ihm gegangen wäre, hätte er alles wieder mit lustigen Mohnblumen beklebt.

Ich stand in meinem Schuhkarton und trat gegen die braune Wand. Einmal. Zweimal. Beim zweiten Mal zerrte ich mir irgendwas am Fußgelenk. Ich legte mich auf mein Bett und verschränkte die Hände hinter dem Kopf. Ich hätte gern eine Platte aufgelegt. Inzwischen besaß ich vier LPs und acht Singles. ›In Zaire‹ von Johnny Wakelin wäre die richtige Single gewesen, aber ich hatte keinen Plattenspieler. Deswegen hörte ich bloß dem Blut zu, das in meinen Ohren rauschte. Nach einer Weile kam meine Mutter herein. Es gab keinen Schlüssel für mein Zimmer. Sie konnte einfach so hereinkommen. Davon machte sie ausgiebig Gebrauch.

»Ich habe noch einmal nachgedacht«, fing meine Mutter an. »Eigentlich hast du ja recht. So jung bist du ja gar nicht mehr. Das war zu meiner Zeit eben anders. Meinetwegen, also meinetwegen geht das schon in Ordnung. Wenn du diesen Jungen wirklich liebst, dann ist Miteinanderschlafen ja auch etwas Schönes.«

Ich hörte ihr staunend zu. Sie hatte Yogi noch nie zu Gesicht bekommen, und ich hatte auch niemals behauptet, daß ich ihn lieben würde. Aber jetzt hörte meine Mutter überhaupt nicht wieder auf, sie redete sich richtig in Rage. Schließlich setzte sie sich auf meine Bettkante und wischte sich mit den Schürzenzipfeln die Tränen aus den Augen. Mir war klar, daß meine Mutter kaum mehr von mir wußte als die Adresse, aber jetzt erst begriff ich, daß sie sich vollkommen im Bilde glaubte und sich ein eigenes kleines erfreuliches Leben für mich erfunden hatte. Wahrscheinlich war sie immer noch überzeugt, ich wäre genauso wie sie. Ich widersprach lieber nicht.

Meine Mutter verlangte, daß ich auch noch meinen Vater fragen sollte. Ich hatte gehofft, daß sie das für mich erledigen würde. Mit meinem Vater hatte ich seit über drei Jahren kaum gesprochen.

Eigentlich hatte ich jetzt schon die Schnauze voll. Wieso mußte ich erst die halbe Welt davon in Kenntnis setzen, bevor ich mit Yogi ins Bett gehen konnte?

Mein Vater war im Garten. Er lag nicht auf der Liege, sondern stapfte mit verschränkten Armen die Beete entlang.

»Papa?«

»Ja?«

»Mama sagt, ich soll dich fragen, ob du das auch erlaubst, daß ich bei Yogi übernachte. Sie erlaubt das dann auch.« Was für eine Scheiße man mit seinen Eltern reden mußte. Was für idiotische Sätze sie einen zwangen zu formulieren.

»Du bist wohl nicht ganz dicht!« sagte mein Vater. Dann sackte er wieder in sich zusammen und wandte sich ab. Ich blieb neben ihm stehen. Es fühlte sich schrecklich an, so dicht neben ihm zu sein.

»Wieso nicht?« schrie ich.

Mein Vater machte eine wegwerfende Handbewegung.

»Ihr tut ja doch alle, was ihr wollt«, murmelte er, zog die Schultern hoch, verschränkte die Arme wieder über der Brust und kontrollierte weiter seine Beete.

Ich legte das als Erlaubnis aus, duschte, wusch mir mein Haar mit Apfelshampoo und packte meine Zahnbürste, die Patentex-Oval-Packung, mein bestes Nachthemd, eine Unterhose und ein Handtuch in eine Sporttasche. Dann setzte ich mich auf mein Fahrrad und fuhr los. Es war warm. Ich versuchte, nicht zu schwitzen. Möglicherweise würde ich bei Yogi nicht mehr zum Duschen kommen. Ich hatte eine Intimwaschlotion benutzt, die war blau wie Domestos, aber ich hatte trotzdem Angst, daß Yogi sich vor mir ekeln könnte. Von Locke hatte ich einen Haufen Horrorgeschichten gehört, davon, wie für andere Mädchen das erste Mal gewesen war, Geschichten, in denen man hinterher praktisch in

Blut schwamm und der Idiot von Junge auch noch fragte, ob er gut gewesen sei. Aber in der ›Bravo‹ stand, wie schön das erste Mal sein könnte, wenn ein Junge und ein Mädchen das Gleiche wollten, und daß es für Mädchen etwas sehr Bedeutsames wäre. Yogi hatte Erfahrung. Also trug er die Verantwortung. Vielleicht würde er lieb und vorsichtig mit mir umgehen, wenn ich ihm sagte, daß es für mich das erste Mal sei. Vielleicht würden wir uns plötzlich ganz nahe sein und wissen, worüber wir miteinander reden sollten. Ich überlegte, was ich an ihm mochte. Irgend etwas mußte doch auch an ihm sein, das man mögen konnte.

Als ich ankam, war Yogis Mutter schon weg. Einen Vater gab es nicht. Auch die Mutter hatte ich nie kennengelernt. Wir waren immer sofort in Yogis Zimmer gegangen. Ich fand das sehr in Ordnung. Ich wollte keine Eltern kennenlernen. Und ich legte auch keinen Wert darauf, daß jemand meine Eltern kennenlernte. Wozu denn bitte? Diesmal zeigte Yogi mir das ganze Haus. Als wir zum Zimmer seines kleinen Bruders kamen, sagte er: »Gestern morgen bin ich hier vorbeigelaufen und die Tür stand auf, und mein kleiner Bruder steht da nackt und kuckt ganz erstaunt auf seinen Schwanz runter. Der hatte nämlich einen Steifen. Ich denk mal, daß er das zum ersten Mal in seinem Leben gehabt hat. Das war so süß, wie er da auf seinen Schwanz kuckte. Ich bin schnell wieder weggegangen, damit er nicht merkte, daß ich ihn so gesehen hatte. Das erste Mal, weißt du?«

Mir war nicht klar, was ihn an dieser Szene so besonders berührt hatte, aber seine Augen waren ganz dunkel geworden, während er erzählte, und ich wollte seine Gefühle nicht durch Fragen stören. Darum nickte ich bloß. Der kleine Bruder war mit der Mutter verreist. Wir gingen in Yogis Zimmer und steckten uns Zigaretten an. Yogi legte eine Schallplatte auf. Auf dem Cover war ein bärtiger

Kerl mit einer blöden Mütze. Er führte zwei dicke Pferde, Shire Horses oder Clydesdales. Die Musik war voller heiserer Pfeifen.

»Magst du Pferde?« fragte ich.

»Bloß die von Holsten, weil die das Bier bringen«, sagte Yogi.

Wir legten uns hin, rauchten und hörten die Pferde-Musik und sahen zu, wie es im Zimmer dunkler wurde. Ab und zu räusperte sich Yogi, einmal stand er auf und drehte die Platte um, und einmal stand er auf und zündete eine Kerze an. Als er sich wieder neben mich legte, faßte er mit einer Hand meine Schulter und zog mich zu sich heran. Er küßte mich. Ich mochte das. Normalerweise küßte ich nur am Anfang gern. Sowie ich ein paar Tage mit einem Jungen zusammen war, begann ich mich vor seinen Küssen zu ekeln. Je besser ich ihn kannte, desto mehr ekelte ich mich vor dem, wonach seine Küsse schmeckten. Yogis Küsse schmeckten immer nach Zigaretten. Das war irgendwie neutral. Die Werbetexter, die die Poster mit dem gelben Gebiß und dem Aschenbechermund erfunden hatten, hatten einfach nicht zu Ende gedacht. Yogi legte seine Wange an meine – ein Trick, um mich nicht ansehen zu müssen – und tastete nach dem Reißverschluß meiner Hose.

»Moment«, sagte ich, stand auf und griff nach meiner Sporttasche.

»He warte«, sagte Yogi, »bleib noch! Bleib noch hier.«

»Nein«, sagte ich, »du hältst mich wohl für total bescheuert.«

Ich ging zum Badezimmer, schloß die Tür hinter mir, zog mich aus und stellte mich unter die Dusche. Nachdem ich geduscht hatte, zog ich mein Nachthemd an und öffnete die Patentex-Oval-Schachtel. Die Zäpfchen waren in eine Folie geschweißt, die sich nur mit den Zähnen öffnen ließ. Sofort bekam ich einen seifigen Geschmack in den Mund. Locke hatte mal erzählt, wie sie auf einer Party ein Patentex-Oval-Zäpfchen ins Klo geworfen hatte und das Wasser sofort anfing zu schäumen. Sie hätte gespült und gespült, aber der Schaum wäre schließlich sogar aus der Toilettenschüssel herausgequollen.

Als ich in Yogis Zimmer zurückkehrte, sagte er:

»Du hättest nicht gehen müssen.«

Ich legte mich hin. Man mußte sich hinlegen, wenn man Patentex Oval genommen hatte, sonst lief es wieder aus einem heraus.

»Ich muß dir etwas sagen«, sagte Yogi. »Es ist nämlich so… Es ist so, daß ich es nicht immer schaffe, mit einem Mädchen zu schlafen. Also, ich meine, das letzte Mädchen, mit dem ich zusammen war… mit ihr hat es zum Beispiel nicht geklappt. Und ich weiß nicht, ob ich es jetzt bringe.«

»Das macht doch nichts«, sagte ich. »Das ist doch nicht so wichtig.«

Das waren Worte, die die Mädchen in den Foto-Love-Storys der ›Bravo‹ benutzten. »Hauptsache wir haben uns gern«, hätten die Mädchen in den Fotogeschichten auch noch gesagt, aber das kriegte ich nicht heraus.

»Du mußt mir ein bißchen helfen«, sagte Yogi. »Dann kann ich auch!«

»Klar«, murmelte ich. Ich stellte mir vor, wie unglücklich Yogi war, weil er keinen hochbekam, jetzt schon zum zweiten Mal. *Wenn ein Junge auch beim zweiten Mal keinen hochkriegt, denkt er womöglich, das wäre seine Schuld*, stand in der ›Bravo‹. *Dabei braucht er bloß eine liebe Partnerin.*

»Vielleicht, wenn du ihn mal anfaßt…«, sagte Yogi.

Ich hatte damit gerechnet, daß es weh tun könnte, daß Yogi gemein sein würde und hinterher schlecht über mich redete. Aber ich hatte nicht damit gerechnet, daß ich selbst etwas tun sollte. Warum hatte er mich herbestellt, wenn er es nicht brachte?

»Du mußt ihn so anfassen«, sagte Yogi, »und dann auf und ab.«

Warmer geschmolzener Schaum rann an den Innenseiten meiner Oberschenkel herunter und hinterließ einen fettigen Film.

»Tut mir leid«, sagte ich, »ich muß noch mal zur Toilette.« Der Schaum rann mir über Knie, Unterschenkel und Füße. Ich stellte mich in die Badewanne. Aus dem Brausekopf kam nur noch kaltes Wasser. Ich legte meine Stirn gegen die Kacheln. Ich wünschte, ich wäre wieder eines der braven, langweiligen Mädchen, die nie zu den aufregenden Feten eingeladen wurden, sondern statt dessen Hermann-Kuchen buken und weiter von süßen Jungen träumen konnten, ohne ihre muffigen Schwänze anfassen zu müssen.

Von nun an liefen die Treffen mit Yogi immer gleich ab. Wenn seine Freunde gegangen waren, legten wir uns auf die Matratze, Yogi steckte eine Kerze an, und ich mußte seinen Schwanz in die Hand nehmen und reiben, bis er hart wurde. Dann wälzte Yogi sich auf mich, aber wenn er anfangen wollte, konnte er wieder nicht. Dann gab es einen weiteren vergeblichen Versuch, einen dritten und vierten, und zum Schluß mußte ich ihn mit der Hand befriedigen, und manchmal gelang selbst das nicht. Es war so anstrengend, wie eine Sanddüne hochzulaufen.

»Ich hatte mal eine Freundin, mit der ging es ganz leicht«, sagte Yogi, »die hat sich einfach auf mich draufgesetzt, während ich auf dem Rücken lag. Da ging das ganz leicht.«

Wenn ich mit ihm verabredet war, lag ich vorher jedesmal wie gelähmt in meinem Zimmer und hoffte, daß Yogi in der nächsten halben Stunde unter ein Auto kommen würde. Ich wollte nicht zu ihm fahren und seinen weichen Schwanz anfassen müssen. Ich fand das unglaublich widerlich. Aber ich konnte ihn auch nicht verlassen, sonst würde Yogi denken, ich täte es deswegen, weil er keinen hochkriegte. Dabei brauchte er jetzt unbedingt Verständnis.

Und dann war er es, der Schluß machte. Er sagte es mir an dem Tag, an dem der Hund kam. Mein Bruder hatte sich einen Hund gewünscht. Mein Vater war immer noch sehr fürs Verreisen – besonders in den Wintermonaten, in denen er auf irgendeine Kanarische Insel flog, *um die kalte Jahreszeit abzukürzen*, wie er das nannte. Er wollte immer noch keinen Hund. Aber diesmal war meine Mutter einfach mit meinem Bruder losgefahren, um bei einem Rottweiler-Züchter einen Welpen zu kaufen. Es würde der Hund meines Bruders sein, er durfte ihn aussuchen, und der Hund würde in seinem Zimmer schlafen, nicht bei mir, aber es würde doch immerhin ein Hund ins Haus kommen. Als Yogi anrief, hatte ich darum noch weniger Lust als sonst, aber Yogi behauptete, es wäre wahnsinnig dringend, und er müsse mit mir sprechen. Ich ging in mein Zimmer und weinte. Alle außer mir würden den Hund begrüßen, sie konnten mit ihm spielen, während ich Yogis Schwanz reiben mußte. Bevor ich losfuhr, wog ich mich noch einmal. Die Waage blieb zitternd bei 65 kg stehen. Ich hatte in den letzten Wochen ganz von selbst abgenommen. Ich war auf dem richtigen Weg. In dem Film ›Bilitis‹ gab es eine Stelle, in der ein Mann zu Bilitis über eine schöne Schloßbewohnerin sprach. Er sagte, daß sie nicht halb so schön sein würde, wenn sie auch nur ein bißchen glücklich wäre. Erst ihr Unglück machte sie vollkommen. Ich setzte mich auf mein Fahrrad.

Diesmal waren seine Freunde nicht da. Wir saßen allein in seinem Zimmer, und Yogi machte keine Anstalten, eine Kerze anzuzünden. Er blieb die ganze Zeit sehr kühl, sagte noch weniger als sonst und sah immer wieder aus dem Fenster oder nahm eine Schallplatte in die Hand und betrachtete das Cover. Das konnte noch ewig so weitergehen. Ich wollte nach Hause. Ich wollte den Hund sehen.

»Was ist los?« fragte ich.

»Wieso, was soll los sein?«

»Du bist so komisch.«

»Ich? Nö!«

»Was wolltest du denn mit mir besprechen?«

»Ach.. nichts..«

»Du nimmst mich in letzter Zeit nicht mehr mit, wenn ihr ins Tamtam fahrt. Du willst mich doch gar nicht mehr dabeihaben. Willst du Schluß machen?«

O ja, bitte, dachte ich. Mach Schluß! Sag, daß du dich in ein anderes Mädchen verliebt hast. Er zuckte die Schultern und sah weiterhin intensiv aus dem Fenster. Es war vorbei. Nie wieder würde ich seinen Schwanz anfassen müssen.

»Warum?« sagte ich. Er zuckte wieder mit den Schultern, konzentrierte sich mit zusammengekniffenen Augen auf etwas, das in weiter Ferne liegen mußte. Plötzlich war es doch schlimm, verlassen zu werden.

»Es ist dir peinlich, mit mir gesehen zu werden, nicht wahr?« sagte ich. »Ist es das?«

Er zuckte zum dritten Mal mit den Schultern.

»Du weißt ja selber, daß du nicht so besonders aussiehst«, sagte er. Ich stand auf, zog meine Jacke an und ging. Der Hund – ich versuchte, an den Hund zu denken.

Als ich nach Hause kam, krochen meine Eltern und meine Geschwister auf dem Wohnzimmerteppich um den Rottweiler herum. Sogar mein Vater. Der Welpe sprang an allen hoch, er kam auch auf mich zugewackelt. Ich kniete mich hin, und er kletterte auf meinen Schoß und leckte mein Gesicht. Ich hob ihn hoch, stand mit ihm auf und drehte mich langsam im Kreis. Der kleine Rottweiler leckte meinen Hals und kläffte hell, und dann fuhr er mir mit der Schnauze ins Gesicht und schnappte nach meiner Nase. Es ging ganz schnell. Als ich aufschrie, war der Nasenflügel bereits eingerissen. Das Blut tropfte auf den Hund hinunter, und er leckte es sich mit der Zunge von der Schnauze. Meine Schwester lachte als erste. Dann lachte mein Bruder, und dann lachten auch meine Eltern. Sie lachten und lachten. Es war so komisch, daß der Hund mir in die Nase gebissen hatte.

»Warum nimmst du ihn auch auf den Arm. Geschieht dir recht!« sagte mein Bruder. Als ich ins Badezimmer ging, lachten sie immer noch. Sie konnten sich gar nicht mehr einkriegen. Ich hielt meinen Kopf über das Waschbecken und sah zu, wie es rot hineintropfte.

Ich glaube nicht, daß ich mich jemals richtig töten wollte. In Wirklichkeit hing ich wie eine Klette an meinem Leben. Wenn ich trotzdem immer wieder in meine Handgelenke schnitt, dann bloß deswegen, weil das Gefühl so dringend wurde, daß es so etwas wie mich nicht geben sollte, daß ich ausradiert gehörte. Wenn dann das erste Blut floß, ging es mir gleich wieder besser, und ich hörte auf.

Diesmal war der Anlaß geradezu lachhaft. Es ging darum, daß ich mein Zimmer räumen sollte. Wir erwarteten zwei Austauschschülerinnen aus Frankreich. Meine Schwester hatte zuvor bei ihnen in Bordeaux gewohnt, und jetzt kamen sie dafür zu uns. Ich sollte auf einer Matratze bei meinem Bruder schlafen, aber er weigerte sich, sein Zimmer mit mir zu teilen.

»Kannst du nicht ganz verschwinden?« sagte meine Schwester. »Am besten, du wohnst bei deiner Freundin, solange Valerie und Brigitte da sind.«

Der Ton lag durchaus im Rahmen des Gewohnten. Ich weiß also nicht, warum ich diesmal in die Küche ging, die Speisekammer öffnete und mir den Strohkorb vom obersten Bord holte. Hinter dem Hustensaft und einer Schachtel Kamillentee standen mehrere Röhrchen Sedapon, hellblaue Beruhigungstabletten, mit deren Hilfe meine Mutter das alles ertrug. Ich füllte ein Glas mit Wasser. Vielleicht wollte ich zu diesem Zeitpunkt einfach bloß eine oder zwei Tabletten nehmen, wie ich das manchmal machte, aber nachdem ich zwei genommen hatte, nahm ich noch eine dritte und eine vierte, und schließlich hatte ich zwanzig genommen und das Röhrchen war leer. Jetzt konnten sie das Zimmer haben. Das hatten sie doch gewollt. Ich griff nach dem zweiten Tablettenröhrchen, doch im selben Moment war meine Verzweiflung auch schon wieder vorbei. Dafür fing ich an, mir Sorgen zu machen. Ich würde sterben. Vielleicht. Vielleicht aber auch nicht. Ich stellte Korb und Tabletten wieder in die Speisekammer. Ich wollte nicht mehr sterben. Aber es waren ja sowieso bloß Beruhigungsmittel, die ich geschluckt hatte, keine Schlaftabletten. Wahrscheinlich reichte die Menge eh nicht. Andererseits konnte man nie wissen. Bloß, daß ich mir dumm vorgekommen wäre, es meiner Mutter zu erzählen. Bei den paar Sedapon war ja von vornherein klar, daß ich es eigentlich gar nicht ernst gemeint hatte. Vielleicht sollte ich erst noch ein paar Schlaftabletten nehmen und es dann beichten? Ich lief eine Stunde lang herum und dachte darüber nach, und obwohl ich ja eigentlich immer ruhiger hätte werden müssen, machte ich mir immer mehr Sorgen. Das war ja nun wieder ein gutes Zeichen. Wenn man sich mit zwanzig Sedapon im

Magen noch Sorgen machte, konnten die Tabletten nicht so stark sein. Ich ging in mein Zimmer, solange es noch mein Zimmer war. Ich wollte mir ein Buch nehmen, um mich abzulenken, und als ich vor dem Regal stand, knickten mir die Beine weg, und ich fand mich auf dem Boden wieder. Plötzlich wollte ich unbedingt leben, ganz egal, wie häßlich ich war. Und egal, wie peinlich es war, ich würde jetzt meiner Mutter sagen, was ich getan hatte.

Ich ging also, bis an die Krempe mit Beruhigungsmitteln abgefüllt, die Treppe runter und suchte meine Mutter. Auf dem Flur lag Benno, der Hund meines Bruders, in seinem Korb und winselte leise vor sich hin. Ich mußte nicht lange suchen. Meine Mutter stand in der Küche und schrie meine Schwester an. Ich merkte gleich, daß es ein schlechter Moment war.

»Du verdirbst alles!« keifte meine Schwester zurück. »Andere Eltern bieten ihren Kindern ganz andere Sachen! Die schicken sie nach Amerika! Und du stellst dich an, wenn hier einmal für eine Woche zwei Französinnen kommen.«

»Siehst du nicht, daß es hier zu klein ist. Immer bringst du solche Unruhe ins Haus. Immer du! Deine Geschwister machen das nie«, schrie meine Mutter. Jetzt war wieder meine Schwester dran, und sie schrie, daß es völlig asozial wäre, drei Kinder in diesen Verhältnissen großzuziehen, daß meine Eltern mal ein bißchen hätten nachdenken müssen, bevor sie ein Kind nach dem anderen in die Welt setzten, und die Mädchen wären eingeladen, und die würden auch kommen, und jetzt sollte meine Mutter aufhören, hier unnötig Ärger zu machen.

»Ich mach euch keinen Ärger! Ich mach euch überhaupt nie mehr Ärger!« schrie meine Mutter. »Ich erschieß mich! Dann habt ihr alle mehr Platz! Ich erschieß mich mit Papas

Gewehr, dann habe ich endlich Ruhe. Ich hoffe nur, daß man im Himmel nicht arbeiten muß. Mit meinem Glück muß ich da oben wieder Wolken putzen!«

Mein Vater hatte ein Gewehr von seinem Vater geerbt und versteckte es im Haus, weil er keinen Waffenschein hatte.

»Von wegen kein Ärger«, sagte meine Schwester. »Ist dir klar, wieviel Dreck das macht, wenn man sich in den Kopf schießt? Von wegen kein Ärger! Das spritzt bis an die Decke.«

»Ich erschieß mich im Garten!« schrie meine Mutter. »Ich mach niemandem Dreck! Ganz sauber – das bleibt alles ganz sauber.«

Ich war jetzt ganz ruhig. Die Tabletten schienen endlich zu wirken. »Man kann sich auch ein Kissen auf den Kopf legen«, sagte ich, »dann spritzt das nicht so.« Ich hatte das irgendwo in einem Buch gelesen. Wo nur? Vermutlich Arthur Schnitzler. Oder war es ein Film gewesen? Jedenfalls hielten sich die Leutnants im neunzehnten Jahrhundert ein Kissen auf die andere Seite des Kopfs, wenn sie sich erschossen.

»Raus hier! Alle beide raus! Haut bloß ab!« kreischte meine Mutter. Ich ging wieder in mein Zimmer. Ich war beinahe heiter. Es gab nichts mehr zu entscheiden, ich mußte diesen Weg bloß noch zu Ende gehen. Dieses Haus war schon gar nicht mehr mein Zuhause, es war nur ein Durchgang, eine unwichtige Zwischenstation zwischen den beiden Unendlichkeiten, des Noch-nicht- und des Nicht-mehr-Seins.

Ich glaube, ich zog mich aus und legte mich schlafen. Ich kann mich nicht mehr daran erinnern. Mitten in der Nacht wachte ich auf. Ich trug ein Nachthemd und lag mit dem Gesicht in einem Haufen Erbrochenen. Es machte mir überhaupt nichts aus. Ich war sogar in Versuchung, einfach in meinem Kodder liegenzubleiben und weiterzuschlafen. Dann fiel mir ein, daß ich unbedingt das Kissen reinigen mußte. Also stapfte ich die Treppe hinunter und trug das Kissen auf ausgestreckten Armen vor mir her zur Toilette. Wie ein vollgekotztes Gespenst. Natürlich wachte meine Mutter auf. Sie kam dazu, als ich das Kopfkissen ins Waschbecken stopfte, und konnte gerade noch verhindern, daß ich die Federn mit einweichte. »Was ist hier eigentlich los?«

»Ich habe Tabletten genommen«, nuschelte ich. Jetzt fühlte ich mich nicht mehr wie ein Gespenst, bloß noch wie unter Wasser. Gott, war das peinlich – Tabletten genommen zu haben und nicht tot zu sein. Aber die Peinlichkeit schwamm wie ein Kork oben auf der Ruhe, in der ich wie eine Alge schwebte, und erreichte mich nicht. Meine Mutter weckte meinen Vater.

»Papa! Papa! Wach mal auf! Anne hat Tabletten genommen!«

Er wollte wissen, welche und wieviel.

»Vierzig«, sagte ich. Ich mochte nicht zugeben, daß es nur zwanzig waren.

»Es sind ja bloß Sedapon. Die sind harmlos. Sie hat sie ja sowieso alle wieder ausgekotzt«, sagte mein Vater. »Laß sie einfach weiterschlafen.«

Dreißig Stunden später wachte ich gerade noch rechtzeitig auf, bevor die Französinnen kamen. Das Raumproblem lösten wir so, daß ich bei meinen Eltern im Wohnzimmer auf der Couch schlief. »Hast du dir eigentlich überhaupt keine Gedanken darüber gemacht, was für ein Schock das für die kleinen Französinnen gewesen wäre, wenn die angekommen wären und es hätte gerade einen Selbstmord gegeben?« fragte meine Mutter. Wenn sie von den Austauschschülerinnen sprach, sagte sie immer »die kleinen Französinnen«. Die kleinen Französinnen waren wirklich kleiner als wir, höchstens 1,65 m, und sie sprachen weder englisch noch deutsch. Wenn meine Schwester nicht da war, konnten sie sich nur durch Gebärden verständigen. Das machten sie aber sehr geschickt. Sie sprühten vor Charme und tanzten uns Rock 'n' Roll vor, und einmal kochten sie ein Essen mit fünf Gängen, lauter scharfe Sachen, die einem die Kehle versengten, und es dauerte drei Stunden, bis wir beim fünften Gang angekommen waren. Es sollte noch eine Tarte geben.

»Die scheinen ja alle Zeit der Welt zu haben«, fluchte meine Mutter mit zusammengebissenen Zähnen, als die kleinen Französinnen wieder in der Küche verschwunden waren. »Jetzt noch *Tarte* Was soll das – jetzt noch *Tarte*? Sehen die nicht, daß ich hier einen Haushalt zu schmeißen hab? Ich kann nicht vier Stunden lang essen. Die in Frankreich, die können das vielleicht, und ich muß gleich den Abwasch machen.«

Den Abwasch ließen die kleinen Französinnen tatsächlich meiner Mutter stehen und tanzten uns statt dessen noch einmal Rock 'n' Roll vor. Und mein Vater lächelte bei dem Anblick. Was für Töchter andere Männer hatten, solche kleinen Wirbelwinde, die vor Charme nur so sprühten! Verstohlen warf er einen Blick auf diese großen plumpen Sauertöpfe, die seine eigenen waren.

Das Flugzeug setzt zur Landung an, und wir müssen uns wieder anschnallen. Gleich. Gleich werde ich angekommen sein und es wieder einmal überlebt haben. Wir tauchen in die Wolkendecke ein, das Flugzeug schnuppert ein bißchen darin herum, und dann sinken wir tiefer und tiefer, man kann bereits Häuser erkennen, mit kleinen Gärten daran, und ein Schloß in einer Parkanlage, es hat geflaggt, und mit jedem Meter, den wir weiter sinken, erhöht sich meine Überlebenschance. Das stimmt wahrscheinlich gar nicht. Wahrscheinlich macht es überhaupt keinen Unterschied, ob man aus zehntausend Metern oder fünfzig Metern Höhe herunterstürzt. Aber wenn ich die Wahl hätte, würde ich lieber aus fünfzig Metern abstürzen, auch wenn einem dann natürlich weniger Zeit bleibt, um noch einmal das ganze Leben vor dem inneren Auge vorbeiziehen zu lassen. Ich weiß aber auch so, daß ich alles verbockt habe. Das einzige, was sich zu meinen Gunsten sagen läßt, ist, daß ich meinem Therapeuten niemals von Peter Hemstedt erzählt habe. Ich wollte seine hochgezogenen Augenbrauen nicht sehen, nicht dieses aufgeweckte, verständnisvolle Nicken. Ich wollte seine therapeutische Meinung nicht hören, die nichts von Liebe weiß, sondern nur von abweisenden Vätern und dem Zwang, die negativen Erfahrungen der Kindheit wieder und wieder nachzuspielen. Ich wollte nicht hören, daß ich einen besseren Mann verdiente, daß ich mir jemanden suchen sollte, der mir *guttat*. Als käme es in der Liebe darauf an, seine Investitionen wieder hereinzuholen wie der Finanzmakler-Arsch, der mein Bruder inzwischen geworden ist. Neulich hat er versucht, mir am Telefon eine Risikoanlage anzudrehen. Den Kredit, den ich dafür gebraucht hätte, wollte er mir auch gleich verschaffen. Mich schüttelt die Vorstellung, jemanden zu lieben, bloß weil er mir *guttut*. Das ist doch, als riete man einem St.-Pauli-Fan, endlich mal für Bayern München zu jubeln, weil die doch viel öfter gewinnen. Wie soll man einem Therapeuten erklären, daß es Verletzungen gibt, die man gar nicht geheilt haben möchte?

Obwohl wahrscheinlich genau das passieren wird. Hemstedt zu treffen, wird mich heilen. Man weiß, wie solche Wiedersehen ausgehen. Die Enttäuschung ist unvermeidbar. Er hat gar keine Chance. Selbst wenn er ein Ausbund an Tugend, Schönheit und Geschmack sein sollte, wird er es nicht mit dem Idealbild aufnehmen können, das mein zügelloses Herz von ihm angefertigt hat. Es ist fünf Jahre her, daß ich ihn zuletzt gesehen habe, und als ich ihn anrief, habe ich lächerlicherweise so getan, als ob ich bei ihm wohnen wollte, um Geld zu sparen. Ich war noch nie in der Lage, die Liebe, die ich für ihn empfinde, auf eine allgemeinverständliche Weise auszudrücken.

Hemstedt hat mich in seine Firma bestellt, um mir dort schon mal seinen Wohnungsschlüssel zu geben. Das Taxi hält vor einem von oben bis unten verglasten Gebäude. Ich steige aus, sehe die grünliche Fensterwand hinauf und wieder herunter, treffe auf mein Spiegelbild, kriege den üblichen Schock und frage mich, was ich hier eigentlich tue. Er hat mich nicht geliebt, als ich jung und schön war, und ich habe meine Chancen nicht gerade verbessert. Vielleicht erkennt Hemstedt mich gar nicht. Zweiundvierzig Kilo liegen zwischen unserer letzten Begegnung und heute. Außerdem sehe ich irgendwie verwachsen aus, unten dicker als oben.

Das war schon früher immer so, als ich noch Diäten gemacht habe. Wenn ich hungerte, nahm ich im Gesicht ab und am Busen. Schnell konnte man meine Rippen zählen. Wenn ich dann wieder aß, nahm ich am Hintern und an den Beinen zu. Jetzt seh ich aus wie ein Troll oder als hätte man mich aus einem Baumstamm gehauen und wäre unten rum noch nicht zur Feinarbeit gekommen. Ich bin praktisch entstellt. Gleich stehe ich ihm gegenüber, und sein Blick wird mich zerfetzen. Er wird sehen, wie fett ich bin. Na und? Soll er doch. Soll er es doch sehen! Große Sache, daß ich so fett bin! Wer ist denn wohl schuld daran?

Jost Merseburger, Richard Buck, Stefan Dorms und Peter Hemstedt fielen mir gleich zu Anfang des Vorstufensemesters auf, weil sie die einzigen Jungen waren, die als Individualsportart ›Gymnastischen Tanz‹ gewählt hatten. Nach dem zehnten Schuljahr hatten wir unsere Klassenlehrer gegen Tutoren getauscht, und der Unterricht teilte sich in Pflicht-, Wahlpflicht- und Wahlfächer. Wer sich für Gymnastischen Tanz entschied, mußte entweder ein Mädchen sein oder sportlich eine komplette Null. Ich zum Beispiel erfüllte beide Voraussetzungen. Jost und seine Freunde wirkten auch nicht besonders fit, eher so der kriegsuntaugliche Typ, lang und schlaksig. Doch selbst wenn einem die Wahl zwischen Leichtathletik, Geräteturnen und Gymnastischem Tanz wie die Wahl zwischen Streckbank, Daumenschrauben und spanischem Stiefel erschien, ließen sich männliche sportliche Nullen normalerweise immer noch lieber auf der Aschenbahn schikanieren, als mit den Mädchen zusammen zu tanzen. Ich wußte nicht viel über die vier, außer daß sie ständig Plastiktüten von Schallplattengeschäften über den Schulhof trugen und einander in die aufgehaltenen Tüten sehen ließen. Jost wurde an unserer Schule als der sensible Junge schlechthin gehandelt. Wenn er mitten im Unterricht von seinem Stuhl aufsprang, wild um sich blickte und dann türenknallend aus der Klasse rannte, sagten die Lehrer stets begütigend: »Laßt Jost. Jost ist *sensibel*.«

Was für ein Unsinn. Wir waren alle sensibel in diesem Alter. Wahrscheinlich waren sogar die Redakteure der ›Übersicht‹ sensibel. Die ›Übersicht‹ war die zweite Schülerzeitung, die es auf Heddenbarg plötzlich gab. Sie hatte regelmäßig eine Anzeige der Jungen Union geschaltet, und ihre Redakteure trugen Rautenpullover und Burlington-Socken und stellten sich leere Mumm-Sektflaschen auf den Jugendzimmerschrank. Was Jost von uns unterschied, war seine völlige Hemmungslosigkeit. Möglicherweise war er auch hemmungslos sensibel. Natürlich schwänzten Jost, Peter, Richard und Stefan die Sportstunden oft und drückten sich, wo es nur ging. Sie schnürten sich unendlich lange die Turnschuhe zu oder gaben vor, etwas im Umkleideraum vergessen zu haben. Aber wenn sie denn einmal da waren, zogen sie die Sache durch, ohne eine Miene zu verziehen. Der Sportunterricht begann jedesmal mit einem folkloristischen Tanz, bei dem man im Kreis herumlief und in der Mitte die Hände zusammenlegte, so daß die Arme die Speichen eines lebenden Rades bildeten. Mit versteinerten Gesichtern und toten Augen streckten dann auch Jost, Richard, Peter und Stefan ihre Hände zur Mitte. Nie alberten sie dabei herum. Sie schienen nahezu autistisch, bewegten sich gerade nur so viel, wie es unvermeidbar war. Wenn wir einen Hüpfer tun sollten, streckten sie ein bißchen das Bein und ließen einen Fuß über den Boden schleifen. Sollten wir die Arme gestreckt heben, so hoben sie sie angewinkelt halb – als hielte ihnen jemand eine Pistole in den Rücken. Ich mußte immer wieder hinüberschauen, auch wenn sie natürlich keineswegs zu den begehrenswerten Jungen gehörten, also zu jenen, um die man beneidet wurde. Ich beschloß, etwas mit Peter Hemstedt anzufangen. Er war von den vieren der Unscheinbarste, dünn, ohne die elegante Schlaksigkeit seiner Freunde. Sein Knochenbau war eher für einen stämmigen, untersetzten Typ gemacht. Soviel ich wußte, hatte er noch nie eine Freundin gehabt. Ich merkte ihn mir vor als einen, der vermutlich froh war, wenn er mich küssen durfte. Dieser Peter Hemstedt, dieser nichtssagende Junge mit der großen Nase, dem nichtssagenden Haarschnitt und dem nichtssagenden Namen war jemand, den ich mir in meinem derzeitigen Zustand gerade noch zutraute. Mein Gewicht hatte sich auf 69 kg eingependelt. Ich kam nur noch selten auf 67 kg runter. Selbst die 69 kg zu halten, fiel mir nicht leicht. Immer hungrig zu sein, war so anstrengend. Mein ganzes Leben war so anstrengend. Angeschaut zu werden und nicht dünn genug zu sein. Auf Parties nicht eingeladen zu werden. Eingeladen zu werden und zurückfahren zu müssen, ohne geküßt zu haben. Jungen dazu zu bringen, daß sie einen küßten. Jungen zu küssen, vor denen mir eigentlich grauste. Auf der Straße an Bauarbeitern vorbeizugehen. Sich im Unterricht nicht anmerken zu lassen, daß man längst nicht mehr wußte, wovon überhaupt die Rede war. Nichts in meinem Leben ging einfach oder von selbst. Außer essen.

Inzwischen hatten selbst die braven, unscheinbaren Mädchen fast alle einen festen Freund. Brave Freunde natürlich, aber irgend etwas mußten sie mit ihnen ja anstellen. Wenn sie über den Schulhof gingen, sah ich ihnen hinterher und versuchte, mir vorzustellen, wie sie ihren Freunden einen runterholten. Aber eigentlich konnte ich nicht wirklich glauben, daß noch jemand außer mir so etwas tat. Dabei wußte ich natürlich, daß es so war. Gertrud Thode tat es und Petra Behrmann, und die plumpe Rulla und ihr langweiliger käsegesichtiger Freund taten es auch, und Henriette mit dem dicken Zopf und Gabi und Sabine. Nicht zu fassen! Wie konnten sie dann hier über den Schulhof stolzieren und sich benehmen, als wäre nichts geschehen? Nur Klein-Doris hatte natürlich keinen Freund. In dieser Hinsicht war sie ein beruhigendes Moment in meinem Leben. Sie war immer noch nicht gewachsen, und sie war immer noch klapperdürr. Ihre Mutter packte ihr neuerdings dicke Brotscheiben mit Käse oder Nutella darauf ein, aber wenn sie glaubte, ihre disziplinierte Tochter damit in Versuchung führen zu können, mußte sie ganz schön naiv sein. Doris wickelte die Brote während der Unterrichtsstunden aus und sah sie sich an. Sie sah sie bloß an, und dann legte sie sie unter ihren Tisch. Mich machte das wahnsinnig. Seit einiger Zeit versuchte ich, nur noch mittags zu essen. Wenn Doris diese dicken Käse- oder Nutellastullen unter den Tisch legte, hatte ich seit mindestens zwanzig Stunden nichts mehr gegessen. Und natürlich bot Doris sie mir jedesmal an.

»Willst du? Ich finde das eklig, dieses Schokoladenzeugs«, sagte sie. Zuerst lehnte ich ab. Ich fragte mich: Was ist dir wichtiger – daß die Jungen hinter dir her sind oder daß du jetzt dieses Brot in dich hineinstopfst? Aber nach vier oder fünf Tagen kam ich an den Punkt, wo es eindeutig wichtiger wurde, das Nutellabrot zu essen. Und zwar jetzt! Sofort! Auf der Stelle! Irgendwann fraß ich Doris' Stullen regelmäßig. Irgendwann fragte ich sie danach. Daraufhin wollte sie ihr Pausenbrot plötzlich doch wieder essen.

»Nein, heute habe ich selber Hunger«, sagte Doris, biß ein winziges Stück heraus und mümmelte stundenlang darauf herum. Das angebissene Brot legte sie unters Pult, wo ich es die ganze Zeit sehen mußte. Sie wollte, daß ich darum bettelte, und manchmal tat ich das tatsächlich.

»Los, gib schon her«, knurrte ich, »du willst es doch gar nicht!«

»Wie kann man bloß so verfressen sein«, sagte Klein-Doris dann und reichte mir mit knochigen, beflaumten Armen ihr Brot. Das war ihr Kick, das war das Größte für sie, wenn sie zusah, wie ich ihr Brot aß. Was sie nicht wußte, war, daß ich es hinterher auskotzte. Ich verbrachte immer noch eine Menge Zeit auf Toiletten, blieb aber trotzdem auf diesen 69 Kilo hängen. Doris wog jetzt 40 kg und hatte einen Notendurchschnitt von 0,9. Sie wollte unbedingt noch darunter kommen.

»Wozu?« sagte ich, wenn sie wieder davon anfing, daß sie mehr lernen, daß sie besser werden müßte. »Wozu denn? Ändert doch nichts. Ist doch trotzdem alles scheiße!«

Ich selber wurde nämlich von Woche zu Woche schlechter. Ich konnte mich einfach nicht mehr konzentrieren. Selbst wenn der Unterricht eigentlich interessant war, befiel mich jedesmal die Vorstellung, da wäre noch etwas viel Wichtigeres und Dringenderes, das meine ganze Aufmerksamkeit erforderte, nur wollte mir auch dieses Dringendere nicht einfallen. Statt dessen sah ich *Filme*. Ich wollte zuhören, ich gab mir alle Mühe, aber während die Lehrer auf mich einredeten, schaltete jemand in meinem Kopf einen winzigen Projektor an, und ich mußte wieder und wieder denselben Film sehen. Ich war die einzige Darstellerin, und die einzige Einstellung zeigte mich, wie ich da auf meinem Stuhl im Klassenzimmer saß. Alle Plätze vor oder neben mir waren leer. Plötzlich stand ich auf, ich begann zu laufen, und dann sprang ich aus dem Fenster. Das war alles. Im Ganzen keine fünf Sekunden. Ich sprang seitlich, ein Bein vorgestreckt, das andere angezogen, und mit einem angewinkelten Arm vor dem Gesicht, wie ich das in einer ›Kung Fu‹-Folge gesehen hatte. Der Film hörte in dem Moment auf, in dem das Glas splitterte. Kein Aufprall. Am schlimmsten war es in Chemie. Unser Chemielehrer nannte einen Begriff, eine Formel, die furchtbar kompliziert klang, obwohl sie dann doch wieder nur Eisen oder Kupfer meinte, und schon ging mein Kopfkino los. Ich sah, wie ich aufstand, Anlauf nahm, auf das Fenster zurannte und dann: klirr. In manchen Stunden spulte ich das zwanzigmal ab. Nicht, daß ich mir gewünscht hätte, aus dem Fenster zu springen, oder diese Vision absichtlich produzierte. Die Szene war eher wie eine banale Melodie, die man längst über hat, die einem aber nicht wieder aus dem Kopf will. Ich langweilte mich richtig dabei. Nach einem halben Jahr wurde es etwas besser, und ich driftete nicht mehr so oft weg. Dann, während einer Mathestunde, legte der Filmvorführer in meinem Kopfkino plötzlich eine neue Spule ein. Diesmal befand ich mich in einem Gebäude, das so aussah, wie sich Hollywood-Requisiteure wahrscheinlich einen altägyptischen oder aztekischen Tempel vorstellen, hohe, rot, gelb und blau bemalte Säulen, Staub, der in Lichtstreifen tanzt. Ich war mehr oder weniger nackt, ich trug nur so einen langen Schurz, seitlich blitzten meine braunen, eingeölten Beine heraus. Ich hielt eine große silberne Schale in den Händen. Vor dem Altar stand ein Hohepriester in einem goldenen und blauen Gewand. Ich schritt andächtig zu ihm, kniete mich vor ihm auf den Steinboden und hob die Schale unter mein Kinn. Dann sah ich nur noch das Blitzen eines Schwertes, und schon fiel mein Kopf auf den Torf in der Schale. Hatte ich vorher gar nicht mitgekriegt, daß da Torf in der Schale war. Auch dieser Film dauerte nicht länger als zehn Sekunden, dann kehrte ich wieder in die Mathestunde zurück. Ich hatte höchstens einen Satz von dem, was die Lehrerin erzählte, nicht mitbekommen. »Aufpassen!« dachte ich. »Konzentrier dich! Du mußt dich konzentrieren! Du darfst nicht schon wieder weggleiten!« Während ich das dachte, hatte ich auch schon den nächsten Satz verpaßt. Jetzt hörte ich die Mathelehrerin endlich, aber ich verstand nicht mehr, wovon sie redete, und ich starrte sie immer verwirrter und verzweifelter an. »Du bist dumm«, sagte ich zu mir selbst, »du bist wirklich ganz außergewöhnlich dumm.«

»…deswegen gilt in diesem Fall die dritte binomische Formel…«, sagte die Mathelehrerin, und schon kniete ich mich wieder hin, sah das Blitzen des Schwertes, und mein Kopf sank weich in eine Schale voller Torf.

Nachdem ich in Chemie dreimal in Folge eine Sechs geschrieben hatte, weigerte sich mein Vater, mir noch Geld für Schulbücher zu geben. Jemand, der permanent Sechsen in Chemie schrieb, war in seinen Augen bereits erledigt. Zum Glück bekamen wir die meisten Bücher sowieso umsonst. Unser Chemielehrer Dr. Kirch hatte mir auf Grund der mündlichen Leistungen im Zeugnis noch eine Vier-minus gegeben. Das war wirklich ein Witz, denn im Unterricht sagte ich keinen Ton. Einmal versuchte Kirch, mich abzufragen. Ich starrte ihn panisch an. Die letzten fünfzig Chemiestunden hatte ich damit verbracht, entweder ununterbrochen aus dem Fenster zu springen oder mir ununterbrochen den Kopf abschlagen zu lassen. Kirch war sehr nett. Er hatte dunkle Haare, die er glatt und naß nach hinten kämmte, wie jemand aus einem amerikanischen 40er-Jahre-Film. Er fing an, etwas zu erklären, und ich hörte ihm zu, und es lief ausnahmsweise kein Film in meinem Kopf, aber ich hatte trotzdem keine Chance, auch nur ansatzweise zu begreifen, wovon er überhaupt redete. Ruhig und freundlich stellte er eine Frage nach der anderen, bis ich es nicht mehr aushalten konnte, daß er sich soviel Mühe mit mir gab; und da sagte ich: »Ich weiß das nicht! Ich weiß das überhaupt alles nicht. Sie brauchen das jetzt auch gar nicht zu erklären. Ich werde das nie begreifen.«

Womit ich übrigens recht behalten sollte.

»Kommst du auf deinem Schulweg an einem Kornfeld vorbei?« fragte Kirch. Die erste Frage, die ich beantworten konnte. Ich nickte.

»Das liegt wohl voller Flinten?«

Das war wieder so ein typischer Lehrerwitz, aber es war doch nett von ihm, weil die anderen Schüler, die immer stiller werdend mitangehört hatten, wie unendlich stupide ich war, jetzt gedämpft kicherten. Er fragte noch etwas, vermutlich war das jetzt wahnsinnig leicht, aber ich wußte nichts, nichts, nichts; und dann fragte er, was man da wohl zuschütten müßte, um die gewünschte Reaktion zu bekommen. Ich war kurz vorm Heulen.

»*Schütten*«, sagte er

»Wasser?«

Ich glaube, er war noch erleichterter als ich.

»Richtig, ja!« rief er. »Jetzt noch die chemische Formel dafür!«

Die wußte ich sogar. Ich sackte wieder auf meinen Tisch. Wenn Kirch klug war, würde er mich in dieser Stunde nicht noch einmal drannehmen. Ich stellte mir vor, wie es wäre, mit ihm ins Bett zu gehen, und ich hatte überhaupt keine Schwierigkeiten, mir das vorzustellen. Er würde sehr nett sein. Wenn ich mich dumm anstellte, würde er einen Witz machen, einen netten, unoriginellen, harmlosen Chemie-Lehrerwitz, dann würde er mich in die Arme nehmen, und alles wäre gut. Ich versuchte, mir vorzustellen, wie er nackt aussah, und taxierte seinen Körper. Er war breit, ein bißchen dick, das gefiel mir. Ich hatte Kirch wohl so intensiv angestarrt, daß er glauben mußte, ich wäre seinen Ausführungen gefolgt, und es für eine gute Idee hielt, mich noch einmal aufzurufen. Er strahlte, als hätte er nicht den allergeringsten Zweifel, daß ich die Antwort wüßte. Sofort ging bei mir wieder dieser Film los: Da war der ägyptische Tempel, und da war das gebündelte Licht, das durch schmale Öffnungen oben in der Wand fiel, ich trug meinen Schurz und hielt die Schale in den Händen. Der Hohepriester tauchte auf, er sah aus wie Kirch. Kirch hatte sich das goldene und blaue Gewand des Hohepriesters angezogen. Ich kniete mich hin und hielt ihm die Schale entgegen, und Kirch goß eine klare Flüssigkeit hinein.

»Wasser?« fragte ich vorsichtig.

»Du hast es«, jauchzte der echte Kirch.

Eines Tages rief meine Schwester an und fragte, ob ich mit ihr und ihrem Freund am Abend in die Disko wollte. Seit sie zu Hause ausgezogen war, verstanden wir uns besser, auch wenn sie immer noch nicht länger als eine halbe Stunde allein mit mir in einem Raum sein konnte, ohne einen Tobsuchtsanfall zu kriegen.

Um fünf Uhr nachmittags schleppte ich sämtliche Kleider, Hosen und T-Shirts, die auch nur entfernt für einen Disko-Besuch geeignet schienen, in das Zimmer meines Bruders und verteilte sie auf dem Boden. Auf dem Bett saß Benno, der Hund. Ich küßte ihn auf den Kopf und legte ihm Haarspangen zwischen die Pfoten. Mein Bruder besaß inzwischen eine Stereo-Kompaktanlage. Ich legte meine Hit-Fever-LP auf. »And when we talk, it seems like paradise.« Die nächsten drei Stunden zog ich mich immer wieder um, probierte alle möglichen Kombinationen an. Zwischendurch lief ich auf den Flur hinaus vor den Spiegel, um das Resultat zu überprüfen. »Why won't you free me, free me from your spell.« Ich lächelte mein Spiegelbild an und steckte meine Haare hoch. Ich hoffte, daß meine Mutter nicht aus dem Schlafzimmer gekrochen kam, in das mein Vater das Zimmer meiner Schwester zurückverwandelt hatte. Meine Mutter war krank. Im Gegensatz zu mir war sie sonst eigentlich nie krank. Jetzt stapelte sich das Geschirr von gestern in der Küche, und es hatte heute den ganzen Tag nichts zu essen gegeben. Mein Vater saß schlechtgelaunt im Wohnzimmer, mein Bruder hatte sich zu Freunden verdrückt. Ich ließ meine Haare doch lieber wieder über die Schulter fallen. »Everyone's a winner, baby. That comes true.« Bevor ich anfing, mich zu schminken, legte ich die Kraftwerk-LP von meinem Bruder auf. Dafür hatte ich sie mir aufgespart. Ich hörte immer nur das zweite Lied von der A-Seite, es war tausendmal besser als die anderen. Ich ließ es wieder und wieder laufen, malte mir dabei die Lippen an, erst sehr hell, dann dunkel, dann doch lieber sehr hell und kreiste meine Augen mit schwarzem Kajal ein. Ich sah aus, als wäre ich schön. Es war nicht bloß Schminke, es war die Musik von Kraftwerk, die mich schöner und schöner machte. Als mein Bruder ins Zimmer kam, hatte ich die Platte zum Glück schon wieder zurückgestellt und noch einmal die Hit-Fever-LP aufgelegt.

»Eeh – bist du nicht ganz dicht?«

»Pogo Dancing!« brüllte ich ihm entgegen.

Er riß die Nadel von der Platte. Der Hund sprang vom Bett, trampelte und winselte um meinen Bruder herum und versuchte vergeblich, seine Aufmerksamkeit zu erregen. Je widerlicher sich mein Bruder benahm, desto mehr liebte ihn sein Hund. Er konnte nicht anders.

»Eeh – verpiß dich! Wer hat dir erlaubt, die Anlage anzufassen? Kauf sie doch! Dann kannst du jeden Tag deine Drecksmusik hören.«

Ich ging mit meiner LP auf den Flur. Mein Bruder schmiß mir meine Kleider hinterher. Während ich sie einsammelte, hörte ich meine Mutter leise rufen. Ich ließ die Sachen wieder fallen und ging ins Schlafzimmer. Das Gesicht meiner Mutter war bleich und voller Schweißperlen. Neben ihrem Bett stand ein Eimer mit Erbrochenem. Irgendwie mußte sie es geschafft haben, aufzustehen und sich diesen Eimer zu besorgen. Ich faßte den Henkel. Ich sagte mir, daß meine Mutter der Mensch war, der mir den Hintern gewischt hatte, als ich selbst noch nicht dazu imstande gewesen war und niemand sonst es tun wollte. Praktisch alles hatte ich ihr zu verdanken. Also ging ich mit dem Kotzeimer zur Toilette und schüttete ihn ins Klo. Ich spülte ihn aus, ließ ein bißchen Wasser einlaufen und brachte ihn zurück ins Schlafzimmer. Die unterwürfige Dankbarkeit meiner Mutter drehte mir den Magen um. Ich sah zu Boden. Es war nicht recht, so zu empfinden, schließlich war sie meine Mutter. Aber sie machte es einem auch nicht gerade leicht. Obwohl sie es längst hätte besser wissen können, glaubte sie immer noch, wenn sie nur ein braves kleines Mädchen bliebe, keine Ansprüche stellte und sich ständig aufopferte, wären alle von ihrer Bescheidenheit gerührt und würden sie dafür wahnsinnig lieben. Das Problem dabei war bloß, daß meine Mutter für uns Kinder ausschließlich aus Putzen, Kochen, Waschen und Hinter-uns-Herräumen bestand. In dem Moment, in dem sie nicht mehr mit einem Feudel bewaffnet durchs Haus krakeelte, hörte sie per Definition auf zu existieren, und wir wandten uns befremdet ab.

Ich setzte mich mit meinem schlechten Gewissen zu ihr auf die Bettkante. Irgendwer mußte ihr schließlich Liebe geben – oder wie man das nannte. Ich wollte ihr wenigstens über die Stirn streichen, aber selbst das kriegte ich nicht fertig. Ich stand wieder auf. Immerhin war der Eimer geleert, und das Zimmer stank nicht mehr so entsetzlich.

Als meine Schwester und ihr Freund mich abholten, trug ich ein taubenblaues kniekurzes Kleid mit V-Ausschnitt, das bis zur Taille sehr eng saß und dessen Rock beim Tanzen nur so um mich herumflattern würde. Als erstes fuhren wir zum Madhouse. Uwe, der Freund meiner Schwester, saß hinter dem Lenkrad, neben ihm sein Freund Karsten. Meine Schwester und ich saßen hinten. Die Anlage im BMW war viel besser als die meines Bruders, und die Kassette, die gerade lief, war auch viel besser als das, was ich sonst hörte. Ich fragte trotzdem nicht, was sie da aufgenommen hatten. Ich wollte nicht sprechen. Ich wollte für immer in diesem Lied sitzen und zusehen, wie die Straßenlaternen im selben Rhythmus über mich hinwegglitten. Alles war genau richtig. Ich legte das Gesicht ans Seitenfenster und hoffte, daß wir einen schlimmen Unfall haben würden, bei dem ich starb. Ich wollte nicht, daß das Auto irgendwo ankam und wir aussteigen mußten. Aber genau darauf lief es natürlich hinaus, daß wir ausstiegen und durch den niedrigen und schlecht beleuchteten Gang vor dem Madhouse stiefelten. Jedesmal, wenn am Ende dieses Tunnels jemand die Stahltür öffnete, wehte uns ein Fetzen Musik entgegen. Wenn die Tür wieder zugefallen war, blieben nur noch die Bässe. An den Wänden lehnten lauter Jungs, auch ältere, über dreißigjährige Männer waren dabei, rechts und links, einer neben dem anderen. Sie trugen Westernstiefel aus Wildleder und schwarze Lederjacken und beherrschten das Kunststück, einen gleichzeitig ausgehungert und verachtend anzustarren. Drinnen drängte man sich aneinander vorbei, durcheinander hindurch, wurde Teil eines fließenden Menschenbreis, aus dem oben Köpfe herausragten und ausgestreckte Arme mit Gläsern dran. Meine Schwester und ich hielten uns in Uwes und Karstens Heckwelle, ihnen machte man Platz. An den Seiten der Tanzfläche gab es Nischen mit Tischen und Stühlen. Darüber war ein halber VW-Käfer an die Wand montiert. Vor den Nischen lungerten wieder Jungen. Alles war voller Jungen. Es gab nicht einmal halb so viele Mädchen. Auch diese Jungen hatten den Sklavenhändlerblick drauf. Wenn man zurückschaute, lächelten die meisten und sahen plötzlich ganz freundlich aus, aber einige starrten mich einfach weiter an, als wäre jemand wie ich gar nicht in der Lage, ihren Blick zu erwidern. Einer beugte sich vor und sagte »heeeeeeeh«, aber ich war schon vorbei. Uwe ging den Discjockey begrüßen. Sie unterhielten sich, obwohl das bei dem Lärm eiglich gar nicht möglich war. Meine Schwester stand neben mir auf der Treppe, sah ins Leere und gähnte. Eine Menschenwelle riß mich mit. Ich leistete keinen Widerstand, wich auch nicht aus, sondern ließ mich auf die Tanzfläche spülen und versuchte, den Takt zu finden. Ich hatte Angst, daß jetzt alle sehen würden, wie schlecht ich tanzte. Aber die Gefahr bestand gar nicht wirklich, dafür war es zu voll. Und dann war es, wie im Auto mitzufahren; ich entschied nicht selbst, wie ich mich bewegte, ich ließ die Musik für mich entscheiden. Zwei Männer hoben eine Frau hoch und stellten sie auf den Vorsprung einer Säule. Die Frau hielt sich dort fest und tanzte über unseren Köpfen weiter. Die Augen sämtlicher Jungen klebten an ihr. Sie trug Jeans aus durchsichtigem Plastik und darunter eine Art Strumpfhose im Leopardenmuster. Sie war wesentlich älter als ich, sie war eine Frau, und sie sah schön und maßlos überlegen aus. Eine völlig andere Liga. Ich trieb weiter in der Menge, tanzte, tanzte, kreuzte absichtlich, unabsichtlich über die Tanzfläche und stieß schließlich mit Karsten zusammen. Er wies auf die Frau in den Plastikhosen. »Uschi Obermeier«, brüllte er mir ins Ohr, und ich nickte, wer auch immer das sein sollte. Ich sah dann, wie er dem Freund meiner Schwester das gleiche ins Ohr brüllte und wie Uwe den Kopf schüttelte und sich an die Stirn tippte. Also vielleicht doch nicht Uschi Obermeier. Tanzend ließ ich den Blick durch den Raum gleiten. Er glitt in die Augen eines blonden Jungen, der eine dunkelbraune Lederhose und ein weißes Hemd trug und mit angezogenem Knie, den Westernstiefel auf eine Tischkante gestützt, an einer Säule lehnte. Er blinzelte kaum und sah mich einfach nur sehr ernst an. Ich schaute zurück.

Erstaunlicherweise wurde ich überhaupt nicht verlegen, obwohl er viel älter war als jeder Junge, mit dem ich bisher etwas gehabt hatte. Er war mindestens vierundzwanzig, und er sah viel zu gut für mich aus – fremd, blond, groß, glatt und strahlend und... – erwachsen. Ja, männlich, das war es. Er war keines von diesen Schulkindern, mit denen ich sonst herumknutschte. Ich tanzte weiter, drehte mich immer wieder nach ihm um, und jedesmal trafen sich unsere Augen, und wir sahen uns lange und ernst an, bis ich mich ein bißchen wegdrehte, in eine andere Richtung tanzte, und wenn ich wieder zurücksah, warteten seine Augen schon auf mich. Es war alles ganz genau richtig, aber es war auch, als wäre ich nicht dabei, denn wenn ich dabeigewesen wäre, hätte er mich entsetzlich eingeschüchtert. Der Freund meiner Schwester faßte mich an der Schulter.

»Wir hauen ab«, sagte er, und ich bewegte mich hinter ihm her, ich ging, glitt und tanzte auf den Ausgang zu, und als ich schon fast draußen war, stand da wieder dieser schöne Junge, den Fuß auf einen anderen Tisch gestützt, und er stieß sich von der Tischkante ab und drängte sich durch die Menge, ging ein Stück neben mir her, drückte mir einen Stift in die Hand und einen Kellnerblock, und ich schrieb meine Telefonnummer auf den Block, und er lächelte und blieb zurück. Und wieder saßen wir im Auto, und die Straßenlaternen zogen ihre Leuchtspuren durch mein Hirn. Die Jungen besprachen, wo man als nächstes hinkönnte. Udo wollte ins Nach Acht. Aber Karsten behauptete, das Nach Acht wäre gerade von der Pizzagang zerlegt worden, und meine Schwester maulte, sie wolle nach Hause. Mein Herz stolperte vor Angst, daß alles schon wieder vorbei sein könnte, aber schließlich setzten wir meine Schwester an ihrer Wohnung ab und fuhren zu dritt in die Sitrone. Ich hielt den Ausweis meiner Schwester ins Kassenhäuschen, bezahlte, nahm meinen Getränkebon, eine Tür öffnete sich vor mir, und ich war drin. Die Musik flog geradewegs auf mich zu, sie umhüllte mich, summte in mir und summte gleichzeitig in den Tänzern, die sich schon danach bewegten. Ich wurde selbst ein Teil der Musik, löste mich darin auf, verschmolz mit dem Raum und den Geräuschen und den anderen Menschen. Ich verstand meine Schwester nicht. Wie konnte sie sich das entgehen lassen? Ich wurde nie müde. Nie. Das hier war das Leben. Drei Mark in die Kasse und einen Stempel auf die Hand. Es war noch tausendmal besser als das Madhouse. Die Musik war besser, der Raum war größer, die Tanzfläche, zu der man heraufsteigen mußte wie zu einer Bühne, war besser, sogar die Jungen. Sie starrten nicht so aggressiv. Ich stellte mich neben die Tanzfläche und sah hinauf. Die Rückwand war komplett verspiegelt. Dort oben war es auch voll, aber es war nicht so schlimm wie im Madhouse, man konnte sich bewegen, ohne anderen Tänzern dabei den Schweiß vom Gesicht zu wischen. Plötzlich entdeckte ich Jost Merseburger, Stefan Dorms, Richard Buck und Peter Hemstedt. Wieso waren die hier? Keiner von ihnen konnte über achtzehn sein. Sie tanzten ganz dicht am Spiegel, ohne hinzusehen und ohne ihm den Rücken zuzudrehen. Sie bewegten sich so ähnlich wie im Sportkurs Gymnastischer Tanz. Die Füße schleiften über den Boden, die Bewegungen brachen auf halbem Wege ab, wirkten müde und unbeabsichtigt, und doch war es völlig anders. Es war so lässig. So, als erwarteten sie nichts, aber auch gar nichts von dieser Welt und bedauerten auch nicht, daß nichts kam. Wie melancholische Schlittschuhläufer, die schon viele Stunden unterwegs waren.

Beim nächsten Lied füllte sich die Tanzfläche auffallend. »Was ist das?« fragte ich Karsten.

»Sag nicht, du kennst David Bowie nicht.«

Ich starrte zu Jost hoch. Jost sang die Worte des Songs mit und stülpte dabei die Lippen vor. Er sang das ganze Lied, von vorne bis hinten, streckte den Arm aus und zeigte auf erstaunte Mittänzer, als wäre er der Erzengel, der sie gerade aus dem Paradies feuerte. Um ihn herum schlurften seine Freunde vor sich hin. Peter im ganzen etwas zackiger, disziplinierter, durchdachter. Irgendwie mathematisch. Ich verbarg mich im Schatten des Gerüsts, auf dem der Discjockey thronte, und sah ihnen weiter zu. Die Jungen, die ich zuletzt geküßt hatte, waren gute Sportler gewesen, einer von ihnen hatte ein Cabrio besessen, andere waren auf irgendeine Art beliebt gewesen, entweder waren es Linke, die das große Wort führten, oder Klassensprecher oder wenigstens Halbkriminelle und Drogenkonsumenten. Jetzt begriff ich, daß das alles nicht zählte. Was zählte, war diese Lässigkeit, dieses über den Dingen Stehen. Auf einmal erkannte ich die Langweiligkeit der Sportler, die Wichtigtuerei der Linken, das Piefige der Drogenjungs und das Lächerliche an den großen Autos. Ich betrachtete Peter Hemstedt genauer. Er sah überhaupt nicht durchschnittlich aus. Er hatte ein tolles Profil, völlig gerade Augenbrauen und einen scharf ausrasierten Nacken. Er hatte den schönsten und weichsten Mund der Welt. Es war meine eigene Mittelmäßigkeit gewesen, die mich gehindert hatte, zu erkennen, wie gut er aussah. Ich war mir keineswegs mehr sicher, daß er leicht zu haben war.

Der Junge aus dem Madhouse rief nicht an. Ich wäre gern wieder in die Sitrone gegangen, aber allein traute ich mich nicht. Am Ende der Woche rief Yogi an, der die Versetzung in die Oberstufe nicht geschafft hatte. In seinem Zeugnis stand, er hätte die schriftlichen Noten ausgleichen können, wenn er im Mündlichen wesentlich stärker in Erscheinung getreten wäre, aber dafür nahm er vermutlich die falschen

Drogen. Einen Moment lang dachte ich, warum frag ich nicht ihn, ob er mit mir hingeht. Ich tat es nicht. Wenn ich das nächste Mal in die Sitrone ging, würde ich mein bisheriges Leben hinter mir lassen. Ich würde ein neues, ein glanzvolles und lässiges Leben anfangen, und niemand würde ahnen, wie jämmerlich ich bisher gewesen war. Yogi lud mich zu einem Fest ein. Schon wieder so ein Grillfest. Öde langhaarige Jungen würden öde Schallplatten mit dicken Pferden auf dem Cover auflegen. Immerhin bot sich dort vermutlich die Chance, etwas mit einem von ihnen anzufangen, ihn zu küssen, vielleicht sogar mit einem Jungen zu schlafen und mich so gegen Peter Hemstedt zu wappnen.

»Hast du eigentlich jemandem davon erzählt?« fragte Yogi.

»Nein... Was? Nein... Was meinst du?«

»Du weißt schon... Du hast es doch niemandem gesagt, oder?«

Herrgott, nein, hatte ich nicht. Wozu denn?

Ich kam erst gegen Mitternacht auf Yogis Fete an. Wie bescheuert sie alle aussahen. Die Jungen trugen Schlaghosen und die Mädchen diese langen geblümten Kleider. Ich auch. Peter und seine Freunde trugen immer Hosen, deren Beine unten eng geschnitten waren. Das sah hundertmal besser aus. Ich ging geradewegs zu Natz, Yogis Freund, der die Musik auflegte, stellte mich neben ihn und sah den Plattenstapel durch. Es war zwecklos, ich kannte ja doch nichts. Keinen Titel, keine Gruppe, keinen Sänger. Ich war dazu verdammt, immer bloß das zu hören, was der Junge hörte, auf dessen Matratze ich gerade lag. Ich kriegte es einfach nicht fertig, zu Membran zu gehen und mir die Platten durchzusehen. Ich schaffte es gerade in die Buchhandlung des Einkaufszentrums. Dort kaufte ich immer nur dtv-Taschenbücher, weil das Regal gleich links neben dem Eingang stand. Weiter hinein traute ich mich nicht. Ich hatte Angst, daß mich die Buchhändlerin ansprechen und fragen würde, was ich suchte. Ich wollte auf gar keinen Fall angesprochen werden.

»Suchst du was Bestimmtes«, fragte Natz.

Ich zuckte die Schultern.

»Sag bloß, du hast nichts von David Bowie?«

Doch, hatte er.

Um zwei Uhr morgens küßte ich Natz, und er fragte mich, ob ich mit ihm und ein paar Leuten noch zu einer anderen Party fahren würde, wo es einen Swimmingpool geben sollte. Wir waren zu siebt, aber Natz besaß einen riesigen, uralten Mercedes, in den wir alle hineinpaßten. Die Jungen quetschten sich zu dritt nach vorn, wir Mädchen lagen hinten aneinandergeschmiegt wie die Goldhamster im Zooladen und rauchten kichernd Gras. Natz nahm eine Abkürzung durch den Wald. Es war immer noch warm, und er machte das Schiebedach auf. Die Bäume rauschten über uns weg, und die Jungs jaulten wie Hunde, und die richtige Musik quoll aus dem Kassettenrecorder und dann aus dem Autodach, stieg in den Himmel und blieb in den Baumwipfeln hängen. Ich kletterte mit den Knien auf die Lehne des Fahrersitzes und dann auf die Schultern von Natz. Ich steckte den Oberkörper aus dem Schiebedach und legte die ausgestreckten Arme aufs Blech.

»Was ist das für ein Lied?« schrie ich.

»Findest du das gut? Soll ich dir mal eine Kassette aufnehmen?«

Ich nickte zu ihm hinunter.

Jetzt wußte ich immer noch nicht, wie das Stück hieß. Selbst wenn ich mich eines Tages zu Membran hineintraute, würde ich nicht wissen, wonach ich suchen sollte. Ich wollte noch einmal nach dem Lied fragen, doch da lief schon das nächste Stück, und darum beugte ich mich bloß zu Natz hinunter, ließ meine Haare vor sein Gesicht hängen und küßte ihn lange auf den Mund, damit er gegen einen Baum fuhr. Dann würde ich eine Querschnittslähmung bekommen, und es gäbe endlich einen vernünftigen Grund dafür, warum ich in vielen Dingen nicht so funktionierte wie normale Menschen, und meine Eltern würden mir voller Reue doch noch einen eigenen Hund schenken, und ich würde Jost und Peter Hemstedt Geld geben, damit sie mir die richtigen Schallplatten besorgten; den Gefallen würden sie einem armen Krüppel, der die Rolltreppe nicht hochkam, ja wohl nicht abschlagen. Aber einer der Jungen auf dem Beifahrersitz übernahm einfach das Steuer, solange Natz nichts sah. Natz lachte.

»Du bist verrückt«, sagte er, »du bist ja total verrückt.«

Anscheinend fand er das gut.

Auf der anderen Party gab es tatsächlich einen Swimmingpool, aber den hatte seit Jahren niemand mehr benutzt. Das wenige Wasser am Grund war mit Entengrütze bedeckt.

»Sieht eher aus wie 'ne Zuchtanlage für Blutegel«, sagte Natz.

Ich spielte Teenager im Drogenrausch und sprang mit Anlauf hinein, landete einigermaßen auf den Füßen und rollte nach vorne ab. Während die anderen sich an den Beckenrand setzten und weiterrauchten, planschte ich mit Schlingpflanzen und Entengrütze behängt durch das knietiefe Wasser. Ich dachte, wenn ich nur lange genug liefe, müßte ich doch eine schöne Lungenentzündung bekommen und dahinsiechen, und ehe ich am Schluß doch noch gesund würde, wäre ich bereits bis auf die Knochen abgemagert, und Klein-Doris würde sich die Krätze ärgern, und Peter Hemstedt würde sich aus lauter Mitleid unrettbar in mich verlieben. Natz murmelte die ganze Zeit, daß ich total verrückt

wäre, und dann lachte er bekifft und ließ sich hintenüber-
fallen. Ich fror immer mehr. »Natz«, jammerte ich, »Natz,
mir ist so kalt.«

Die anderen ließen wir auf dem Fest zurück. Sollten sie
doch sehen, wie sie zurückkamen. Die ganze Fahrt über sagte ich keinen Ton. Ich sah bloß aus dem Fenster und zitterte. Natz schloß das Schiebedach. Vor der Haustür küßte er
mich, öffnete zwei Knöpfe von meinem Kleid und schob
eine angenehm warme Hand auf meine Rippen. Ich konnte
nicht aufhören zu zittern, und er drückte mich an sich und
sagte: »Ich werde dich wärmen. Paß auf, gleich wird dir ganz
warm.«

Aber ich zitterte und schlotterte immer mehr, und
schließlich sagte er selbst, daß es wohl das Beste wäre, wenn
ich ins Haus ginge und eine heiße Dusche nähme. Er wollte
meine Telefonnummer. Ich schrieb sie ihm auf die Innenseite eines Kaugummipapiers.

Zu meiner Überraschung rief Natz am nächsten Tag tatsächlich an. Er wollte wissen, ob ich schlimm erkältet sei. Aber
da ich es seit Jahren darauf anlegte, krank zu werden, war
ich inzwischen wahnsinnig abgehärtet und gesund wie ein
Cockerspaniel. Natz war ein ruhiger freundlicher Junge und
drei Jahre älter als ich. Ich hatte nichts dagegen, wenn er der
erste sein würde, mit dem ich schliefe.

Kaum waren wir offiziell zusammen, rief Yogi mich wieder
an.

»Sag Natz bloß nicht, daß wir nie miteinander geschlafen
haben. Ich habe ihm erzählt, wir hätten es dauernd gemacht.«

Ich versprach, nichts zu verraten. Ich fand das, was ihm
da passiert war, genauso schlimm wie er selbst, und ich kam
mir wichtig dabei vor, sein Geheimnis zu schützen.

Das erste Mal mit Natz fand auf dem Boden meines Zimmers statt. Es lief von Anfang an unglücklich. Natz wollte es, und ich wollte es – doch wie sich schnell herausstellte, hatten wir beide kaum Erfahrung, und wir hatten auch keine Liebe zueinander, die uns über unsere Verlegenheit hätte hinweghelfen können. Diesmal wartete ich nicht, bis Natz mich darum bat, ich holte ihm gleich einen runter. Ich wollte nicht hören müssen, wie er es von mir verlangte. Und ich wollte die Sache so schnell wie möglich hinter mich bringen. Danach lag Natz neben mir und streichelte in meinem Haar herum. Ich hätte mir gern die Hände gewaschen. Aber unten im Badezimmer hatte sich mein Bruder eingeschlossen. Es dauerte fast eine Stunde, bis ich endlich aufs Klo gehen konnte. Natz sagte, ich solle ihm einen Waschlappen mitbringen. Bevor er nach Hause fuhr, gab er mir die Kassette, die er für mich aufgenommen hatte. Ich besaß immer noch keinen Kassettenrecorder.

Als meine Eltern nach Teneriffa flogen, um die kalte Jahreszeit abzukürzen, benutzte ich die Gelegenheit und lief von zu Hause weg. Ich sah keinen anderen Ausweg. Ich mußte mich opfern, mich dem nächstbesten Dahergelaufenen hingeben, damit Natz nicht merkte, daß ich noch nie mit einem Jungen geschlafen hatte, und Yogi sein Gesicht wahren konnte. So ganz schlüssig war die Geschichte nicht. Inzwischen hatte ich nämlich schon zwei weitere Versuche, mit Natz zu schlafen, hinter mir und dabei die Entlarvung von Yogis Geheimnis ja wohl zumindest billigend in Kauf genommen. Natz war am Boden zerstört. Vielleicht lief ich weg, um mir den vierten Versuch zu ersparen. Vielleicht lief ich weg, weil das die letzte Chance war, um überhaupt jemals von zu Hause wegzulaufen. In einem halben Jahr wäre ich sowieso achtzehn geworden. Natz und Yogi waren eingeweiht. Über meine Gründe ließ ich sie allerdings im unklaren.

»Ich muß weg, versteht ihr? Ich muß einfach weg.«

Ziemlich lau versuchten sie, es mir auszureden.

»Du bist verrückt, total verrückt«, wiederholte Natz mehrmals bewundernd, doch kaum hatte ich mich aus dem Staub gemacht, verpetzte er mich bei der Polizei.

Ich weiß noch, wie ich die Elbbrücken hinter mir ließ. Ich saß in einem weißen BMW. Ich fuhr zum ersten Mal in meinem Leben per Anhalter. Es war viel leichter als Bahnfahren. Vor mir bog sich der frische Autobahnasphalt in einen blauen Himmel voller Schäfchenwolken und Möglichkeiten. Im Autoradio lief ›Sailing‹ – nicht gerade das Lied, das ich mir als Soundtrack für meine Flucht ausgesucht hätte, aber ich begriff trotzdem mit jeder Faser meines Körpers, daß ich frei war, zum ersten Mal in meinem Leben frei, und unterwegs, um meine Jungfräulichkeit zu verlieren, Peter Hemstedt zu vergessen und mein Glück zu machen. Weit, weit fort, in einem fremden, warmen Land, würde ich in einer Strandbar die Gläser spülen, und jedesmal, wenn der hübsche junge Klavierspieler losklimperte, würde ich mir die roten rissigen Hände an meiner blaukarierten Schürze abtrocknen, mich an das Klavier lehnen und leise mitsummen. ›Sing doch mal richtig‹, würde der Klavierspieler eines Tages zu mir sagen, ›ich kann das sehen, wenn jemand eine schöne Stimme hat. Ich sehe das den Menschen an. Und deine ist außergewöhnlich schön.‹ Zuerst würde ich mich zieren und nur ganz leise singen, aber meine Stimme wäre tatsächlich glockenklar und so schön, daß die Gäste sofort verstummen würden. Das Meer würde im Mondschein schimmern und ein Fisch in die Luft springen und silbriges Wasser versprühen. ›Unterschreiben Sie hier‹, würde der Mann von der Plattenfirma sagen, der zufällig in der Bar gesessen hätte, und ein halbes Jahr später käme meine erste Platte heraus, auf der das Klavier durch einen Synthesizer ersetzt worden wäre. Ich würde auf Anhieb berühmt werden, aber einmal im Monat würde ich immer noch in der kleinen Strandbar, bei meinen Freunden, dem Wirt und dem Klavierspieler auftreten.

War es so? Nein, so war es nicht. Ich gehörte zu jenen 70 oder 80% aller jugendlichen Ausreißer, die bereits innerhalb der ersten drei Wochen freiwillig nach Hause zurückkehren. Meine Eltern umarmten mich. Das war mir unangenehm, weil mein Vater in seinem ganzen Leben noch nicht auf die Idee gekommen war, mich zu umarmen – jedenfalls nicht, seit ich älter als fünf war –, und meine Mutter sich das eigentlich schon seit drei Jahren nicht mehr traute. Aber in dem Moment konnte ich es ihr ja wohl schlecht verbieten.

Mein grünes Lieblingskleid war gestohlen worden und eine Wrangler Jeans. Meinen Reisepaß hatten Terroristen geklaut, die jetzt unter meinem Namen unschuldige Familienväter umlegten. Wie erwartet, hatte sich die ›Bravo‹-Behauptung, die Entjungferung hätte großen Einfluß auf das Leben jeden Mädchens, als romantisches Hirngespinst erwiesen. Ich machte sofort auf die alte Tour weiter. Zudem hatte sich meine Flucht als vollkommen überflüssig herausgestellt. Natz hatte bereits acht Tage, nachdem ich abgehauen war, eine neue Freundin gefunden. Yogi und er hatten sich inzwischen ausgesprochen, sich ihr gemeinsames Problem gestanden und die möglichen Ursachen erörtert, und jetzt blühten sie richtig auf. Niemand brauchte irgendein Opfer von mir. Auch Yogi hatte eine neue Freundin. Mit der klappte es immer, sagte er. Überall war der Frühling ausgebrochen. Sogar Peter Hemstedt fand endlich eine Freundin, ein kleines, unscheinbares Hippie-Mädchen.

Plötzlich hatte ich Schwierigkeiten, mich zu bewegen. Es ging über meine übliche Schlaffheit hinaus. Selbst einen Arm oder ein Bein zu heben, wurde plötzlich zu einer großen Angelegenheit. Möglicherweise hatte ich für die Entscheidung zur Flucht meine letzten Willensreserven anbrechen müssen, und jetzt war einfach nicht mehr genug übrig. Wenn ich mich zu schnell bewegte, mußte ich heulen. Manchmal heulte ich schon, wenn ich morgens aufstand. Ich heulte, während ich mir die Zähne putzte, und ich heulte, während ich mir die Schuhe zuband. Auf dem Weg zur Schule, den ich immer noch mit dem Fahrrad zurücklegte, liefen mir ganze Bäche aus den Augen. Ich wartete immer erst hinter einem Busch, bis mein Gesicht getrocknet war, bevor ich das Rad auf den Schulhof schob. Wenn ich die Unterrichtsräume im Zeitlupentempo ansteuerte, ging es; nur, daß ich fast zu jeder Stunde zu spät kam. Zum Glück störten sich die Lehrer inzwischen nicht mehr an so was. Ich drückte einfach die Tür auf, schlurchte zu meinem Platz und ließ meine Aktentasche neben mir auf den Boden gleiten. Niemand verlangte eine Entschuldigung. Wenn es Deutsch, Gemeinschaftskunde, Geschichte oder Philosophie war, steckten die anderen eh gerade in einer Diskussion. Irgendein Wichtigtuer meldete sich immer am Anfang der Stunde und fragte, ob wir nicht über den Radikalenerlaß oder das Atomkraftbadges-Verbot oder über Popper und Punker diskutieren wollten. Dann wurde abgestimmt. Jedesmal waren fast alle dafür, auch die, die sich nie beteiligten. Diskutieren war immer noch besser als Unterricht. Mir war es gleich. Ich hatte bloß den Wunsch, mich die nächsten dreißig oder vierzig Minuten nicht rühren zu müssen. Nachdem ich drei oder vier Stunden so hinter mich gebracht hatte, radelte ich wieder nach Hause, wobei mir die Tränen nur so aus den Augen sprudelten. Ich schleppte mich gleich die Treppe hoch in mein Zimmer, wich dem Tisch und dem Stuhl aus, schaffte es irgendwie bis zu meinem Bett, legte mich auf den Rücken und sah den Rest des Tages gegen die braune Decke. Mein Bett war der einzige Ort auf der Welt, wo ich nicht versagen und nicht verletzt werden konnte, jedenfalls nicht, solange ich dort allein blieb. Ich war so müde. Ich las nicht mehr, und ich wollte auch nichts essen. Ich brachte einfach nicht genügend Interesse oder Konzentration dafür auf. Für gar nichts. Wenn mich jemand direkt ansprach, fand ich es wahnsinnig anstrengend, die Verbindung zu halten und nicht einfach durch ihn hindurch zu starren. Keine Ahnung, welchen Wochentag wir gerade hatten. Die Zeit verging nicht mehr, sie quoll bloß noch auf. Nach ein oder zwei Wochen oder Monaten kam mein Vater in mein Zimmer. Er hatte eine braune Flasche in der Hand, die wie eine Hustensaftflasche aussah. Er wollte, daß ich das Zeug schluckte. Einen Löffel hatte er auch dabei.

»Ich will das nicht«, sagte ich aufsässig, ohne die Zimmerdecke aus den Augen zu lassen. Seit ich ihn kannte, hatte mein Vater jeden Nachmittag depressiv auf der Gartenliege oder dem Sofa verbracht. Da würde ich ja wohl ein bißchen an die braune Decke starren dürfen.

»Du nimmst das!« brüllte mein Vater. »Du schluckst das jetzt sofort runter.«

Er schrie meine Geschwister und mich so gut wie nie an, eigentlich bloß zu Weihnachten. Wenn er dann doch einmal losbrüllte, war das um so wirkungsvoller. Ich sperrte sofort den Schnabel auf und lutschte das Zeug vom Löffel. Daß mein Vater mich fütterte, entsprach keineswegs dem Grad unserer Intimität. Er ließ die Flasche da. Ein Psychopharmakon. Hatte er vermutlich bei einem Kollegen eingetauscht. »He, meine Tochter hat Depressionen, hast du da nicht was?

Ich geb dir fünf Tuben Fußpilzcreme und zwei Gumminilpferde dafür.«

Von nun an goß ich morgens und abends einen tüchtigen
Schluck davon aus dem Fenster. Ich hatte kein Interesse, le-
bendiger zu werden. Ich wollte den ganzen Nachmittag auf
dem Bett liegen und an die Decke schauen und nichts fühlen.

Wenn ich meinem Vater begegnete, versuchte ich von
nun an, mich zusammenzureißen und einigermaßen auf-
recht und lebhaft an ihm vorbeizugehen und erst hinter der
nächsten Ecke in Tränen auszubrechen. Mein Vater wun-
derte sich überhaupt nicht, daß seine Medizin so prompt
wirkte. Er glaubte an solche Dinge.

Möglicherweise spielte ich meinem Vater so überzeugend
das lebensvolle Kind vor, daß sich die geheuchelte Lebendigkeit mit der Zeit in eine echte verwandelte – jedenfalls
hatte ich am Anfang der Sommerferien genug Schub, um
mir einen Job zu suchen. Vielleicht hatte ich auch einfach
bloß lange genug auf meinem Bett gelegen und an die Decke
gestarrt. Oder ich hatte durch das Hungern soviel Gewicht
verloren, daß ich deswegen gute Laune bekam. Allerdings
weiß ich gar nicht mehr, wieviel ich damals wog. Meine
Güte, ich muß wirklich neben mir gestanden haben, wenn
ich nicht einmal das mehr weiß.

Der ›Deutsche Supermarkt‹ befand sich im Keller des
Alstertal Einkaufszentrums. Ich brauchte nur einen einzigen
Tag, um herauszufinden, daß es das nicht wert war. Nicht für
alles Geld der Welt und erst recht nicht für DM 5,80 die
Stunde. Ich arbeitete acht Stunden am Tag, war aber mit
Pausen und Fahrtweg und Kittel anziehen und allem Drum
und Dran jedesmal elf Stunden unterwegs. Ich war den
ganzen verdammten Tag auf den Beinen. Der reine Stumpf-

sinn, und hinterher konnte man bloß noch schlafen. Man hätte genausogut tot sein können. Außerdem wurden sofort meine Rückenschmerzen schlimmer. Der Geschäftsführer hieß Meyer und tätschelte immer widerlich väterlich an einem herum, verbot mir aber, mich beim Einsortieren der Konservendosen auf den Rand der Paletten zu setzen, weil das zu lässig aussah. Ich hatte gedacht, es genügte, wenn ich die Erbsen-und-Wurzeldosen richtig herum ins Regal stellte. Aber anscheinend hatte nicht nur mein Vater, sondern die ganze Welt, einschließlich der alten Scharteken, die im ›Deutschen Supermarkt‹ einkauften, Anspruch auf mein elastisches Auftreten. Ich biß mir auf die Unterlippe und lebte auf die Mittagspause hin. In den Mittagspausen fuhr ich mit der Rolltreppe ins Erdgeschoß und sackte dort auf einer Bank zusammen, neben den Rentnern mit ihren Stöcken. Eine Stunde blieb ich dort hocken und starrte dumpf in das Schaufenster von ›Eins Zwei Drei‹, einem Geschäft voller nichtsnutziger Sachen. Sie hatten ein ausgestopftes weißes Huhn in der Auslage, das sah ich mir immer an.

Nachdem ich eine Woche im Supermarkt gearbeitet hatte, kam Molle, ein Mädchen, das ich flüchtig kannte, vorbei. Molle erzählte, daß sie in einem kleinen Betrieb aufrollbare Hundeleinen zusammensetzte. Mehrere Schüler vom Heddenbarg-Gymnasium arbeiteten dort. Es wurde nach Stückzahl bezahlt, aber selbst die Langsamsten verdienten immer noch doppelt soviel wie ich.

»Ich glaub, der braucht noch Leute«, sagte Molle.

Die Hundeleinenfabrik war in einem kleinen Einfamilienhaus in der Nähe unserer Schule untergebracht. Vier Räume mit zwölf Tischen. Der Besitzer hieß Pörksen. Er stellte mich sofort ein. Die Arbeit lag mir: einfache, sich ständig wiederholende Handgriffe, bei denen selbst ich nicht viel falsch machen konnte. Außerdem wußte man vorher nie, wieviel man an einem Tag schaffen und damit verdienen konnte. Es gab gute und schlechte Tage, das machte es spannend. Molle und ich arbeiteten an nebeneinanderstehenden Tischen. Wir wurden Freundinnen. Beide kämpften wir gegen das Gewicht unserer Körper. Ich wog jetzt 70 kg. Siebzig! Sechzig wären schon zuviel gewesen. Auf Molles Waage wog ich sogar 71 kg – wenn ich die vier Pfund für Kleider und Schuhe abzog – und Molle behauptete noch, ihre Waage würde zuwenig anzeigen. Wenn das stimmte, konnte ich mich aufhängen. Molle war etwas kleiner als ich. Als Kind war sie richtig dick gewesen, so dick, daß sie deshalb zur Kur geschickt worden war. ›Dicke fette Molle, frißt ständig Prinzenrolle!‹, hatte ihr Bruder gerufen. Erst vor zwei Jahren war sie schlank geworden, nicht richtig schlank, etwa so wie ich. Die Angst, wieder zuzunehmen, saß ihr immer noch im Nacken.

»Wie hast du das geschafft, soviel abzunehmen«, fragte ich, legte eine Pappe auf die vorbereiteten Plastikgehäuse und baute die nächste Ebene. Molles Stapel war schon fünf Pappen hoch. Sie mußte bereits im Stehen arbeiten.

»Ich hatte mich in diesen Jungen verliebt«, sagte Molle, während sie mit einer Kuchenspritze Fett in die Gehäuse für die Rückholfedern drückte. »Er war älter als ich, und natürlich sah er mich nie an. Ich wollte, daß er mich endlich bemerkt, und da habe ich angefangen, Diät zu halten und mir immer bloß ein Salatblatt oder eine Tomate aufs Brot gelegt. Ich habe ungeheuer viel abgenommen, zwanzig Kilo waren das – nein, mehr – wenn ich mein absolutes Höchstgewicht zugrunde lege, waren das vierundzwanzig Kilo. Und dann hat der Typ mich endlich bemerkt. Er kannte mich schon länger, aber er hat mich zum ersten Mal richtig angesehen. Und weißt du, was der gesagt hat? Der sagte: ›Noch zehn Pfund runter, und du bist ein echt süßes Mädchen.‹ Ich habe daraufhin erst mal zehn Pfund zugenommen, und die bin ich auch bis heute nicht wieder losgeworden.«

Nachmittags machten wir gemeinsam Pause. Molle rauchte, und manchmal gingen wir zusammen zum Bäcker, um uns Kuchen zu kaufen. Unsere Ernährungsgewohnheiten ähnelten denen von Pythonschlangen. Oft aßen wir zwei Tage lang überhaupt nichts, dann wieder fraßen wir innerhalb kürzester Zeit soviel Kuchen und Schokolade, daß es für die nächsten vier Tage reichte. Hinterher tat es uns sofort leid. Jeder Heroinsüchtige, jeder Alkoholiker hatte wenigstens einen anständigen Rausch. Aber wer es sich wie wir mit Süßigkeiten besorgte, der hatte nur die paar Sekunden oder Minuten, während der er es in sich hineinstopfte. Ich wagte nicht, mich in der dünnwandigen Firmentoilette zu übergeben. Das Fatale war, daß Molle und ich nicht im selben Rhythmus hungerten und fraßen, und wenn eine von uns gerade ihren Freßanfall hatte, riß sie die andere mit. Vorher hatten wir höchstens mal ein Kilo zu- und dann gleich wieder abgenommen. Jetzt nahmen wir stetig zu. Schließlich wog ich 73 Kilo. Auf meiner eigenen Waage. Molle und ich beschlossen, daß das so nicht weitergehen konnte. Als wir das nächste Mal Pause machten, gingen wir nicht zum Bäcker, sondern in die Apotheke und kauften uns Appetitzügler, jede eine Packung Recatol. Damit es auch richtig wirkte, nahm Molle gleich zwei, ich drei Tabletten auf einmal. Tatsächlich hatten wir keinen Hunger mehr. Ich hätte zwar trotzdem gern etwas gegessen, aber hungrig war ich nicht. Wir nahmen wieder ab. Und nicht nur das: Seit wir die Recatol schluckten, arbeiteten wir auch schneller. Wir arbeiteten wie die Blöden. Und da wir nach Stückzahl bezahlt wurden, verdienten wir richtig gut. Ich sparte für ein

Auto. Mein Vater hatte gesagt, daß er jedem Kind den Führerschein bezahlen würde. Er hatte einen alten Käfer als Zweitwagen angeschafft, den sollten wir dann fahren dürfen. Aber ich wollte seinen Käfer nicht, ich wollte einen Sportwagen oder doch wenigstens ein Auto, das entfernt an einen Sportwagen erinnerte. Ich sparte auf einen Karmann Ghia. Inzwischen hatte die Schule wieder angefangen, und ich konnte nicht mehr den ganzen Tag arbeiten, aber wenn ich eine halbe Packung Recatol auf einmal schluckte, schaffte ich in fünf Stunden fast genauso viele Hundeleinen. Nur, daß ich hinterher nicht schlafen konnte. Ich lag im Bett, und mein Herz schlug, als würde der unsichtbare kleine Maschinist da drinnen das Gaspedal im Leerlauf voll durchtreten. Darum setzte ich mich nach der Arbeit oft noch einmal auf mein Fahrrad und kurvte bis Mitternacht durch die Gegend. Seit ich von zu Hause weggelaufen war, verboten meine Eltern mir gar nichts mehr. Ich konnte kommen und gehen, wie ich wollte. Irgendwie kam ich auf meinen Fahrradtouren immer bei der Sitrone vorbei. Ich stand dann auf der gegenüberliegenden Straßenseite und sah zu, wer da rein- und rausging. Eines Tages nahm ich all meinen Mut zusammen, stellte mein Fahrrad ab und ging hinein. Von da an verbrachte ich fast jeden Abend in der Sitrone. Ich stellte mich in eine dunkle Ecke und sah den Tänzern zu, und wenn niemand dort war, den ich kannte, tanzte ich auch selber. Ich tanzte immer direkt vor der Spiegelwand, halb abgewandt, aber natürlich sah ich doch die ganze Zeit hin. Es sah gar nicht so übel aus, wie ich mich bewegte. Das Tanzen vor dem Spiegel war die direkte Fortsetzung vom Tanzen vor der Wohnzimmerscheibe. Ich war jedesmal wieder ganz überrascht, wie gut ich aussah. Wenn ich mich ansah, tat ich so, als beobachtete ich einen der Jungen im Spiegel. Ich lernte, wie man einen Jungen nur mit Blikken in sich verliebt macht und wie man sich selber nur mit Blicken in jemanden verliebt macht. Um zehn wurden alle unter achtzehn Jahren rausgeworfen. Dann stieg ich noch einmal zu der Burgruine hoch, die hinter der Sitrone lag, setzte mich auf eine Mauer und sah in die Dunkelheit. Ich fing wieder an zu rauchen, weil es schlank machte und weil es so nett war, bei der Ruine zu rauchen. Manchmal stieg mir ein Junge hinterher, und wir knutschten ein bißchen. Um Mitternacht lag ich im Bett, wachte aber trotzdem schon um vier Uhr morgens wieder auf. Ich überredete Pörksen, mir einen Schlüssel für das Haus zu überlassen, damit ich früher anfangen könnte. Normalerweise ging es erst um sieben oder acht los. Er wußte natürlich nicht, daß ich schon um halb fünf anfing, hätte aber vielleicht auch dann nichts gesagt. Er expandierte gerade gewaltig und konnte gar nicht so schnell nachliefern, wie seine Roll-Leinen geordert wurden. Sogar Caroline von Monaco hatte schon eine. Ich fuhr morgens um halb fünf zur Hundeleinenfabrik, arbeitete dort bis um sieben, acht oder neun, je nachdem, wie viele Stunden ich ausfallen ließ, ging dann zur Schule und baute hinterher meine angefangenen Leinen fertig. Danach fuhr ich wieder zur Sitrone. Erstaunlicherweise wurde ich jetzt sogar in der Schule besser. Im Mündlichen war ich plötzlich wahnsinnig präsent. Ich konnte einfach nicht mehr die Schnauze halten. Wenn ich eine halbe oder ganze Packung Recatol genommen hatte und mich nicht abreagieren konnte, indem ich tanzte oder Plastikteile im Akkord aufeinanderpreßte, mußte ich quasseln. Wie ein rauschendes Wasserklosett. Jetzt war ich es, die sich zu Anfang der Stunden meldete und Diskussionsthemen vorschlug, irgendwelche, über die RAF oder über Emanzipation oder was auch immer. Ich ließ gar nicht erst jemand zu Wort kommen, sondern hielt gleich zwanzigminütige Monologe, wobei ich hin- und herrannte, vorgeblich, weil ich mich dann besser konzentrieren könnte. Ein Wunder, daß niemand auf die Idee kam, mich einzuweisen. Mit den Augenlidern hatte ich früher auch schon gezuckt, aber jetzt wurde es so auffällig, daß man mich ständig darauf ansprach. Ich behauptete dann immer, das läge an meinen Kontaktlinsen. Vielleicht stimmte es sogar. Da ich kaum noch schlief, trug ich die Kontaktlinsen zwanzig Stunden durchgehend.

In den Schulstunden saß ich immer noch neben Klein-Doris, aber eigentlich interessierte sie mich nicht mehr. Neuerdings bot sie mir wieder ihre Pausenbrote an. Dann lächelte ich bloß herablassend und schüttelte den Kopf. Wenn ich Hunger bekam, warf ich einfach noch eine Recatol ein.

In den Herbstferien fuhren Molle und ich mit der Bahn nach Paris. Ich verließ mich darauf, daß Molle das mit den Fahrscheinen und dem Fahrplan auf die Reihe bekam, und lief einfach immer hinter ihr her. Wir wohnten bei zwei französischen Mädchen, die wir beide nicht kannten, Freundinnen von einer Freundin von Molle. Sie lebten in einem futuristischen Vorort. Die Häuser sahen aus wie Parkhäuser, und dort, wo die richtigen Parkhäuser waren, ragten riesige Lüftungsschächte aus dem Boden und sperrten ihre rautenförmigen Mäuler auf. Die Wege wurden rechts und links von kahlen Mauern flankiert. Wie ein Labyrinth für Versuchsratten. Nachmittags schauten sich die Französinnen Angélique-Filme im Fernsehen an. Ich stand auch auf Angélique. Sie war schön wie die Sonne und treu wie Gold, landete aber trotzdem ständig mit neuen Männern im Bett. Entweder starben ihre Ehemänner und Geliebten wie die Fliegen, oder Angélique wurde von Piraten vergewaltigt oder von Ludwig dem XIV. bedrängt. Meistens wurde sie im letzten Moment doch noch gerettet, oder es stellte sich heraus, daß alles gar nicht so schlimm war. Okay, sie mußte gegen ihren Willen den häßlichen Joffrey, den Mann mit dem steifen Bein und den fürchterlichen Narben im Gesicht, heiraten. Aber so häßlich waren die Narben nun auch wieder nicht. Eigentlich sah Joffrey damit sogar ziemlich gut aus. Da hatte unsereiner schon ganz andere Zugeständnisse gemacht.

Kurz vor unserer Abfahrt hatte sich herausgestellt, daß Richard Buck und Peter Hemstedt zur selben Zeit in Paris sein würden, und ich glaubte wieder an ein Schicksal. Wir trafen sie an der verabredeten Stelle, einem Eingang zu den unterirdischen Abwasserkanälen der Stadt. Wir stiegen die Treppe hinunter und kletterten zusammen mit einer Touristengruppe in einen Kahn. Der Kahn schwankte beim Einsteigen, und wir setzten uns schnell auf die Bänke zu beiden Seiten. Dann fuhren wir über die stinkende schäumende Kloake in die Dunkelheit hinein. Ich saß neben Hemstedt. Ich nannte ihn jetzt immer bloß mit dem Nachnamen – Hemstedt. Es war zappenduster. Die Menschen im Kahn kicherten. Der Bootsführer zündete eine Lampe an, leuchtete die feuchten Wände hoch oder ließ den Lichtstrahl übers braune Wasser tasten und über all die üblen Dinge, die darin trieben. Mit einer Metallstange stieß er den Kahn vorwärts, und wenn er damit gegen die Wand kam, gab es ein langes, schepperndes Echo. Und die ganze Zeit fühlte ich Hemstedt neben mir sitzen. So war das. Ich erinnere mich ganz genau. Doch als ich einige Jahre später wieder nach Paris kam und aus Sentimentalität noch einmal in die Kanalisation hinunterstieg, mußte ich feststellen, daß es die Möglichkeit, mit einem Boot zu fahren, überhaupt nicht gab. Ich fragte den Mann an der Kasse, und er sagte, es hätte hier noch nie Bootsfahrten gegeben. Ich lief durch hallende Gänge, stapfte durch eine große Pfütze und erkannte nichts wieder. Aber auf einem hundert Jahre alten Foto sah ich einen Kahn, wie den, in dem ich mit Hemstedt gesessen hatte. Ich wußte nicht, hatte ich damals nur geträumt oder träumte ich jetzt. Ich erinnerte mich doch so genau. Als wir wieder ans Tageslicht kamen, sagten Richard und Hemstedt, sie hätten Hunger. Wir gingen in ein Lokal mit blaukarierten Gardinen. Mit welcher Hemmungslosigkeit die Jungen aßen, mit welchem Appetit sie in ihre Fleischstücke hieben, während Molle und ich unsere Salate hin und her sortierten. Hungrig, aber in Begleitung zweier satter Jungen standen wir hinterher wieder auf der Straße. Wir hatten kein Recatol mitgenommen – schließlich waren wir im Urlaub – und bereuten das jetzt. Ohne Tabletten und ohne Schokolade waren wir auf Entzug. Wir waren schon die ganze Reise über auf Entzug, außer wenn wir gerade aßen. Kamen wir an einer Bäckerei vorbei und sahen Kuchen im Schaufenster, dann wollten wir ein Stück, und wir wollten es jetzt, und in der nächsten Bäckerei wollten wir auch eins, und im nächsten Geschäft wollten wir auch noch einen Mars, denn nach zwei Stück Kuchen, war ja eh schon alles egal. Aber vor Hemstedt und Richard Buck riß ich mich natürlich zusammen. Was willst du lieber – Hemstedt oder Kuchen?, brauchte ich mich bloß zu fragen, und die Antwort lautete ganz klar: Hemstedt. Aber ich wußte auch, daß das wahrscheinlich nur bedeutete, daß ich gar nichts bekam, weder Hemstedt noch etwas zu essen. Ich bekam bloß Jungen, die ich eigentlich nicht wollte, und wenn ich dicker wurde, bekam ich nicht einmal mehr die.

Molle hielt bis zum zweiten Süßigkeitenladen durch. Dann kaufte sie einen Milky Way, und im nächsten Geschäft kaufte sie irgendeinen englischen Schokoriegel, und als wir an einer Bäckerei vorbeikamen, wollte sie auch dort hineingehen.

»Wieso mußt du eigentlich in jeden, aber auch in jeden Laden rein, um dir was zu fressen zu kaufen?« fragte Richard.

War ich vielleicht froh, daß ich mich zusammengerissen hatte.

»Was geht dich das an? Was geht dich an, wieviel ich eß?« sagte Molle mit rotem Kopf. Danach gingen wir zu viert nebeneinander her und schwiegen. Molle ging in keine Geschäfte mehr.

»Tut mir leid, echt«, sagte Richard irgendwann lahm, doch die schlechte Stimmung blieb. Eine Stunde später saßen wir auf der Betoneinfassung eines Blumenbeetes und schwiegen immer noch. Endlich ging Richard zu Molle, kniff ihr mit beiden Händen in die Wangen und zog ihr Gesicht in die Breite.

»Du bist doch das süßeste kleine … Froschgesicht, das ich kenne«, sagte er. Molle lachte, und da ging es den Jungen wieder gut, und Molle und mir ging es beinahe gut.

Ich glaube, wir waren unterwegs zum Arc de triomphe, als Hemstedt plötzlich an meine Seite kam und meine Hand nahm. Ich wußte gar nicht wieso, es gab keinen Anlaß dafür. Ich sah ihn an, und dann begannen wir zu laufen. Wir legten eine ordentliche Entfernung zwischen uns und die beiden anderen, so daß sie uns gerade nicht aus den Augen verloren, aber auch nicht so leicht einholen konnten. Die sollten sich mal in Ruhe aussprechen. Hemstedt und ich sprachen nicht. Es gab ja auch nichts zu sagen. Wir hielten uns immer noch an den Händen. Ich war es nicht gewohnt, glücklich zu sein, und zuckte ein bißchen mit den Augen.

An der Unterführung zum Triumphbogen warteten wir, bis Richard und Molle uns eingeholt hatten, und dann lösten wir gemeinsam die Eintrittskarten und rannten die Treppenspirale hinauf, immer höher, höher, bis wir mit klopfenden Herzen oben standen, wo uns der Wind die Haare in alle Richtungen riß. Den Jungs natürlich nicht, die trugen Hafenarbeiter-Wollmützen. Wir sahen auf den Kreisverkehr hinunter, und Richard erzählte die Geschichte von dem Touristen, der mit seinem Auto da hineingeraten war und es nicht geschafft hatte, sich wieder herauszufädeln, und der so lange um den Triumphbogen fahren mußte, bis ihm das Benzin ausging. Hemstedt stand ganz am Rand, vor den langen Stacheln aus Stahl, die es Selbstmördern schwer, aber nicht unmöglich machten, sich hinunterzustürzen. Ich sagte, daß ich ihn dort fotografieren wollte. Er drehte sich zu mir um, wickelte seinen dunkelblauen Trench um sich herum wie eine Zwangsjacke, die Seite mit dem Badge nach oben, und schloß die Augen. Ich drückte auf den Auslöser. Als wir wieder heruntergestiegen waren, nahm Hemstedt nicht noch einmal meine Hand, und als wir an einem Pornokino vorbeikamen, schlug ich vor, wir sollten hineingehen. Ich hatte geglaubt, ihn damit vor den Kopf stoßen zu können, aber erstaunlicherweise fand Hemstedt die Idee gut. Molle wollte auf keinen Fall, Richard wollte auch nicht. Hemstedt und ich lösten einfach Karten, so schnell, daß die anderen beiden gar nichts machen konnten, als ebenfalls Eintrittskarten zu kaufen und uns nachzukommen. Niemand von uns konnte den Titel des Films übersetzen. Es hatte irgend etwas mit einem Harem zu tun. Harem erinnerte mich sofort an die Angélique-Filme. Im Kinosaal saßen neun Männer, gleichmäßig über die Sitzreihen verteilt. Wir suchten uns Plätze, die möglichst weit von jedem von ihnen entfernt waren. Molle sank so tief in ihren Sessel, daß sie praktisch lag. Richard legte mit Leidensmiene eine Hand an seine Stirn. Der Film hatte schon längst angefangen, aber das machte nichts, denn er war so angelegt, daß man innerhalb von zehn Minuten begriff, worum es ging, egal, wann man in die Handlung einstieg. Es gab einen Detektiv, der in Akten wühlte und sehr zuversichtlich aussah. Nur kam er nicht richtig zu seiner Arbeit, weil seine Assistentin unbedingt mit ihm schlafen wollte. Dann sah man einen Mann, der ein Mädchen mit zu sich nach Hause nahm. Sie hatten Sex miteinander, und dann sprangen wie im Kasperletheater plötzlich lauter Männer aus dem Schrank und hinter dem Sofa hervor. Sie hielten das Mädchen fest, jagten ihm eine Spritze in den Arm und steckten es in einen sargähnlichen Kasten. Auf den Kasten klebten sie einen Adreßaufkleber mit arabischen Schriftzeichen, und ab die Post. Dann gab es eine Szene, wie das entführte Mädchen an einer anderen nackten Frau herumstreichelte, und zwar auf der Bühne eines arabischen Bordells. Daß es ein arabisches Bordell war, sah man daran, daß die Zuschauer Burnusse trugen. Zur Belohnung bekamen die Frauen hinterher Heroinspritzen. Dann sah man wieder den Detektiv, wie er zusammen mit seiner Assistentin im Auto herumfuhr und vermutlich die Spur der Mädchenhändler verfolgte. Es machte nichts, wenn man die Sprache nicht verstand.

»Laßt uns gehen, laßt uns endlich gehen«, flüsterte Molle.

»Ja. Los!« zischte Richard.

Hemstedt legte den Finger auf die Lippen.

Einer der Mädchenhändler schmiß eine Tüte mit Äpfeln auf die Straße, direkt vor die Frau, auf die er es abgesehen hatte. Sie fiel auch prompt darauf herein und half ihm aufsammeln, und weil er sich absichtlich ungeschickt anstellte und immer wieder Äpfel fallen ließ, half sie ihm auch noch, die Tüte nach Hause zu tragen. Im Haus wartete natürlich wieder die übrige Bande. Die Männer stellten sich im Kreis um ihr neues Opfer herum und schubsten sie sich zu, wobei ihr jeder, der sie zu fassen bekam, ein Kleidungsstück vom Leib riß. Die Frau heulte die ganze Zeit. Sie hatte einen Hängebusen und schlechte Haut und sah überhaupt häßlich und schlaff aus. Obwohl sie schlank war. Sie schien nur dazu dazusein, so behandelt zu werden.

Molle hielt sich die Augen zu. Ich war von ihr genervt. Es war nur ein Film, sie brauchte sich nicht so anzustellen.

Die Frau schrie und heulte immer noch und versuchte, ihren Busen zu verdecken. Zwei der Männer traten hinter sie, griffen ihre Arme und bogen sie auseinander. Es war eine ganz ähnliche Szene wie in dem einen Angélique-Film, wo Angélique auf dem Sklavenmarkt verkauft wird. Auch sie kreuzt die Handgelenke vor der Brust, auch ihr werden die Arme nach hinten gebogen, und als die hundert Männer, die sie anstarren, sehen, wie schön sie ist, erhebt sich ein andächtiges Raunen, ein respektvolles, beeindrucktes Gemurmel, etwa so, wie es in jenem Hörsaal stattgefunden haben muß, in dem Albert Einstein zum ersten Mal seine Relativitätstheorie darlegte. Die Mädchenhändler hingegen lachten und johlten und kniffen die Frau, bis sie vor Schmerzen schrie. Die Pornodarstellerin sah natürlich auch nicht aus wie Angélique, sondern hatte diesen Hängebusen. Nur wenn man schön war, so schön wie Angélique, war man in Sicherheit. Dann konnte alle Bosheit und Gemeinheit einem nichts mehr anhaben.

»Ich geh jetzt«, sagte Richard und stand auf. Auch Molle stand auf. Diesmal leisteten Hemstedt und ich keinen Widerstand, sondern folgten ihnen kleinlaut. Das Tageslicht blendete uns.

»Warum haben Pornodarsteller eigentlich immer Pickel auf dem Arsch?« fragte Richard. Wir unterhielten uns über das Aussehen der Darsteller und fanden sie allesamt zu häßlich für ihren Job.

Zwei Tage später fuhren Hemstedt, Molle und ich wieder zurück. Richard blieb noch länger in Paris, weil er seine

Schwester besuchen wollte, die dort als Au-pair-Mädchen arbeitete. Wir hatten ein Abteil für uns allein. Molle und ich saßen auf den äußeren Plätzen der einen Reihe, während Hemstedt uns gegenüber in der Mitte saß, so daß wir alle unsere Füße hochlegen konnten. Irgendwann dösten wir nur noch vor uns hin, und Molle schlief schließlich ein. Der Takt der Räder auf den Schienen versetzte mich in eine Art Trancezustand. Ich saß mit offenen Augen da, ohne zu sehen, und spürte immer deutlicher Hemstedts Nähe. Schließlich fühlte es sich an, als wäre das ganze Abteil voll Hemstedt, aber am dichtesten spürte ich ihn an dem Bein, das ich auf dem Sitz neben ihm liegen hatte. Ich konnte nicht sagen, ob es mein Bein war, das sich zu ihm hin bewegte, oder ob er sich näher an mich heranschob; es war eine Bewegung, die sich über Stunden hinzog, langsam wie das Öffnen einer Blüte. Als es schließlich keinen Zweifel mehr gab, als ich die Wärme seiner Haut an meiner durch den Stoff zweier Hosen deutlich spürte und der Druck unserer Beine gegeneinander zunahm, da legte er ganz sachte seine Hand auf mein Knie. Diese Berührung kam so weich und selbstverständlich, daß ich gar nicht erschrak und bloß hoffte, er möge nichts Weitergehendes unternehmen, etwa auf meine Seite überwechseln, um mich zu küssen, und dadurch die Verzauberung, die über diesem Abteil lag, aufheben. Aber Hemstedt begnügte sich damit, langsam über mein Knie zu streichen. Während jener Zugfahrt verstand ich, daß es überhaupt keine harmlosen Berührungen gibt. Ich sah ihm in die Augen und legte ebenfalls meine Hand auf sein Bein, und so fuhren wir bis nach Hamburg. Einmal wachte Molle auf, warf uns einen prüfenden Blick zu, drehte sich dann wieder auf die Seite und legte sich ihre Jacke übers Gesicht. Ich versuchte, nicht schon wieder glücklich zu sein. Wer glücklich ist, hat etwas zu verlieren; und nur wer nichts zu verlieren hat, kann es mit dieser Welt aufnehmen. Als wir auf dem Hamburger Hauptbahnhof auseinandergingen, spürte ich bereits dieses große schwarze Loch oberhalb des Zwerchfells. Natürlich hoffte ich noch, daß Hemstedt mich anrufen würde. Aber zugleich nahm ich den Schmerz darüber vorweg, daß er es nicht tun würde. Und natürlich rief er auch nicht an.

Es dauerte fast bis Weihnachten, bis Hemstedt mich küßte.

In der Zwischenzeit wurde ich achtzehn und kaufte mir einen hellblauen Karmann Ghia. Zu meinem Geburtstag wünschte ich mir nichts mehr. Meine Eltern schenkten mir Geld, und mein Bruder schenkte mir ein Foto, das er von mir gemacht hatte, als ich gerade ins Klo kotzte. Soviel Geld, wie meine Eltern mir schenkten, verdiente ich inzwischen locker an einem Tag in der Hundeleinenfabrik. Ich kaufte davon Hemstedt die schwarze Lederjacke ab, die er getragen hatte, bis er sich seinen Trenchcoat anschaffte. Wo ich schon mal eine Lederjacke besaß, ließ ich mir auch gleich die Haare schneiden. Ich wollte sie so haben wie David Bowie auf einem bestimmten Plattencover, überall kurz und stachelig abstehend, bloß im Nacken lang. Es sah grauenhaft aus. Einen Tag lang lief ich damit herum, dann schnitt ich mir mit der Schneiderschere meiner Mutter die Nackensträhnen ab. Ich wühlte noch einmal im Nähkasten, holte die größte Sicherheitsnadel heraus, die ich finden konnte, und haute sie mir durchs Ohrläppchen. Am nächsten Morgen war das Ohr geschwollen, aber ich ließ die Nadel trotzdem drin. Im Gegenzug schlugen meine Eltern vor, daß ich ausziehen sollte. Meine Mutter wollte ein Bügel- und Nähzimmer aus meiner Dachstube machen und hatte bereits Gardinenstoff dafür gekauft. Sie rief bei meiner Schwester an und sagte:

»Ich habe eine tolle Idee – Anne zieht zu dir!«

Meine Schwester bekam einen Wutanfall, der die nächsten zwei Jahre anhalten sollte, aber das Ganze war natürlich längst beschlossene Sache.

An dem Tag, an dem Hemstedt mich zum ersten Mal küßte, saßen wir zu dritt in meinem neuen Zimmer in der Wohnung meiner Schwester. Ich saß auf dem Bett, Hemstedt neben dem Bett und Stefan Dorms etwas weiter entfernt auf dem Fußboden. Wir wollten zusammen ›Chapeau Claque‹ im Fernsehen anschauen. Ich weiß nicht mehr, wie es zu diesem Treffen gekommen war. Jedenfalls hatten wir uns verabredet, und nun saßen wir hier. Draußen war es längst dunkel. Im Zimmer auch. Nur der alte Schwarzweißfernseher meiner Oma leuchtete. Ulrich Schamoni buchstabierte das Alphabet und demonstrierte mit Hilfe seiner Finger das Dezimalsystem, viel mehr bekam ich von ›Chapeau Claque‹ nicht mit, denn dann stieg Hemstedt auf das Bett und setzte sich neben mich. Es war nicht dasselbe Gefühl wie in der Eisenbahn. Hemstedts Hand legte sich um meinen Hals und sein Daumen strich meine Kehle herunter. Er beugte sich über mein Gesicht und küßte mich.

Ich dachte: »Es ist passiert – Hemstedt hat mich geküßt.« Ich dachte: »Ich werde seine Freundin sein.«

Ich dachte: »Stefan Dorms sitzt da ganz allein auf dem Fußboden.«

Ich dachte: »Ich werde auf keinen Fall mit Hemstedt schlafen, bevor ich unter 60 kg wiege.«

Hemstedt küßte mich noch einmal, und diesmal konnte ich mich besser darauf konzentrieren. Sein Kuß war zu naß und zu weich – als schleckte er mit der Zunge ein Marmeladenglas aus. Aber ein Kuß war trotzdem mehr als die Berührung eines Beines. Ein Kuß, und war er noch so unangenehm, berechtigte zu Erwartungen. Mitten im schwarzen Zimmer saß blau beleuchtet Stefan Dorms und starrte auf den Bildschirm.

Ich dachte: »Der Arme! Warum steht er nicht endlich auf und haut ab?«

Aber Stefan Dorms ging erst, als der Film zu Ende war. Irgendwann sagte auch Hemstedt, er müßte nach Hause.

»Ich ruf dich an«, sagte er.

»Morgen?« fragte ich.

»Ja, morgen nachmittag.«

Um vier war mir klar, daß er nicht mehr anrufen würde, dafür brauchte ich nicht bis zur Tagesschau zu warten. Ich wußte, daß ich ihn jetzt keinesfalls anrufen sollte, daß ich mir damit eine entsetzliche Blöße gab. Aber wie ich mich kannte, würde ich sonst auch noch den ganzen Sonntag warten und mich dabei langsam in ein Stück Dreck verwandeln. Ich wollte es lieber jetzt hören. Dann konnte ich den ganzen Sonntag weinen.

Sein Vater war am Apparat. Er sagte:

»Peter hat den Arm gebrochen. Er ist von der Leiter gefallen, als er die Weihnachtsbeleuchtung in die Tanne hängen wollte. Wir sind gerade aus dem Krankenhaus zurück.«

Ich sagte: »Geht es ihm gut genug, daß ich ihn besuchen kann? Ich komme«, sagte ich, »ich komme gleich vorbei.« Ich warf mich in den Karmann und jagte zu dem Blumenladen am Bahnhof. Er hatte keine Papageientulpen. Die falsche Jahreszeit. Ich kaufte einen Strauß weißer Rosen, aber als ich bei Hemstedt vor der Tür parkte und die Rosen auswickelte, waren sie mir plötzlich peinlich, und ich ließ sie im Auto liegen.

Hemstedt trug einen dunkelblauen Frotteebademantel mit

roten Streifen und hockte griesgrämig auf seinem Bett, den Rücken gegen die Wand gelehnt. Der linke Ärmel des Bademantels war abgeschnitten, und Hemstedt popelte mit dem Zeigefinger der rechten Hand in der Öffnung des Gipses.

»Das ist ja so widerlich«, knurrte er, »das fängt doch in kürzester Zeit an zu stinken, und die Haut wird darunter ganz weich und weiß, wie verfault.«

Ich gab ihm einen Kuß auf die Wange und setzte mich neben ihn. »So ein idiotischer Unfall«, sagte Hemstedt ins Leere, »das ist ja wieder typisch. Von der Leiter fallen, während ich die Scheiß-Lichterkette für meinen Alten in die Tanne hänge. Das kann man ja keinem erzählen.«

Er hatte nicht die Absicht, über uns zu sprechen. Er wirkte auch nicht erfreut, daß ich da war. Eher belästigt. Vielleicht hatte er auch bloß Schmerzen. Ich hätte gern Klarheit gehabt, aber man konnte von jemandem, der gerade aus dem Krankenhaus entlassen war, wohl schlecht Klarheit verlangen. Dann kamen Jost und Richard, und er redete nur noch mit ihnen. Eigentlich war die Antwort klar: Ich hätte gar nicht erst angewieselt kommen sollen! Ich hätte keine dämlichen Rosen kaufen sollen! Ich hätte ihn nicht so plump vertraulich auf die Wange küssen sollen! Ich hätte nicht existieren sollen!

»Ich muß los«, sagte ich und ging hinaus, setzte mich in den Karmann und fuhr zurück. Ich weinte. Ich haßte mich dafür, daß ich weinte, und schlug mir zweimal so fest, wie ich konnte, ins Gesicht. Das half. Ich nahm den Rosenstrauß vom Beifahrersitz, kurbelte das Seitenfenster herunter und warf die Rosen hinaus.

In der Woche darauf fing ich in der Schule einen Brief an: »Lieber Peter«, schrieb ich, »es ist kurz vor zehn. Wir müssen in einer dreistündigen Deutscharbeit ›Die Leiden des jungen Werther‹ interpretieren. Die ersten beiden Stunden sind schon rum. Und wenn es noch des Beweises bedürfte, was es gewiß nicht tut, wenn es also noch des Beweises bedürfte, daß dieses Buch nicht für meine Mitschüler geschrieben wurde, so ist er hiermit erbracht. Sie haben sich über ihre Hefte gebeugt und, ohne zu fühlen, ohne zu zaudern, losgelegt. Neben mir malt Doris ihre kreisrunden Kinderbuchstaben ins Heft, Volker Meyer ißt einen Apfel, und beide sind so himmelweit von Liebe und Leid entfernt, daß Doris bestimmt eine Eins und Volker eine Drei bekommen wird. Vermutlich schreiben sie, daß der Autor Gesellschaftskritik übt, das ist ja immer schon die halbe Miete. Aber Goethe übt gar keine Gesellschaftskritik. Goethe findet sich selber klasse, das ist sein Problem. Ständig ist sein Werther von sich selbst gerührt, wie intensiv er doch fühlt, und wie edel er handelt, und wie gut er doch mit Kindern umgehen kann, und wie gütig und selbstverständlich er mit Leuten spricht, die unter seinem Stand sind. Na, vielleicht läßt sich daraus eine Gesellschaftskritik drechseln. Auf seine Empfindsamkeit tut Werther sich am meisten zugute. Jedesmal, wenn er gerade wieder so wunderbar tief empfindet oder bewiesen hat, was für ein herzensguter und sensibler Mensch er ist, muß er das brühwarm seinem allerliebsten Freund Wilhelm schreiben. Diesen Freund nennt er in den Briefen ›Schatz‹, und einmal schreibt er was von ›liebelispelnden Lippen‹. Grundgütiger! Beimer wird natürlich wieder alles auf die Zeit schieben. Damals hätte man sich eben so ausgedrückt. Aber ich finde, daß Goethe sehr wohl die Verantwortung für sein empfindsames Gewinsel trägt. Ist eine Zeit widerwärtig, so muß man sich eben gegen sie stellen. Die ekelhafteste Stelle ist, wie das verhinderte Liebespaar in der Terrassentür steht, zuschaut, wie ›der herrliche Regen‹ auf das Land ›säuselt‹ und sie dann bloß ›Klopstock‹ sagt und er sofort weiß, was sie meint. Was für ein zickiger, eingebildeter Sack, dieser Werther! Und dennoch – als er anfing, von seiner Liebe und seinem Unglück zu sprechen, da war mir, als sähe ich in mein eigenes Herz. Es spricht so klar und wahr und traurig. Ich verstehe vollkommen, was Goethe meint. Ich weiß jetzt auch, was ich schreiben müßte, damit Beimer es gut findet. Bloß sind diese beiden Dinge nicht miteinander vereinbar. Statt dessen also schreibe ich Dir diesen Brief. Er ist ganz ohne Hoffnung, denn was könnte ich schon für Argumente nennen, die Deine Gefühle für mich änderten. So etwas hat noch kein Argument vermocht. Es ist in der Welt nichts Lächerlicheres erfunden worden als meine Liebe zu Dir, und doch kommen mir darüber oft die Tränen … «

An dieser Stelle brach ich den Brief ab und zerriß ihn unter der Tischplatte in kleine Fetzen. Ich konnte nichts daran ändern, daß ich wie ein Idiot fühlte, aber deswegen brauchte ich mich ja nicht auch noch wie einer aufzuführen. Mein Ohr tat weh. Die Sicherheitsnadel hatte ich inzwischen herausgenommen und durch einen normalen Ohrring mit einer Schraubenmutter als Hänger ersetzt, aber mein Ohrläppchen war immer noch nicht ganz abgeschwollen. Ich kühlte es mit den Fingerspitzen. Seit ich täglich eine Packung Zigaretten rauchte, hatte ich stets angenehm kalte Hände. Am Ende der Stunde schrieb ich meinen Namen rechts oben auf ein leeres Blatt und gab es ab. Ich hatte aber nicht viel Hoffnung, daß Beimer begreifen würde, daß ein leeres Blatt dem Thema angemessener war als jede noch so ausgefeilte Interpretation.

Hemstedt machte mir zu schaffen. Aber noch hatte ich die Sache im Griff. Mit Ablehnung kam ich zurecht. Eine meiner leichteren Übungen. Genau betrachtet war Liebe auch bloß eine Krankheit, die man willentlich herbeiführte. Und sie ließ sich verhindern, indem man den Infektionsherd mied. Einige Wochen ging ich nicht mehr in die Sitrone und schwänzte die Sportstunden. Ich bin sicher, ich wäre darüber hinweggekommen, wenn ich nicht direkt danebengestanden hätte, als Hemstedt Tanja eine Musikkassette gab.

»Laß mal sehen«, sagte ich, »was ist denn drauf?«

Und da fragte Hemstedt: »Soll ich dir auch eine aufnehmen?«

Fast hätte ich nein gesagt. Was sollte ich mit einer Kassette, wenn ich keinen Recorder hatte? Aber aus irgendeinem Grund sagte ich ja.

»Wäre gut, wenn du mir das Geld für die Kassette vorher geben könntest«, sagte Hemstedt.

Schon am nächsten Morgen überreichte er mir eine dunkelblaue Memorex 90 Chromium dioxide. Mit Bleistift hatte er auf die eine Seite etwas Unleserliches geschrieben und auf die andere Seite »Kebabträume«. Ich schleppte die Kassette den ganzen Tag in der Innentasche meiner Lederjacke herum und befühlte sie immer wieder. Abends rief ich meine Mutter an und fragte, ob mein Bruder zu Hause sei. War er nicht. Daraufhin fuhr ich nach Barnstedt, ging in das Zimmer meines Bruders und steckte die Kassette in seine Anlage. Ich legte mich auf den Fußboden und verschränkte die Arme hinter dem Kopf. Lauter einminütige Stücke. Verzerrte Klänge und verzerrte Stimmen. Nach dem vierten Stück wurde mir langsam klar, daß es sich um die liebloseste Kassette handelte, die je ein Junge für ein Mädchen aufgenommen hatte. Hemstedt hatte einfach eine LP von vorne bis hinten durchlaufen lassen. Welche Platte das auch immer sein mochte, ich haßte sie. Das war alles Mist. Scheiße war das! Nur das eine, irgendwie asiatische Lied, das von einem Mädchen auf einem roten Fahrrad handelte, das war wirklich schön. Das konnte ich nicht hassen, weil es vollkommen war. Ich drehte die Kassette um. Auf der B-Seite hatte Hemstedt verschiedene Gruppen aufgenommen, englische und deutsche durcheinander. Die englischen Lieder kamen entspannter, melodiöser und dem Leben zugewandter daher, während die deutschen voller Gezerre, Genöle, Hall und Dissonanzen waren und behaupteten, daß das Leben langweilig sei und Sex keinen Spaß mache. Es war, als fächerte Hemstedt mir alle Möglichkeiten seiner Seele auf oder doch wenigstens die ganze Bandbreite seines Geschmacks, dem ich nicht bis an die Ränder zu folgen vermochte, der mich zum Zentrum hin aber bezauberte. Liebeslieder und Weltschmerzmusik und Gehirnlieder und Kreischlieder. Lieder, die bloß Fragen stellten, ohne die Antworten zu geben, weil sie wußten, daß eine Antwort niemals die Antwort sein konnte. Und Lieder, die sich sogar weigerten, die Frage zu stellen, und behaupteten, das wäre die Antwort. Und dann – ziemlich zum Schluß, nach einem Stück, in dem jemand »Ich flieg mit dir davon, in einem Luftballon, in das Land der Phantasie, in die Bundesrepublik« brüllte und anschließend dermaßen enthemmt ins Mikrophon kreischte, daß ich vor mir sah, wie er sich dazu auf dem Fußboden gewälzt haben mußte –, dann kam das Lied, das eine unvergleichliche Lied, vor dem mein ganzer Widerstand in sich zusammenbrach. Ein englisches. So finster wie sonst nur die deutschen, aber gleichzeitig viel weicher, obwohl es mit einem treibenden stampfenden Indianerrhythmus unterlegt war. Ich schloß kurz die Augen, und als ich sie wieder öffnete, war alles um mich herum viel deutlicher, viel heller, und der Sparglobus meines Bruders leuchtete. So mußte es sein, wenn man im Lichtblitz einer Atombombe stand, kurz bevor der Rauchpilz aufstieg und alles verglühte. Jetzt, in diesem Augenblick, wurden die Töne unfaßbar schön, ein grandioser Ausgleich für all die stillen Jahre, die hinter mir lagen. Es war wie ein Glas Wasser, wenn man sich eigentlich schon darauf eingerichtet hat, zu verdursten. Die Musik drang in mich ein, war in mir, durchströmte mich und füllte mein ganzes Sein. Und ich, all dieses Unerfreuliche, Widerliche, das ich bisher gewesen war, war endlich aus mir heraus. In mir war nur noch das Schöne. Das Wunderbare. Und dann war das Wunderbare auch schon wieder vorbei. Der nächste Sänger legte los, und ein neuer Rhythmus überschrieb, was ich gefühlt hatte. Ich sprang auf, spulte die Kassette zurück, probierte, spulte hin und her, bis ich den Anfang des Liedes wiedergefunden hatte, und ließ es noch einmal laufen. Ich wußte nicht, was und wen ich hörte. Peter hatte sich nicht die Mühe gemacht, die Titel oder Interpreten aufzuschreiben. Aber was immer es sein mochte, es machte mir klar, daß mein Leben von Anfang an falsch gelaufen war. Ich hörte die Kassette zu Ende. Danach fühlte ich mich, als wäre auch ich am Ende meines Lebens angekommen. Ich spulte die B-Seite wieder ganz zurück und begann mein Leben von vorn. Die Stücke schienen mir noch besser als beim ersten Mal. Nicht alle natürlich. Ein Lied, in dem ein Mädchen mit der Hand in eine Brotschneidemaschine geriet und ständig ›Aua, aua, aua, aua, aua‹ schrie, gewann beim zweiten Hören keineswegs, aber die meisten anderen, sogar die Brüll- und Geräuschsongs. Doch eigentlich wartete ich die ganze Zeit bloß auf das eine Lied. Ich spulte nicht vor, ich genoß das Warten. Mit jedem weiteren Stück nahm die Spannung zu, bis sie kaum noch zu ertragen war. Und als es endlich kam, ließ ich es immer wieder von vorn laufen, wieder und wieder. Ich hörte es gerade zum achten Mal, da stieß mein Bruder die Tür mit seinen Springerstiefeln auf. Neben ihm hechelte der Hund herein. Als Benno mich begrüßen wollte, riß mein Bruder ihn am Halsband zurück.

»Eeh, was soll das denn hier werden! Verpiß dich! Wer hat dir erlaubt, die Anlage anzufassen. Eh, verpiß dich! Wenn du Musik hören willst, kannst du die Anlage ja kaufen.«

»Wieviel?« sagte ich. Ich konnte jetzt nicht aufhören. Ich wußte nicht, wie ich die Nacht überstehen sollte, wenn ich nicht weiterhören konnte. Er verlangte fünfhundert Mark. Soviel hatte ich gerade noch. Mein Bruder war so überrascht und erfreut, daß er mir sogar half, die Kompaktanlage in den Karmann zu schleppen, mit mir zur Wohnung meiner Schwester fuhr und dort die Stecker an ihren Platz friemelte. Ich gab meinem Bruder sein Geld und stellte den Kassettenrecorder an. Das Lied – da war es wieder!

»Was ist das denn für Müll?« sagte mein Bruder.

»Verpiß dich«, sagte ich, »die Anlage gehört dir nicht mehr.«

»Fünfhundert Mark! O Mann, fünfhundert Mark hast du abgedrückt«, sagte mein Bruder, »das ist praktisch der Neupreis. Wie kann man nur so blöd sein. Ich lach mich tot, ich lach mich echt tot.«

Als er rausgegangen war, ließ ich das Lied noch einmal laufen. Ich legte mich auf mein Bett und sah an die Decke. Diese Musik ließ mich Freuden erinnern, die ich nie gehabt hatte, die ich aber unbedingt hätte haben sollen. Wie konnte es solche Platten geben, ohne daß ich je davon erfahren hatte? Wie hatte Peter Hemstedt nur davon erfahren? Ich wollte, daß er neben mir lag und seinen Arm um mich legte. Ich wollte das berühren, was ich eben gehört hatte. Und weil ich das nicht konnte, spulte ich noch einmal zurück, hörte das Lied zum elften Mal, und dann schlief ich endlich ein.

• • • • • • •

Die Frau am Empfang trägt trotz ihrer Jugend einen Dutt und ein rot und schwarz kariertes Oberteil mit goldenen Knöpfen, aus dem am Hals eine weiße Rüsche wuchert. Sie legt den Hörer wieder auf, zeigt mit dem Kugelschreiber auf die gläserne Schwingtür am Ende der Halle und sagt, daß Mr. Hemstedt gleich herunterkommt. Ich gehe ein paar Schritte in diese Richtung, die Gummisohlen meiner Schuhe schmatzen und quietschen über den Marmorboden. Beide Türflügel sind mit Messingbeschlägen eingefaßt, auch die überdimensionalen Griffe daran sind aus Messing. Hinter der Tür ist es viel dunkler als in der Halle, und die Spiegelung im Glas macht es unmöglich, hindurchzusehen. Mein Herz pumpt kaltes Blut durch meinen Hals bis in meine Schläfen. Ich versuche, an nichts zu denken, sondern mich durch langsames, bewußtes Atmen zu beruhigen und mein Gewicht ganz gleichmäßig auf beide Füße zu verteilen, aber ich kann nicht verhindern, daß sich das Gefühl der Minderwertigkeit in mir ausbreitet wie ein Tintenfleck auf einem Löschblatt. Es überschwemmt den Bauchraum, steigt bis unter die Schädeldecke und rinnt in jeden einzelnen Finger. Ich will etwas von Hemstedt. Das macht mich vollkommen wertlos. Zweimal bilde ich mir ein, daß sich ein Schemen der Glastür nähert, dann streckt sich wirklich ein grauer Ämel aus dem Dunkel, und eine helle Hand stößt die Tür auf. Hemstedt kommt herein. Er sieht blendend aus. Blendend ist, glaube ich, das richtige Wort. Schlank und jung und wahnsinnig gesund und erfolgreich und liebenswürdig und Designeranzug und Geld. Nach objektiven Maßstäben wäre er begehrenswerter denn je. Aber ich kann ihn ja gar nicht mehr lieben, als ich es sowieso schon tue und auch täte, wäre er bucklig, abgerissen und hätte das Gesicht voller Warzen. Seine Schönheit läßt meine uneingestandenen Hoffnungen zu nichts zusammenschnurren. Mir wird das Widerliche meiner Liebe bewußt, das Aufdringliche und Bedürftige. Ich verstehe, daß man so nicht geliebt werden will. Ich verstehe das vollkommen.

Als Hemstedt auf mich zugeht, tut er das so linkisch, daß er beinahe über seine eigenen Füße fällt. Das erstaunt mich. Muß denn nicht bloß der Liebende, der unwürdige anbetende Wurm, unbeholfen vor Verlegenheit sein? Kann es einen denn auch verlegen machen, geliebt zu werden? Oder ist es ihm peinlich, von der Empfangsmaus mit mir gesehen zu werden? Man muß mich ja bloß mal ankucken, wie ich dastehe – baumstammartige Figur, das Fettherz voller Sehnsucht und ausgestattet von der Firma H & M. Hemstedt hat es geschafft, die eklige Haut des Kleinbürgertums abzustreifen. Ich weiß zwar immer noch nicht, was er eigentlich arbeitet, aber offensichtlich hat er es geschafft. Ich nicht.

• • • • • • •

Es war schon ein Wunder, daß ich nicht durchs Abitur fiel. Das Wunder hieß Reformierte Oberstufe. Alle bekamen ihre Zeugnisse mehr oder weniger nachgeschmissen. Das beste hatte natürlich Klein-Doris. Deswegen durfte sie auf der Abiturfeier auch die Abschlußrede halten, von der ich allerdings nichts mitbekam. Ich gehörte zu denen, die ihre Vorbehalte gegen die Veranstaltung zum Ausdruck brachten, indem sie den Obstteller vom Buffet stahlen und sich draußen vor der Tür mit Apfelsinen, Bananen und Weintrauben bombardierten.

Lange habe ich mir eingebildet, das erste Jahr nach der Schule wäre die beste Zeit meines Lebens gewesen. Wieso eigentlich? Immerhin war es die aufregendste. Es war die Zeit, in der ich die meisten Jobs hatte, die meisten Drogen nahm, die meisten Schallplatten kaufte, die meisten Jungen küßte und fast jeden Abend ausging.

Die anderen wurden jetzt alle etwas. Klein-Doris studierte natürlich Medizin. Hemstedt behauptete, daß er Beamter im Strafvollzug werden wolle, studierte dann aber Betriebswirtschaft. Fast die Hälfte der Jungen tat das. Als wären alle Unterschiede, die es bisher zwischen ihnen gegeben hatte, nur Spiel oder Irrtum gewesen, und sie erinnerten sich jetzt an ihre eigentliche Bestimmung. Wenn sie nicht vorher zur Bundeswehr mußten. Die Mädchen studierten Germanistik und Sozialkunde oder gingen erst mal zur Fremdsprachenschule. Fremdsprachenschule war Bundeswehr für Mädchen.

Bloß aus mir wurde nichts. Deswegen arbeitete ich weiter in der Hundeleinenfabrik. Wenn jemand fragte, was ich werden wollte, stellte ich mich tot und baute noch ein paar Hundeleinen zusätzlich, um mich zu beruhigen. Erstens lag ich mit einem Notendurchschnitt von 3,6 oberhalb des Numerus clausus für jedes halbwegs akzeptable Studienfach, und zweitens wußte ich nicht, wie man es anstellte, sich auf eine Warteliste setzen zu lassen, so daß man vielleicht in zwei Jahren Germanistik oder in sieben Jahren Tiermedizin studieren konnte. Ich konnte ja wohl schlecht zu meiner Schwester oder zu einem meiner Mitschüler gehen und sagen: »Hilf mir bitte, denn ich weiß nicht, wie man sich einschreibt. Und wo wir gerade dabei sind, ich weiß auch nicht, wie man überhaupt mit Bus und Bahn zur Uni kommt, und es gibt noch zig andere Sachen, die alle Menschen außer mir draufhaben und die für mich einfach nicht zu schaffen sind, und es werden immer mehr. Hilf mir, oh, um Gottes willen, hilf mir doch!«

Meine letzte Hoffnung war eine dramatische Krankheit, vielleicht ein Tumor im Gehirn, mit dem ich nur noch zwei Jahre zu leben hätte. Zwei Jahre würde man mich doch hoffentlich in Ruhe lassen.

Ich glaubte auch nicht mehr daran, daß sich in meinem Bett jemals etwas Schönes ereignen würde oder daß ich im Bett eines Jungen aufwachen könnte, ohne mich sofort an einen freundlicheren Ort zu wünschen. Küsse waren bloß noch die Einleitung für die vergeblichen Versuche der Jungen, mit mir zu schlafen. Was war los mit ihnen? Sie redeten doch ständig davon, mit wem sie es alles treiben wollten; sie machten doch dauernd diese Anspielungen. Entweder war das Ganze ein Riesenschwindel, oder es lag an mir. Bloß bei mir kriegten sie alle keinen hoch. Aber das hätte ihnen ruhig schon früher einfallen dürfen! Warum sprachen sie mich dann überhaupt an? Warum warfen sie sich so ins Zeug, um mit mir im Bett zu landen? Die, die Kondome benutzten, sagten, es läge am Kondom, sie könnten nicht, wenn sie das übergezogen hätten. Für mich sah das eher andersherum aus: als könnten sie kein Kondom überziehen, weil ihre Schwänze nicht richtig steif wurden. Darauf lief alles hinaus: ein verzweifelter Junge, dem man am Ende einen runterholen mußte.

Hemstedt war jetzt mit einem Mädchen zusammen, das Bettina hieß und noch größer war als ich. Ich lernte sie in dem ständig unter Wasser stehenden Waschraum vor den Sitrone-Toiletten kennen, wo ich mir von ihr Haarspray borgte. Der Waschraum vor den Frauentoiletten war so etwas wie ein Treff, weil es dort leise genug war, um sich zu unterhalten. Auch Jungen kamen herüber, wenn es im Männerklo wieder zu dreckig war oder wenn wir ihnen Kajalstriche um die Augen malen sollten, und blieben dann ewig, um uns beim Schminken zuzusehen und mitzuschwatzen. Außerdem wurden Tabletten getauscht. Bettina brachte mich darauf, Percoffidrinol zu nehmen, das wirkte ganz ähnlich wie Captagon, kam aber billiger. Ich wußte selber nicht, warum ich all das widerliche Zeug nahm. Es brachte nicht für fünf Pfennig Spaß, und das Bewußtsein erweiterte es schon gleich gar nicht. Wenn man zu mehreren einen Joint rauchte, herrschte dabei eine friedliche, manchmal fast feierliche Stimmung. Aber so eine Pille einzuwerfen, war bloß schäbig, traurig und psychotisch. Man konnte nächtelang nicht schlafen und war fürchterlich aufgedreht und angespannt. Als hätte einem jemand ins Hirn gegriffen, sich sämtliche Nervenenden gepackt und mit einem Ruck ums Handgelenk gewickelt. Dieser Zustand war meilenweit von jedem Vergnügen entfernt. Und trotzdem nahmen die meisten Leute, die ich kannte, Captagon und Ephedrin und Valium und alles, was sie sonst noch in die Finger bekamen. Ich wußte bloß, daß ich Pillen *brauchte*. Ich hätte alles getan, um nicht mehr ich sein zu müssen.

Bettina tauschte gerade ein Röhrchen Percoffidrinol gegen einige Sedapon von mir, als sie mir beiläufig erzählte, daß sie Hemstedt letzte Nacht entjungfert hätte. Sie fand das zum Lachen und warf die glatten schwarzgefärbten Haare in den Nacken. Ich hätte ihr am liebsten den Kopf in ein Klobecken gestopft. Statt dessen zog ich sie an mich heran und drückte sanft meine Lippen auf ihren Mund. Ich begriff nicht, was Hemstedt an ihr fand. Sie war ein lautes, furchteinflößendes Mädchen und küßte noch nicht einmal besonders. Wenn ich sie von nun an küßte, richtete ich es so ein, daß wir es möglichst gerade dort taten, wo Hemstedt auf seinem Weg zum Space Invader entlangkommen mußte. Wie ein geprügelter Hund schlich er dann an uns vorbei. Warum er sich das bieten ließ, begriff ich auch nicht.

Mein derzeitiger Freund kriegte davon nichts mit. Der merkte nie etwas. Der war immer vollauf damit beschäftigt, sein Fanzine unter die Leute zu bringen. Ole war ein braver Punker mit Abitur, der auf seinen Studienplatz wartete und gar nicht erst versuchte, mit mir zu schlafen. Er hatte mir ein Foto von sich geschenkt, auf dem er zwischen lauter Müll auf einem verschlissenen Spermüllsessel lag, aber in dem Zimmer, das er bei seinen Eltern bewohnte, war es ordentlich wie in einem Möbelprospekt. Wenn ich ihn besuchte, wischte er mit einem Küchenhandtuch immer gleich die Ringe ab, die unsere Gläser auf dem Tisch hinterließen. Sein Fanzine kostete zwischen einer Mark und einer Mark fünfzig – je nachdem, wie reich man war – und hieß SchlaMMassel. Ständig hatte er vier bis fünf SchlaMMassels unter dem

Arm, die er in den Kneipen und Diskotheken zu verkaufen suchte. Auf dem Cover hatte jede SchlaMMassel-Ausgabe eine kleine Gimmick-Plastiktüte kleben, in der ein Tampon und Federn oder abgeschnittene Fußnägel oder ein Mensch-Ärgere-Dich-Nicht-Stein und ein Erfrischungsstäbchen steckten. Das Zine selber bestand aus fotokopierten Collagen, Plattenkritiken und diagonal über die Seiten geschriebenen Interviews. Alle von ihm selber. Wenn in Hamburg eine Band spielte, hetzte Ole immer mit mir hin und versuchte ein Interview abzustauben. Tagsüber steckten wir in Plattenläden. Mit ihm zusammen traute ich mich rein. Meistens standen wir im Unterm Durchschnitt, umgeben von lauter bleichen und gehemmten Jüngern der Musik. Ole flippte mit flinken Fingern Hüllen durch und suchte Platten für mich aus, die ich kaufte, um ihn nicht zu kränken. ›Amok‹ von Abwärts‹ oder die Single ›Umsturz im Kinderzimmer‹, auf der das Lied ›Gib mir den Tod‹ schon das heiterste war. Als Ole mich zum ersten Mal in dem Zimmer besucht hatte, das ich bei meiner Schwester bewohnte, hatte er sich meinen Schallplattenkarton vorgenommen und die LP von Ideal und fast alle meine Singles herausgezogen und auf den Boden geworfen. Die Hit-Fever- und Pop-Explosion-LPs hatte ich zuvor bereits selbst eliminiert.

»Das und das und das und das ist alles Dreck«, hatte er gesagt. »Ich versteh nicht, wie du dir so was kaufen kannst. Das ist ja krank! Hast du keine Ohren?«

Remain in Light, Scary Monsters, Monarchie und Alltag und den Street-Level-Sampler ließ er seufzend durchgehen. Dann zog er mit zwei Fingern die letzte LP heraus, jaulte laut auf, ließ sie fallen und schlenkerte seine Hand, als hätte er sich verbrannt.

»*Kate Bush!*« schrie er. »Du hörst *Kate Bush?*«

Er lachte höhnisch, wartete auch keine Antwort ab, hob

die Platte aber zu meiner Überraschung als einzige wieder auf und steckte sie zurück in den Karton.

»Na ja, typische Mädchenplatte. Total typische Mädchenplatte!«

Am nächsten Tag nahm ich die Kate-Bush-LP selbst heraus und warf sie schweren Herzens weg. Das eine Stück darauf, ›Army Dreamer‹, mochte ich wirklich gern, aber ich wollte auf keinen Fall meine Plattensammlung durch eine Mädchenplatte verunreinigen. Doch auch wenn Ole sich noch soviel Mühe mit mir gab, wußte ich, daß ich immer ein Vorstadtmädchen bleiben würde, das in Wirklichkeit auf liebliche Melodien und treibende, stampfende Rhythmen mit tiefen Bässen stand. Das lag an meinen Kleinbürger-Genen. Ich wußte ganz genau, daß das primitive Scheiße war, aber ich kam nicht dagegen an. Musikhören bedeutete für mich im besten Fall Einsamkeit, Leidenschaft und Überwältigung, lauter Zustände, die es mir schwermachten, eine Platte nach dem Grad ihrer Abstraktheit zu bewerten.

»Ein Gitarrensolo – ich weiß einfach nicht, was das soll«, sagte Ole kühl. Leidenschaftlich erlebte ich ihn nur, wenn er nach Konzerten um die Mitglieder der Bands herumtobte. Wie ein aufgeregter kleiner Hund.

»Mufti!« schrie er. »Da ist Mufti von Abwärts! He, Mufti«, und zack ließ er mich stehen und rannte zu einem klobigen großen Kerl rüber, auf den er dann stundenlang einredete. Ich verstand das nie, warum Jungen so gar keinen Stolz hatten. Diese Demutswollust, diese ungebremste Schwärmerei für andere Männer. Selbst Peter Hemstedt war dagegen nicht gefeit:

»Da! Das ist Diedrich Diederichsen«, raunte er mir einmal vor dem Broadway-Kino zu. Ich drehte mich um. Ein junger Mann in einem Kohlenklau-Mantel, etwas kleiner als ich, ging in schlechter Haltung zur Kasse und verbreitete Glanz.

»Ah, ja«, sagte ich und wußte nicht, wer das sein sollte, Diedrich Diederichsen, versuchte mir aber sein Aussehen einzuprägen, damit ich ihn bei Gelegenheit wiedererkannte. Ich würde mit Diedrich Diederichsen schlafen. Wenn Diedrich Diederichsen mit mir schlief, würde ich in Hemstedts Augen an Wert gewinnen.

Natürlich war Hemstedt nicht mit mir allein ins Kino gegangen. Bettina war dabeigewesen und hatte zwischen uns gesessen und die ganze Zeit seinen Hals geküßt, während sie heimlich meinen Oberschenkel knetete. Irgendwann hielt ich es nicht mehr aus, sprang auf und tat so, als wäre es der Film, der mir auf die Nerven ging:

»Das erträgt ja kein Mensch, da gibt's ja überhaupt keine Handlung, der Typ stellt immer nur das Radio an und wieder aus«, rief ich viel zu laut und stürmte hinaus.

Jedesmal, wenn Hemstedt sich von einer seiner Freundinnen trennte, ging ich zu ihm und bat um eine neue Kassette. Wenn ich die Kassette dann bei ihm abholte, blieb ich noch eine Weile in seinem Zimmer sitzen, und wenn es spät genug geworden war, legten wir uns ins Bett. Als er sich gerade von Bettina getrennt hatte, schliefen wir auch miteinander. Seltsamerweise kann ich mich nicht mehr daran erinnern, wie das war. Nicht zu fassen! Es muß mir doch wahnsinnig viel bedeutet haben. Ich muß doch wissen, ob ich enttäuscht gewesen bin oder ob es der Gesang über allen Gesängen war. Doch jedesmal, wenn ich mich zu erinnern versuche, wird mein Kopf so leer wie eine unverkäufliche Neubauwohnung, nichts drin, kein Gedanke. Er konnte mit mir schlafen, das weiß ich noch, aber es ist, als wäre ich damals gar nicht dabeigewesen, als hätte mir bloß jemand davon erzählt und die Details für sich behalten. Die anderen Male lagen wir nur beieinander und berührten uns. Ich blieb niemals bis zum Morgen. Wenn Hemstedt eingeschlafen war, schlich ich mich weg und fuhr zurück in die Wohnung meiner Schwester. (Mit dem Fahrrad. Den Karmann hatte ich inzwischen zu Schrott gefahren.) Natürlich war ich hinterher kein Stück glücklicher, dazu hatte ich ja auch keinen Grund, aber zweifellos war ich ganz und gar lebendig, der Betäubung und der Leere, die ich sonst in mir spürte, für die nächsten paar Stunden entkommen. In meinem Zimmer steckte ich die Kassette in die Kompaktanlage; und dann waren die Schwingungen in meinem Körper, breiteten sich in mir aus, rauschten überallhin. Diese Musik galt mir, sie sprach alles aus, was ich nicht sagen konnte. Ich begegnete mir selbst darin, und meine Liebe zu Hemstedt war plötzlich nichts Minderwertiges mehr, nichts, für das ich mich schämen mußte. Sie war genauso anrührend wie diese Lieder.

Hemstedts Ex-Freundinnen sahen immer traurig und enttäuscht aus, wenn sie herausbekamen, daß ich mit ihm im Bett gewesen war. Ich hatte kein schlechtes Gewissen. Ich wußte, sie würden sich bald in einen anderen Jungen verlieben und dann in noch einen. Und den nächsten oder übernächsten würden sie dann heiraten und lauter kleine Kopien von sich in die Welt setzen. Mir aber bedeutete eine Nacht mit Hemstedt so viel, daß alles Recht auf meiner Seite war. Und jetzt kann ich mich nicht einmal mehr daran erinnern.

Inzwischen kotzte ich fünfmal am Tag. Meistens half ich nach, aber manchmal passierte es einfach so, und schließlich wurde mir schon schlecht, wenn ich Tabletten bloß roch, und ich hörte mit den Pillen auf. Komischerweise fühlte ich mich ohne Percoffidrinol genauso nervös wie vorher.

Es machte gar keinen Unterschied. Und erbrechen mußte ich mich immer noch. Vielleicht war es auch eine leichte Lebensmittelvergiftung. Die Hundeleinenfabrik hatte mir gekündigt, mein Vater gab mir 250 Mark im Monat, von denen meine Schwester mir 50 Mark fürs Telefon abknöpfte, und spätestens ab dem 20. lebte ich nur noch von Joghurt mit abgelaufenem Verfallsdatum, angegammeltem Obst und grünschillernden Wurstresten. Ich kam auf 67 kg runter, meine Hüftknochen standen wieder heraus, und wenn ich in die Sitrone ging, trug ich ein enges schwarzes Satinkleid und dicke Straßohrringe. Ich hätte jede Nacht einen anderen Jungen mit nach Hause nehmen können, und das tat ich auch, aber ich versuchte, sie entweder schon vor der Haustür abzuwimmeln oder mit einem Kaffee abzuspeisen. Sex deprimierte mich einfach zu sehr. Ich weiß, alle Tiere sind hinterher traurig, aber ich war es immer schon vorher.

Und dann passierte etwas Merkwürdiges. Kaum wollte ich nicht mehr mit Jungen schlafen, waren sie plötzlich nicht zu bremsen.

Ich sagte: »Natürlich kannst du mit zu mir hochkommen, um einen Kaffee zu trinken, aber ich werde nicht mit dir schlafen. Wenn du trotzdem einen Kaffee möchtest – gern, aber ich bin keineswegs beleidigt, wenn du jetzt verzichtest und deine Zeit gewinnbringender anlegst.«

Und sie sagten: »Kaffee wäre prima.«

Später legten sie meine Hand auf ihre gewölbten Reißverschlüsse, sie flehten mich an, keine Schwanzfopperin zu sein, keine, die erst einen Jungen anmacht und ihn dann sich selbst und schrecklichen Hodenschmerzen überläßt. Sie setzten mir wirklich zu. Und ich wollte sie, wo sie endlich einmal konnten, auch nicht gleich wieder entmutigen. Außerdem ist es immer leichter, ja zu sagen als nein. Nur daß ich es jetzt war, die nicht mehr konnte. Die Jungen wollten das nicht wahrhaben und versuchten es immer wieder, und ihre Erektionen waren unerschütterlich. Sie hörten erst auf, wenn ich weinte. Dann bettelten sie, ich sollte ihnen doch wenigstens einen runterholen. Oder ob ich es ihnen dann nicht mit dem Mund machen könnte? Sie bettelten wie blöde. Manchmal kam es mir vor, als hätten sie mit Sex dasselbe Problem wie ich mit dem Essen.

»Nur einmal, hol mir doch nur einmal einen runter.«

»Wenn du es mir schon nicht machen willst, kann ich es dann wenigstens dir machen?«

Ich dachte, ich kann ja nicht immer nein sagen. Ich hab ja auch selber schuld. Warum hab ich ihn denn auch mit in die Wohnung genommen? Ich weiß doch, wie das ausgeht. Ich dachte, das ist ja nun wirklich nicht viel verlangt. Ich dachte, hoffentlich haut er hinterher wenigstens gleich ab. Ich dachte, eigentlich sollte ich Geld dafür nehmen.

Wenn ich erst unter 60 Kilo wog, würde ich mit keinem dieser Jungen mehr im Bett landen. Höchstens ein paar Wochen noch, dann würde ich einen sehnigen und bewunderungswürdigen Körper haben, einen, in dem ich es wagen konnte, neben Hemstedt aufzuwachen, und den würden die anderen nicht anfassen dürfen. Den hier, diesen weichen Dreckskörper, den konnten sie gern haben, auf den konnten sie meinetwegen wichsen, der war eigentlich schon gar nicht mehr meiner. Ich zog mich aus der Gegenwart zurück und konzentrierte mich ganz auf die Zukunft. Was interessierte, daß ich jetzt arbeitslos war oder Hemstedt schon wieder eine neue Freundin hatte? Das ging vorbei. Wenn ich erst schlank war, würde mein richtiges Leben beginnen und alles sich von selbst erledigen.

Nichts erledigte sich von selbst. Ich wartete die ganze Zeit auf eine Gelegenheit, aber die Gelegenheiten hießen bloß Otto-Versand, Schnellreinigung Weiße Rose, Sicherheitsgurte am Fließband zusammenstecken, Perlenketten ausfahren für Bijou Brigitte und wieder Hundeleinenfabrik. Am Ende machte ich das, was mein Vater wollte, und landete in einer Schule für Finanzbeamte.

Steuerinspektor war der Traumberuf meines Vaters. Ich konnte seinen Traum nicht leben. In Bilanzsteuerrecht war ich noch ganz passabel. Das kam meinem zwanghaften Charakter entgegen. Aber in sämtlichen anderen Fächern ging bei mir sofort wieder der ägyptische Hinrichtungsfilm los. Und wie! Ich kriegte nicht mal annähernd mit, wovon in Abgabenordnung überhaupt die Rede war. Zwei Bänke vor mir saß der einzige gutaussehende Junge. Er sah aus wie jemand, der viel in Diskotheken ging, große Autos mochte und gut küssen konnte. Keinen Schimmer, was ihn hierher verschlagen hatte. Kurz bevor wir auf die einzelnen Finanzämter verteilt werden sollten, fuhr er mit seinem Polo gegen einen Baum und war vom Hals abwärts gelähmt. Ich machte es 'ne Nummer kleiner. Ich fiel bloß durch die Prüfung. Zuerst war ich geradezu euphorisch. Ich mußte hier nicht länger bleiben. Ich durfte gar nicht mehr bleiben! Dann wurde ich wieder nervös, weil ich immer noch nicht wußte, was ich statt dessen werden sollte. Was soll ich bloß machen, dachte ich. Und: Was soll ich um Himmels willen bloß tun?

Ich rief bei meinen Eltern an und sagte:

»Hallo Mama. Ich habe die Prüfungsergebnisse. Ich bin durchgefallen. «

»O… Ja… Wie schade. Na, da kann man nichts machen«, sagte meine Mutter, und ihre Stimme war unnatürlich hoch und atemlos und klang gleichzeitig so hohl, als würde sie in einer Höhle stehen.

»Ich könnte die Prüfungen wiederholen«, sagte ich. Ich wußte nicht, warum ich das sagte, immerhin stimmte es.

»Ich glaube nur nicht, daß das viel Zweck hätte. Ich begreife das ganze Zeug nicht.«

»Na ja… dann… Also… tschüß«, sagte meine Mutter und legte auf. Das war geschafft. Ich war froh, daß ich sie am Telefon gehabt hatte und nicht meinen Vater.

Eine halbe Stunde später klingelte das Telefon, und meine Mutter sagte:

»Du mußt sofort nach Hause kommen! Wir müssen reden! Du mußt die Prüfung wiederholen! Dein Vater bringt sich sonst um! Komm sofort her! Dem geht es ganz schlecht. Ich habe Angst, daß sich dein Vater umbringt.«

Ich setzte mich auf mein Fahrrad und fuhr zu meinen Eltern. Als ich ins Wohnzimmer kam, saß mein Vater mit verschränkten Armen auf dem Sofa. Er sah ungefähr so aus wie jemand, der sich gleich umbringt. Er sagte kein Wort. Das Reden übernahm meine Mutter.

»Siehst du, wie es deinem Vater geht? Wir haben gedacht, endlich hast du was. Endlich bist du untergekommen. Wir waren so froh. Warum tust du uns das jetzt an?«

Ich hätte ihnen gerne vernünftig geantwortet. Ich hätte gerne gesagt, daß der Job nicht so toll war, wie sie dachten, sondern daß es ein Scheißjob war, den normale Menschen nicht machen wollten, bloß solche, die früher in der Schule immer gehänselt worden waren. Ich wollte ihnen sagen, daß die Leute da bereits mit Anfang Zwanzig Kreuzworträtsel lösten, daß es verzweifelte Säufer gab und daß der einzige Steuerinspektorenanwärter, der ausgesehen hatte, als würde er sich ab und zu amüsieren, jetzt vom Hals abwärts gelähmt war und daß wir anderen auch alle demnächst vom Hals abwärts gelähmt sein würden und daß ich mein Herz bereits nicht mehr spürte.

Aber das Gesicht meines Vaters hielt mich davon ab. Es ging ihm wirklich mies. Sein Leben war bereits so schlimm, daß nicht noch irgend etwas zusätzlich schiefgehen durfte. Ich brachte es einfach nicht fertig, ihm zu sagen, daß die Sache sowieso gegessen war, daß ich den verpaßten Stoff gar nicht in den drei Wochen bis zur Wiederholungsprüfung aufholen konnte.

»Okay«, sagte ich. »Okay, mach ich den Test eben noch mal.«

»Ja, nicht wahr. Das geht doch?« rief meine Mutter. Mein Vater sagte immer noch nichts, saß nur mit verschränkten Armen da und starrte aus dem Fenster. Er traute mir nicht so leicht.

»Ja, klar, das geht«, sagte ich. »Ich werde ganz schön lernen müssen, aber ich denke, ich kriege das hin.«

Danach fuhr ich zurück in die Wohnung meiner Schwester, kramte meinen Rucksack heraus und begann zu packen.

Am nächsten Morgen setzte ich mich in die S-Bahn, fuhr die Hauptbahnhof-Strecke bis Berliner Tor, ging die Straße bis zur Tankstelle hinauf und hielt den Daumen hoch. Ich fuhr einfach Richtung Süden, schaute aus den Lastwagenfenstern und wartete, bis mir die Landschaft gefiel. An der Europabrücke ließ ich mich raussetzen. Auf der Rückseite des Rastplatzes gab es einen Trampelpfad abwärts, den marschierte ich hinunter. Es war ein grüner, halbdunkler Pfad, von beiden Seiten wucherte mir Königsfarn entgegen, überall lagen große Steine herum. Bald plätscherte ein kleiner Bach, aus dem man trinken konnte, neben dem Weg her oder kreuzte ihn in Holzrinnen. Kurz bevor die Sonne unterging, erreichte ich das Tal. Nicht weit vom Weg stand ein Schuppen voller Heu. Ich sah mich um, ob mich niemand beobachtete, warf meinen Rucksack hoch und kletterte hinterher. In der Nacht schlief ich zum ersten Mal seit langer Zeit tief und fest. Am nächsten Morgen durchquerte ich das Tal der Länge nach, kaufte mir in dem Supermarkt eines Dorfes eine Packung Butterkekse und einen Rotkäppchen-Camembert und stieg wieder einen Berg hinauf. Dort verlor sich der Pfad auf halber Höhe, und ich mußte auf allen vieren einen steilen Hang heraufklettern. Nachdem ich zwei Stunden lang durch all das Grün, die umgestürzten Bäume und die Sonnenflecken bergan gestiegen war, kam ich schließlich auf einer gleißendhellen Wiese heraus. Die Wiese stand voller Glockenblumen und anderer Blumen, gelber und weißer, die ich nicht kannte, und mitten durch die Wiese schlüpfte ein Bach, stürzte sich in grasdurchwachsene Wasserlöcher und sprang über bemooste Steine wieder hinaus. Und dort, wo der Bach herkam, fand ich einen richtigen Wasserfall mit kleinem Becken, gerade hoch und breit genug, daß ich darin baden konnte. Ich trank aus dem Wasserfall, zog kurze Hosen an und legte mich auf die Wiese und blieb den Rest des Nachmittags dort liegen. Ich dachte nichts und tat nichts. Ich lauschte bloß in mich hinein und auf die Bäume um mich herum. Als Kind hatte ich mir eingebildet, ich könnte spüren, was Bäume fühlten. Ich konnte es bloß nicht beschreiben, weil es völlig anders war als alles, was Menschen und Tiere fühlten. Das Gefühl der Bäume war an keinerlei Bedürfnisse geknüpft. Es war einfach nur da, wie ein grünes, samtiges Summen. Ich hatte die Gesellschaft von Bäumen immer als ungeheuer erleichternd empfunden.

Abends duschte ich in dem Wasserfall. Er war so kalt, daß ich zu einem winzigen Punkt zusammenschrumpelte. Ich kletterte in meinen Schlafsack, legte mich zwischen die Glockenblumen und sah in den Himmel, bis es dunkel war. Es kamen keine Sterne, aber ein sichelförmiger Mond. Alles war gut, ich fürchtete mich nicht einmal. Dann krachte es laut im Wald, und ich fürchtete mich doch und lag stundenlang wie erstarrt und wartete darauf, ob ein Wildschwein oder ein Luchs oder ein Mörder kommen würde. Der Tau legte sich auf meinen billigen, niemals richtig wärmenden Schlafsack. Ein aufgenähtes Schild behauptete, daß er für Temperaturen bis minus 25 Grad geeignet wäre. Aber das hieß wohl nur, daß man dann in diesem Schlafsack nicht erfrieren würde, es bedeutete nicht, daß man es bei plus zehn Grad schön warm hatte. Ich fror und lauschte wie ein kleines Tier auf knackende Schritte im Wald, bis ich irgendwann trotzdem einschlief.

Am nächsten Morgen badete ich wieder in dem Wasserfall, zog mich an und wartete darauf, daß die Sonne genug Kraft entwickelte, mich zu wärmen. Die Vögel sangen und lärmten. Ich beschloß, für immer hierzubleiben. Trotz Wildschwein. Ich würde mir eine Grashütte bauen, das Wasser aus dem Bach trinken und Glockenblumen essen, bis ich unmerklich verhungert war, und dann würde ich wie eine überfahrene Eidechse vertrocknen und zu Staub zerfallen. Ich würde auf Grashalmen kauen, bis Millionen von Viren und Bakterien in meinen Kieferknochen eingedrungen wären und mich von innen aufgelöst hätten. Vielleicht konnte ich auch irgendwie überleben, vielleicht fand ich ab und zu einen Pilz und ein paar Brombeeren. Dann würde ich so lange hierbleiben, bis ich dünn und wesentlich geworden war und irgend etwas begriffen hatte. Die Sonne stieg höher, es wurde wärmer, und als ich gerade meine Socken im Bach auswrang, hörte ich Stimmen und Gelächter und konnte mich eben noch in die Büsche schlagen. In den nächsten beiden Stunden kamen insgesamt neun Wanderer vorbei. Sie picknickten am Wasserfall, kackten hinter die Bäume und stiegen dann den Berg wieder hinunter. Direkt hinter dem Wasserfall, der einzigen Stelle, wo ich am Abend zuvor nicht gewesen war, führte ein Wanderpfad hier herauf. Ich gab auf. Ich schulterte meinen Rucksack, stieg diesen Pfad hinunter und machte mich wieder auf den Weg nach Hamburg.

Auf einer Raststätte vor Kassel mußte ich lange auf eine Mitfahrgelegenheit warten. Es fing an zu regnen. Von oben der Regen, und von der Seite spritzten mir die Autos den Straßendreck bis an die Hüften. Anfangs versuchte ich noch den Schlammfontänen auszuweichen, aber bald triefte ich und sah so elend und dreckig aus, daß erst recht niemand mehr anhielt. Dann kam dieser große dunkelblaue Merce-des. Er verlangsamte, und ich hob für alle Fälle den Daumen. Der Scheibenwischer schwang zur Seite, und für eine halbe Sekunde sah ich ganz deutlich das Gesicht des Fahrers. Er starrte mich an, angewidert und empört. Als sich das Regen-wasser schon wieder auf die Windschutzscheibe legte, sah ich noch, wie er den Kopf neigte und sich mit dem Finger an die Stirn tippte. Eine kalte Hand legte sich um mein Herz, und ich schwor mir, niemals CDU zu wählen.

Bald darauf klarte es auf. Ich ging in die Raststättentoilette, vertauschte die nassen, dreckigen Jeans gegen Shorts, trock-nete mein Gesicht und kämmte mir die Haare. Das Stehen im Regen hatte mich hundemüde gemacht. Als ich mich wieder an die Auffahrt stellte, hielt gleich ein Lastwagen. Der Fahrer war dick und schweigsam. Es dauerte keine halbe Stunde, und ich schlief auf dem Beifahrersitz ein. Er rüttel-te mich wieder wach.

»Das ist zu gefährlich«, sagte er. »Du kannst ruhig schla-fen, aber nicht hier vorn. Wenn ich bremse, saust du mir durch die Scheibe.«

Da hatte er recht. Vor mir war bloß diese Riesenscheibe. Nichts als Glas.

»Du kannst dich in die Koje legen«, bot er an. Hinter unseren Sitzen gab es ein schmales Etagenbett. Auf der oberen Pritsche lagen mein Rucksack und allerlei Fernfahrerzeugs, Landkarten, ein Spirituskocher und Thermosflaschen, die untere war frei. Wenn man erst einmal dort lag, gab es kein Entkommen: oben die zweite Pritsche, an den Seiten und hinten das Lastwagenblech, vorne die Sitze.

»Ne, ne«, sagte ich, »ich bleib jetzt wach.«

Aber bald darauf dämmerte ich wieder weg, und diesmal bremste der Lastwagenfahrer, und ich flog tatsächlich gegen die Scheibe.

»Hab ich es dir nicht gesagt? Verdammt noch mal! Ich hab es dir doch gesagt. Sieh zu, daß du dich in die Koje haust, aber hopp!«

Ich kam nicht auf die Idee zu fragen, weswegen er eigentlich so stark hatte bremsen müssen; ich kroch sofort kleinlaut nach hinten. Noch war hellichter Tag. Der Ärger mit Lastwagenfahrern ging erst los, wenn es dunkel wurde. Vorsichtshalber würde ich jetzt nicht mehr schlafen.

Ich wachte davon auf, daß der dicke Lastwagenfahrer meinen Arm berührte. Er saß halb zwischen den Lehnen, halb auf der Pritsche.

Wir fuhren nicht mehr. Eine kleine Funzel brannte in der Kabine. Sonst war es dunkel.

»Dir passiert nichts«, sagte der dicke Lastwagenfahrer. »Wenn du dich nicht wehrst, passiert dir nichts.«

Den Satz kannte ich schon aus XY-ungelöst. Jetzt bist du fällig, dachte ich. Jetzt passiert dir, was den Anhalterinnen in XY-ungelöst immer passiert. In einem halben Jahr findet dich eine Pilzsucherin unter Tannenzweigen.

»Wenn du nicht schreist und dich nicht wehrst, tu ich dir nichts«, sagte er und strich meinen Arm hoch. Was für ein Unsinn! Er tat mir ja bereits was. Die andere Hand legte er auf mein Bein. Ich wußte, daß ich selber schuld war. »Sie wollte ja nie hören«, würde meine Mutter sagen, »aber deswegen braucht niemand traurig zu sein – Anne hat sowieso nie gern gelebt.« Jetzt legte der Fahrer eine Hand auf meine Brust. Ich ließ es zu. Der Mann wog über hundertfünfzig Kilo, und ich lag bereits unten. Wenn ich mich wehrte, begann ein Kampf, den ich nicht gewinnen konnte. Andererseits würde man mir später vor Gericht natürlich genau das vorwerfen. Falls ich noch jemals ein Gericht zu sehen bekam.

»Und jetzt?« sagte der Lastwagenfahrer. »Was machst du jetzt, wenn ich dich einfach rannehm?«

»Dann wird es einer von uns nicht überleben«, fauchte ich. Es schadet nichts, wenn man sein Leben lang viel ferngesehen hat. Er lachte mich aus, aber er war doch vorher den einen Zentimeter zurückgewichen, den ich brauchte, um zu sehen, daß das Fahrerfenster einen Spalt breit heruntergekurbelt war. Er merkte, daß ich etwas gesehen hatte, drehte sich um und entdeckte ebenfalls den Spalt. Ohne seinen Platz zu verlassen, reckte er sich nach dem Fensterheber, aber das schmale Dreieck, das sich zwischen seinem Rücken und der Lehne des Beifahrersitzes auftat, reichte mir. Wie ein Flaschengeist schoß ich hindurch. Der Fahrer griff nach meinen Beinen, ich strampelte, erwischte auf Anhieb den Türgriff, den ich in fremden Autos normalerweise erst beim dritten Versuch fand, stieß die Beifahrertür auf und ließ mich hinausfallen. Ich knallte mit dem Kopf auf irgendein vorstehendes Metallteil, und dann lag ich auf dem Asphalt. Ein einsamer Parkplatz. Es gab eine armselige Laterne, aber kein einziges Auto weit und breit. Immerhin rauschte in nicht allzu weiter Entfernung die Autobahn.

»Drecksack, Arschloch, Wichser«, schrie ich.

Er beugte sich über den Beifahrersitz und sah auf mich herunter, machte aber keine Anstalten, seinen Lastwagen zu verlassen. Ich stand auf.

»Mein Rucksack«, keifte ich, »gib mir den Rucksack! Na los!«

»Steig wieder ein«, sagte der dicke Lastwagenfahrer. »Na los, du kommst hier nie weg. Steig wieder ein!«

»Hau bloß ab«, schrie ich.

»Na komm schon, ist doch Quatsch, was du hier machst.« Er benahm sich, als wären wir alte Freunde und hätten uns bloß gezankt. Vielleicht dachte er, daß ich eigentlich gern mit ihm schlafen wollte und bloß zu schüchtern war. Man weiß nicht, was in solchen Köpfen vor sich geht.

»Steig wieder ein, sei nicht dumm!«

»Hau endlich ab, sei nicht dumm!« äffte ich ihn nach, hob einen Stein auf und schmiß ihn gegen seinen Laster. Da warf er meinen Rucksack heraus, zog die Beifahrertür zu und fuhr endlich los. Ich merkte mir sein Kennzeichen, aber dann stellte ich mir vor, wie ich auf eine Polizeiwache kam, in diesen kurzen Hosen, mit meinen dicken Beinen, die auch noch einen Sonnenbrand hatten. In der Steuerbe-amtenschule war ich Tag für Tag fetter geworden, bis ich schließlich 76 Kilo wog. Ich malte mir aus, wie die Polizisten mich von oben bis unten mustern würden. Die Vorstellung, daß irgend jemand es darauf anlegen könnte, mit mir Sex zu haben, war lachhaft. Ich konnte keine Anzeige machen, nicht so, wie ich aussah.

Ich setzte mich in den Lichtkegel der Laterne und warte-te. Ich zitterte. Obwohl ich mehr oder weniger heil aus der ganzen Geschichte herausgekommen war, fühlte ich mich beschämt und elend. Zwei Stunden später bog ein Auto auf den Parkplatz ein. Eine Familie in einem Volvo, Papa, Mama und zwei Kinder auf dem Rücksitz. Sie hielten mög-lichst weit weg von mir. Während das eine Kind die Hosen herunterließ, lief ich zu ihnen hinüber und bat den Mann, mich mitzunehmen.

»Sie sehen doch, daß wir voll beladen sind.«

Er sah nicht so aus, als hätte er überhaupt jemals einen Fremden in seinem Volvo mitgenommen. Die Frau machte ein ängstliches Gesicht und eines der Kinder war kurz davor zu weinen.

»Nur bis zur nächsten Raststätte«, sagte ich. »Jemand hat versucht, mich zu vergewaltigen, und dann hier rausgeworfen. Ich komme hier doch nie weg! Bitte helfen Sie mir!«

Der Mann und seine Frau sahen mich genauso angeekelt an, wie ich mir das vorgestellt hatte, aber sie nahmen mich dann doch mit. Ich saß hinten neben den beiden Jungen. Mein Rucksack steckte im Kofferraum. Ich legte die Hände auf meine häßlichen roten Oberschenkel. Zum Glück war es im Auto ja dunkel. Die ganze Familie saß wie eingefroren, keiner sprach auch nur ein einziges Wort. Nicht einmal die Kinder. An der nächsten Autobahnraststätte setzten sie mich raus, und ich fuhr mit einem anderen Lastwagen weiter nach Hamburg.

Als ich anfing, als Taxifahrerin zu arbeiten, wog ich immer noch vierundsiebzig Kilogramm. Aber im Taxi nahm ich wahnsinnig schnell ab. Ich arbeitete jede Nacht von sechs Uhr abends bis sechs Uhr morgens. Wenn ich früher anfangen durfte oder mein Ablöser später kam, arbeitete ich noch länger. Solange ich im Taxi saß, aß ich überhaupt nichts. Zuerst konnte ich nichts essen, weil mich das Funkgerät so nervös machte. Man mußte die ganze Zeit aufpassen, ob der Posten, an dem man gerade stand, aufgerufen wurde, und wenn man dann die Tour annahm, mußte man innerhalb von drei oder vier Minuten da sein, ganz egal, ob man vorher im Stadtplan nachzuschlagen hatte oder eine Menschenkette für den Frieden die Zufahrtsstraße versperrte. Wenn die Kunden einstiegen, mußte ich sofort wieder einen neuen Weg finden, ein ganz anderes Ziel, und es war peinlich, wenn ich es nicht kannte. Aber auch, nachdem ich mich an all das gewöhnt hatte, aß ich nichts. Weil ich nichts mehr zu essen brauchte. Ich war satt. Ich ging auch mit niemandem mehr ins Bett. Ich hatte die fixe Idee, daß ich nicht altern würde, solange ich keinen Sex hatte. Die Leute wußten es nicht, aber jedesmal, wenn sie es miteinander trieben, rückten sie dem Tod wieder ein Stück näher. Der Trick war, es einfach sein zu lassen, es sich nicht einmal selbst zu machen, dann konnte man steinalt werden.

Diese erste Zeit im Taxi war die beste meines Lebens. Ich war plötzlich lebendig. Ich war da! Ich war klar. Das war es. In einem Mercedes sitzen und die ganze Nacht durch die Stadt fahren und dabei Musik hören. Endlich war ich dort angekommen, wo ich mich wohl fühlte. Ich hatte immer nach einem solchen Ort gesucht, und jetzt stellte sich heraus, es war gar kein Ort, es war ein Auto. Bewegung war der einzig akzeptable Zustand und Musik der einzige Trost. Manchmal, wenn ein besonders gutes Lied im Radio kam, schaltete ich das Funkgerät ab und das Dachschild aus und fuhr einfach so ein paar Runden für mich allein. Ich wurde immer froher und stärker, je länger ich fuhr, und wenn ich mich stark genug fühlte, schaltete ich mein Dachschild wieder ein und sammelte eine der dunklen Gestalten am Straßenrand auf.

»Seit wann dürfen Teenager Taxi fahren?« fragten die Fahrgäste, wenn sie einstiegen. Und fügten hinzu: »Deinen Job möchte ich aber nicht machen.«

Dabei war es ein prima Job. Das einzige, was daran unangenehm war, waren die Fahrgäste. Aber dafür bezahlten sie ja auch eine Entschädigung. Jede Nacht verdiente ich mindestens hundert Mark. Ich stopfte alle diese Hunderter in eine Macintoshdose, und es wurden immer mehr. Schließlich waren es so viele, daß ich glaubte, mir unbedingt etwas kaufen zu müssen, und ich legte mir einen alten gelben Audi 100 zu. Zum ersten Mal seit Monaten nahm ich mir frei und kurvte die ganze Nacht mit dem Audi durch die Stadt. Irgendwann ging mir auf, daß ich genau dasselbe tat wie sonst, nur daß ich dabei kein Geld verdiente. Ich verkaufte den Audi wieder. Das Surren des Taxis, seine schmatzenden Reifen auf nassem Asphalt, das gedämpfte Licht, das Nachtprogramm im Radio, die unfreundlichen Menschen und die Gewißheit, daß ich sie gleich wieder los sein würde, das Zurücksinken in Einsamkeit, Stille und Dunkelheit – etwas anderes wünschte ich mir nicht.

Wenn die Schicht zu Ende war, setzte ich mich auf mein Fahrrad und fuhr die dreizehn Kilometer bis zur Wohnung meiner Schwester. Um sieben oder halb acht ging ich ins Bett, und um drei Uhr nachmittags stand ich wieder auf. Dann machte ich mir eine Dose Schnittbohnen warm, schlang sie hinunter, sah ein bißchen fern und fuhr wieder zur Taxifirma. Meine Schwester sah ich praktisch überhaupt nicht, und es dauerte nicht lange, dann wog ich 64 kg. Auf dem Gewicht blieb ich allerdings wochenlang hängen. Ich kam einfach nicht mehr darunter. Es war nicht gerecht. Ich meine, so eine Dose Bohnen, die hat vielleicht 68 Kalorien, und dann fuhr ich jeden Tag 26 Kilometer mit dem Fahrrad. Was sollte ich denn noch anstellen, um mehr Gewicht zu verlieren? Mir einen Arm abhacken? Manchmal aß ich auch noch ein paar Kekse, aber dann nahm ich hinterher gleich ein Abführmittel. Wenn ich einfach stur so weitermachte, würde ich irgendwann schon unter 64 kg kommen. Anders war das rein physikalisch gar nicht möglich. Diesmal würde ich dünner und immer dünner werden.

Dann lernte ich Felix kennen. Felix fuhr ebenfalls Taxi, und nach einem halben Jahr fragte er, ob ich nicht mit ihm zusammenwohnen wollte. Ich nutzte die Chance, endlich bei meiner Schwester auszuziehen. Felix kochte und machte den Haushalt, und ich begann wieder zu essen und zu altern.

»Du mußt nicht Taxi fahren«, sagte Felix oft. »Bleib doch heute einfach zu Hause. Brauchst du Geld? Wenn du Geld brauchst, geb ich dir was.«

Seltsamerweise wurde ich immer ärmer, je mehr Felix für mich bezahlte. Ich verlor den Spaß am Taxifahren und schaffte es nicht mehr, zwölf Stunden durchzuarbeiten, und schließlich bekam ich sogar Schwierigkeiten, meinen Anteil der Miete aufzubringen. Ich wurde immer ärmer und immer müder und schlief an den Posten vor Erschöpfung ein. Wenn ich zwei Nächte nicht im Taxi gesessen hatte, konnte ich mir nicht mehr vorstellen, daß ich jemals dazu in der Lage gewesen sein sollte, das Funkgerät zu bedienen oder die Straßen zu finden. Ich hatte Angst, alles falsch zu machen. Der eigentliche Vorteil dieses Berufes, nämlich frei entscheiden zu können, wann, wie oft und wie lange ich arbeiten wollte, hatte sich als Folge meiner fortschreitenden Willenserweichung gegen mich gekehrt. Ich kriegte es nicht einmal auf die Reihe, mich von Felix zu trennen. Als ich es versuchte, sagte er einfach nein.

»Schau mich an«, sagte ich. »Schau mich an. Ich habe zwölf Kilo zugenommen, seit wir zusammen sind. Ich bin unglücklich. Ich mag nicht mit dir schlafen. Ich freß mich jeden Tag abartig voll, und wenn ich nicht ständig kotzen würde, wäre ich noch fetter. Ich kotze mindestens zweimal am Tag. Hörst du das eigentlich nicht? Du mußt das doch hören. In dieser Wohnung hört man doch alles. Laß mich gehen!«

»Nein«, sagte Felix. »Ich will nicht ohne dich sein.«

Und dann fing er an zu weinen. Ich wußte nicht, was er in mir sah. Er kannte mich überhaupt nicht, er hatte nicht den geringsten Schimmer davon, wer ich war. Ich kannte mich ja nicht einmal selbst. Vielleicht war da ja auch gar nichts, und ich sollte froh sein, daß Felix bereit war, über diesen Mangel an Persönlichkeit hinwegzusehen.

Eines Abends stieg zufällig Jost zu mir ins Taxi. Er erzählte, daß Hemstedt jetzt neben seinem BWL-Studium in einem Schallplattengeschäft jobbte. Diese Information trug ich ein paar Wochen mit mir herum, und nachdem ich sechs Kilo abgenommen hatte, fühlte ich mich imstande, Hemstedt aufzusuchen.

Eine Weile ging ich vor dem Plattenladen hin und her, drehte dann zur Mönckebergstraße ab, kaufte grüne Turnschuhe, kehrte zum Laden zurück und kontrollierte mein Aussehen im spiegelnden Schaufenster. Ich trug weiße Bundeswehrshorts, die einen extrem hohen Bund hatten, und ein blau-blau gestreiftes Sweatshirt, das ständig über eine Schulter rutschte. Meine Haare waren inzwischen wieder lang. Ich hatte sie mir mit einem Tuch hochgebunden und die herausstehenden Strähnen toupiert. Ich versuchte zu lächeln. Lächeln war immer gut. Bloß nicht bei mir. Bei mir verzog sich dabei das ganze Gesicht zu einer dämonischen Wasserspeierfratze. Ich schob Mundwinkel und Augenbrauen wieder zurecht und trat durch die Tür. Das Geschäft war groß, zu den Verkaufsflächen mußte man ein paar Stufen hinabsteigen, und von hier oben hatte ich einen guten Überblick. Hemstedt war da, ich entdeckte ihn sofort, drückte mich aber weiter in der Nähe des Eingangs herum. Lange sah ich ihm einfach nur zu – seine eleganten Bewegungen, das weiße Hemd zur Khakihose, die entspannte Arroganz, mit der er die Kunden abfertigte. Mit unbewegtem Gesicht nahm er die Plattenwünsche junger Männer entgegen, flitzte mit schnellen, aber keineswegs hastigen Schritten vor ihnen her durch den halben Laden, zog schwungvoll die gewünschte LP aus einem Fach und hielt sie dem keuchenden Kunden mit zwei Fingern entgegen, wobei er sich bereits wieder abwandte und einem anderen Verkäufer etwas zurief. Das allein machte mich so glücklich, daß ich mich mit diesen Bildern gern aus dem Laden gestohlen hätte, anstatt mich dem Risiko einer richtigen Begegnung auszusetzen. Ich riß mich nur nicht rechtzeitig los. Schließlich entdeckte mich Hemstedt, sein Mund legte eine Reihe großer, weißer Zähne frei, und er kam auf mich zu. Der kleine Muskel neben meinem rechten Augenlid begann zu flattern, und da ich es selbst bemerkte, machte mich das noch nervöser. Aus lauter Not fing ich sofort an zu reden, so schnell und so viel, als hätte ich zwei Schachteln Recatol auf einmal geschluckt. Ich fragte, was er jetzt so machte, fragte nach seinen Freunden, erzählte, welche ehemaligen Mitschüler ich getroffen hatte, bat ihn zwischendrin um eine weitere Kassette, drängte ihm meine neue Telefonnummer auf, verfluchte mich innerlich dafür, redete, redete und fragte, warum er bei dieser Hitze keine kurzen Hosen tragen würde, redete immer schneller, wie die Speedversion einer Langspielplatte, die man auf 45 Umdrehungen pro Minute abspielte, dann würgte mich etwas im Hals, und ich sagte:

»Jetzt muß ich aber los!«

Bevor Hemstedt antworten konnte, raffte ich die Tüte mit dem Schuhkarton an mich und hetzte zum Ausgang. Hemstedt ging mit seinen schnellen großen Schritten neben mir her, und ich murmelte noch einmal: »Wirklich, ich frage mich, warum du bei dieser Hitze keine kurzen Hosen trägst«, während ich eine Single aus dem Top-Ten-Ständer vor den Kassen griff und in meine Mini-Görtz-Tüte gleiten ließ.

Eine Woche später rief Hemstedt an und sagte, daß ich die Kassette abholen könnte. Am gleichen Abend fuhr ich mit meinem Taxi zu ihm raus. Er wohnte immer noch bei seinen Eltern. Der Vater öffnete mir und führte mich ins Wohnzimmer. Hemstedt saß vor dem Fernseher. Sein Vater nahm die Zeitung vom Tisch und ging. In der Tür drehte er sich um und fragte, wann Peter morgen nach Hause kommen würde.

»Spät«, sagte Hemstedt, »ich geh noch zum Tischtennis.«
»Pingpong«, murmelte Hemstedts Vater, während er die Tür hinter sich zuzog, »Pingpong ist doch kein Sport.«

Ich setzte mich in den freien Sessel und schaute mit Hemstedt auf den Bildschirm. Es gab eine Show. Zum Schluß stellte eine amerikanische Sängerin ihren neuen Hit vor, und vier deutsche Jugendliche, die in die Endausscheidung eines Tanzwettbewerbs gekommen waren, machten dazu Breakdance. Es war überhaupt kein Lied für Breakdance.

»Kuck sie dir an! Kuck sie dir bloß an! Jetzt tanzt die ganze Rasselbande auch noch dazu«, sagte Hemstedt und lachte. Die Jungs im Fernsehen zogen die Schultern hoch und knickten ihre Arme ägyptisch. Einer von ihnen hatte ein merkwürdig altes und verkniffenes Gesicht, und Hemstedt sagte: »Der sieht aus wie E.T.«

»Zwei von den Mädchen aus dem Funny-Club haben sich E.T.-Puppen gekauft«, sagte ich. »Ich fahr sie morgens immer nach Hause, und dann setzen sie ihre E.T.s bei mir auf die Hutablage.«

»Ich habe den Film damals gar nicht gesehen«, sagte Hemstedt, »bloß einen Ausschnitt im Fernsehen. Ich bin natürlich sofort in Tränen ausgebrochen. Obwohl es ganz ohne Einleitung kam – ich sah bloß, wie der Junge sich von Eli verabschiedet und Eli ihn in die Arme nimmt und mit seinen langen Spinnenfingern an ihm herumstreichelt. Und sofort hab ich geheult.«

Seltsam, daß es einen so rührt, wenn ein Mann zugibt, daß er geweint hat. Vielleicht, weil sie es so selten tun. Wie Geschenke einpacken. Wenn ein Mann einem ein schief verpacktes Geschenk überreicht, fühlt man sich ja auch gleich bevorzugt.

Ich hatte an der Stelle geweint, an der E.T. Kontakt zu seinem Raumschiff aufnimmt, weil er zurückkehren will, und der kleine Junge sagt: ›Du könntest hier glücklich sein. Ich würde sehr gut für dich sorgen. Wir könnten zusammen aufwachsen, E.T.‹

»Ich glaube, es sind besonders die bösen und hartherzigen Menschen, die total auf E.T. abfahren«, sagte ich.

Hemstedt beugte sich aus seinem Sessel zu mir herüber und streichelte mit den Fingerrücken sachte über meine Wange. Ich habe einmal eine Geschichte gelesen, in der jemand sich an einem Kaktus verletzt. Es ist ein ganz besonderer Kaktus, wenn man einen seiner Stacheln in der Haut hat und man zieht ihn nicht sofort heraus, dann arbeitet sich der Stachel ganz von selbst durch den Körper vor, bis zum Herzen, und wenn er das Herz erreicht hat, stirbt man. So eine Berührung war das.

»Ich habe deine Lederjacke an meinen Bruder verkauft«, sagte ich, »mit Verlust.«

Hemstedt stand auf.

»Komm. Die Kassette ist oben in meinem Zimmer.«

Aber kaum waren wir in seinem Zimmer und er hatte mir die Kassette gegeben, kamen Jost und Richard Buck die Treppe heraufgetrampelt, und sofort redete Hemstedt nicht mehr mit mir, warf mir bloß entschuldigende Blicke zu. Seine Freunde redeten auch nicht mit mir. Ich setzte mich in einen Sessel und kaute an einer Haarsträhne.

»Was ist eigentlich aus Kathrin geworden?« fragte Jost. »Triffst du die noch?«

Hemstedt gab Jost einen Brief, der auf seinem Schreibtisch lag.

»Hier, den hat sie mir noch geschrieben.«

Jost nahm den Zettel und begann Stellen daraus vorzulesen. Der Brief war wirklich sehr albern. Er sprach Dinge aus, die man einfach nicht aussprechen sollte, Gefühle. Es war für mich schwer erträglich, daß es noch andere Mädchen gab, die wegen Hemstedt litten. Meine Liebe war nicht nur etwas Krankes und Häßliches, sie war auch noch eine Allerweltsliebe. Trotzdem waren mir die lachenden Jungen zuwider.

»Ich habe dir auch einmal einen Brief geschrieben«, sagte ich. »Mein Gott, bin ich froh, daß ich den damals nicht abgeschickt habe.«

»Warum nicht? Das hättest du aber tun sollen«, rief Hemstedt sofort.

Ich zeigte auf Jost.

»Das ist doch wohl nicht dein Ernst.«

»Wie?« sagte Jost, der gar nicht zugehört hatte, weil er immer noch den Brief las. »Hier, das müßt ihr euch anhören:...«

Ich lachte, bevor Jost vorlesen konnte, was wir uns anhören sollten.

»Wenn du lachst, verzieht sich dein ganzes Gesicht zu einer einzigen Grimasse«, sagte Hemstedt.

»So«, sagte ich, »ist das so?«

Jost und Richard beobachteten mich jetzt interessiert. Sie warteten darauf, daß ich lachen und mich in eine einzige Grimasse verwandeln würde.

»Vielen Dank für die Kassette«, sagte ich, »ich geh dann mal.«

Ich haßte und verabscheute mich. Ich wünschte, ich hätte mich auslöschen können, diese grimassierende Hülle und diese ekelerregende, sabbernde Liebe in mir. So etwas sollte es nicht geben. Vernichten, vernichten, vernichten, dachte ich. Als ich mich ins Taxi setzte, nahm ich als erstes die Kassette heraus und steckte sie in den Recorder. Dafür haßte ich mich auch. Ich bog in eine Straße ein, in der es keine Häuser gab; drei Laternen, und dann schnappte die Dunkelheit über mir zusammen. Die Musik legte los. Engelstimmen, aber es waren Engel mit Fledermausflügeln, sie sangen vor den Toren der Hölle, unirdisch lieblich und drohend, und dazu schlugen Becken zusammen. Ich drehte die Anlage voll auf. Immer wieder erschallten die Becken. Und dann sagte eine bedrohlich tiefe Männerstimme: »The world is my oyster«, gefolgt von einem so grauenhaften und furchterregenden Lachen, daß ich das Steuer verriß und im Straßengraben landete.

»Hahahahahahahahahah …«, machte die Stimme. Ich stieg aus und besah mir die Bescherung. Ich hing in diesem Straßengraben fest, mitten in schwärzester Nacht, und jetzt sang eine Frau:

»This is not a love song, this is not a love song.«

Diese Stimme hatte einen wirklich miesen Unterton, man glaubte es ihr sofort.

»This is not a love song, this is not a love song!«

Schon gut! Du meine Güte, jaja, ich hatte es ja bereits begriffen.

Ich rief die Funkerin und bat sie, mir die Fünfdoppelacht auf Kanal 3 zu schicken, und als Felix sich meldete, sagte ich ihm, wo ich steckte, und bat ihn, mich rauszuschleppen.

Bis er eintraf, hörte ich mir weiter die Kassette an. Wie konnte jemand, der so widerlich und gemein wie Hemstedt war, solche Musik aufnehmen? Musik, die mir ganz behutsam zeigte, daß ich meine Wünsche verraten hatte. Die mir offenbarte, daß mein Leben erbärmlich war. Wie bist du da nur hineingeraten? sagte die Musik. Und: Sieh zu, daß du da wieder herauskommst. Hey Joe, rief die Musik – Joe, das war ich –, hey Joe, look around, du bist dabei, etwas wahnsinnig Wichtiges zu verlieren. Nur konnte ich mich nicht erinnern, jemals etwas wahnsinnig Wichtiges besessen zu haben. Eigentlich gab es mich ja gar nicht wirklich. Wann immer ich mit einem neuen Mann zusammen war, wurde ich zu einer anderen Person. Ich war so leer wie ein Spiegel, und wenn jemand hineinschaute, sah er etwas, das seine Wünsche erfüllen und seine Bedürfnisse ertragen konnte. Auch Felix liebte etwas an mir, das es anfangs gar nicht gegeben hatte, das er aber so lange fest in mir zu finden glaubte, bis es tatsächlich existierte. Wer oder was auch immer ich jetzt gerade war, ich hatte nicht das Recht, es ihm zu nehmen. Er hatte es sich selbst erschaffen, also gehörte es mir gar nicht. Nur wenn ich bei Hemstedt war, spürte ich Kontur und wurde zu etwas Eigenständigem. Vielleicht war gar nicht er es, der mir fehlte. Vielleicht fehlte ich mir bloß selbst. Mir fehlte die Person, die ich war, wenn ich ihm begegnete.

Als Felix eintraf, stellte sich heraus, daß er mich nicht rauszuschleppen brauchte; es reichte, daß wir die Fußmatten unter die Vorderreifen legten.

Seit ich nicht mehr lächelte, bekam ich ständig Ärger im Taxi. Mir war schon klar, daß Männer keine betrübten Frauen mochten. Sie standen lieber selbst mit schmerzvollem Blick an der Theke, und dann sollte ein strahlender kleiner Wirbelwind kommen und sie aufmuntern. Ich war jedoch stets davon ausgegangen, mein Lächeln wäre eine freiwillige Gratisdraufgabe, etwa wie eine Parfümprobe in der Drogerie. Aber nun schoben betrunkene Männer ihr Gesicht plötzlich zentimeterdicht an meines und sagten böse: »Du hältst dich wohl für was Besseres?«

Innerhalb von vier Monaten wurde ich zweimal ins Gesicht geschlagen. Ich begriff langsam, warum ich bisher immer gelächelt hatte, und als ich das begriff, konnte ich es erst recht nicht mehr. Wenn ich mich in den Bars und Diskotheken umschaute, kam es mir vor, als wäre jeder Frau ein Lächeln ins Gesicht geschnitten. Als wären sie alle Mitglieder derselben fiesen Sekte. Manche lächelten glücklich, manche verkrampft, manche lächelten wie eine Maske, und manche lächelten so selbstverständlich, als wären sie so geboren. Trinkgeld kriegte ich jetzt kaum noch, meine finanzielle Lage wurde überhaupt immer vertrackter, und dann rief auch noch meine Mutter an, ob ich die nächsten zwei Wochen auf den Hund aufpassen könnte. Inzwischen kürzten meine Eltern den deutschen Winter, Herbst oder Frühling mindestens zweimal im Jahr auf einer Kanarischen Insel ab. Weil ich als einziges Mitglied der Familie an keinen anständigen Beruf gebunden war, fiel dann jedesmal mir die Aufgabe zu, Haus und Hund zu hüten.

»Ja, klar«, sagte ich. »Mach ich natürlich.«

Nur konnte ich es mir im Moment überhaupt nicht leisten, zwei Wochen nicht zu arbeiten. Schon unter normalen Umständen mußte ich, wenn meine Eltern verreisten, hinterher jedesmal von Felix Geld leihen und hatte die nächsten beiden Monate damit zu tun, die Schulden wieder abzustottern. Außerdem fühlte ich mich immer elend, wenn ich im Haus meiner Eltern schlief.

»Ich bin ja so froh, daß du endlich mal aus der Stadt rauskommst und hier ein bißchen frische Luft tanken und deine Tuberkulose auskurieren kannst«, sagte meine Mutter.

Vor einiger Zeit war bei mir Lungentuberkulose festgestellt worden. Zuerst war ich natürlich begeistert gewesen, aber nur so lange, bis ich in einem sterbenslangweiligen Sanatorium zwischen lauter röchelnden Asthmatikern gelandet war und feststellen mußte, daß es für ansteckende Tuberkulöse, die abhauen wollten, ein Zimmer mit vergittertem Fenster gab. Die Physiotherapeutin war schon dabei, mich für die Sanatoriums-Basketballmannschaft zu rekrutieren, als sich herausstellte, daß ich doch nicht ansteckend war und gehen durfte.

»Das hast du dir bloß geholt, weil du dir immer die Nächte um die Ohren haust und in diesem Slum lebst«, sagte meine Mutter. Mit Slum meinte sie die Fabriketage, in der ich mit Felix wohnte. Werbetexter und Redakteure riefen bei uns an, daß wir ihnen sofort Bescheid sagen sollten, falls wir auszögen, aber meine Eltern kannten weder den Film ›Diva‹ noch den Ausdruck Loft, und bestanden darauf, daß wir asozial wohnten.

»Und weil du nie was ißt«, sagte meine Mutter.

»Mama«, sagte ich, »Mama, ich bin übergewichtig. Ich esse mehr als genug.«

»Nichts Richtiges. Du knüllst immer nur Brot! Jedenfalls habe ich dir den Kühlschrank vollgemacht. Du brauchst nicht einmal einzukaufen. Ich habe dir sechzig Mark im Portemonnaie gelassen, für den Notfall. Aber der Kühlschrank ist bis oben hin voll. Das Geld ist nur für den Notfall. Ich bin ja so froh, daß ich mich wenigstens zwei Wochen lang mal nicht um dich sorgen muß, sondern weiß, daß du hier schön Ferien machst.«

»Hör mal, Mama«, sagte ich vorsichtig, »also das ist schon auch eine Einschränkung für mich, wenn ich den Hund hüte. Ich mache es natürlich gern. Aber Ferien sind das nicht. Ich mache es für euch. Und ich kann das auch nicht so einfach wegstecken, mal eben zwei Wochen nicht zu arbeiten.«

»Wenn du einen vernünftigen Beruf hättest, könntest du das. Dann müßtest du nicht so von der Hand in den Mund leben.«

»Wenn ich einen richtigen Beruf hätte, könnte ich erst recht nicht auf euren Hund aufpassen.«

»Ich dachte, du machst das gern. Ich dachte, du magst Benno?«

»Ich mag Benno auch. Ich möchte ja bloß, daß ihr anerkennt, daß ich da ein Opfer für euch bringe.«

»Ein Opfer? Also, daß du ein Opfer bringst, wollen wir natürlich nicht. Dann können wir eben nicht mehr verreisen.«

»Na ja, Opfer ist vielleicht ein zu großer Ausdruck ...«

Meine Mutter wandte sich vom Telefonhörer ab und rief in einen fernen Raum hinein: »Papa, Papa! Wir können doch nicht fahren. Du mußt alles stornieren. Anne will nicht auf den Hund aufpassen. Meinst du, daß du vom Reisebüro noch das Geld zurückbekommst, oder ist es dafür schon zu spät?«

»Schon gut«, sagte ich. »Tut mir leid. Es ist kein Opfer für mich. Ich freue mich darauf, auf den Hund aufzupassen. Ich freue mich, daß der Kühlschrank ganz voll ist und ich gar nichts mehr kaufen muß und mich die ganze Zeit durchfressen und erholen darf.«

Zwei Tage später fuhr ich meine Eltern in ihrem Auto zum Flughafen.

Zum letzten Mal sah ich Hemstedt 1990. Ich hatte mir vorgenommen, ihn nie wieder zu treffen, aber es war praktisch unvermeidbar, daß er mir irgendwann über den Weg lief. Da ich Jahr für Jahr und Nacht für Nacht Taxi fuhr, stieg praktisch jeder Hamburger einmal zu mir ein. Außer Diedrich Diederichsen. Ich hatte ja immer gehofft, doch noch mal Diedrich Diederichsen zu fahren, aber statt dessen hatte ich ständig bloß Alfred Hilsberg ins Subito gebracht.

Hemstedt lief mir morgens um halb sieben vor die Kühlerhaube. Das Taxi hatte ich allerdings bereits abgestellt und fuhr nun in einem hunderttausend Mark teuren schwarzen Mercedes zu meiner neuen Wohnung. Nach der Trennung von Felix und einer Phase häufig wechselnder Liebschaften hatte ich den Besitzer dieser Limousine kennengelernt und zum ersten Mal in meinem Leben guten Sex gehabt. Zwar konnte ich mich immer noch nicht daran erinnern, wie es damals gewesen war, mit Hemstedt zu schlafen, aber daß es nicht wirklich gut gewesen sein konnte, wußte ich jetzt. Soviel war klar. Sonst hätte ich mich nämlich daran erinnert. Liebte ich ihn überhaupt noch? Nein, da war nichts. Gar nichts. Da war auch nie wirklich etwas gewesen. Wahrscheinlich hatte ich mich bloß in den erstbesten verliebt, der mich genausowenig leiden konnte wie mein Vater. Hemstedt musterte den Mercedes abschätzig, als er zu mir einstieg, und sagte mit gerunzelten Augenbrauen: »Also wirklich, Anne...«, aber ich merkte doch, daß ihn der Protz beschäftigte.

»Wohin möchtest du?« fragte ich. Er erzählte, daß er schon längst in eine eigene Wohnung gezogen war und seit Jahren für einen Lebensmittelkonzern arbeitete. Ich verstand nicht genau, was für einen Beruf er hatte, er saß dort in der Marketingabteilung oder so etwas.

»Eigentlich ist es völlig sinnlos, was ich mache«, sagte Hemstedt. »Wenn meine Arbeit nicht mehr getan wird, entsteht auch kein Verlust. Ich stell nichts her, und ich reparier nichts, und ob ich meiner Firma zu größerem Profit verhelfe, ist rein hypothetisch. Möglicherweise ist der ganze Job ein Irrtum.«

»Kannst du nicht kündigen?« fragte ich. »Willst du dir nicht etwas anderes suchen?«

»Nein«, sagte er giftig. »Ich habe nichts anderes gelernt. Ich kann überhaupt nichts anderes.«

Wir schwiegen eine Weile. Als wir in sein Viertel einbogen, erzählte Hemstedt, daß er jetzt bei den Jusos war. Das haute mich wirklich um.

»Langsam! Du mußt langsamer fahren! Was rast du denn so?« sagte Hemstedt. Dabei fuhr ich schon die ganze Zeit total langsam, damit ich möglichst lange neben ihm sitzen konnte.

»Ich bin die Vergeltung Gottes für alle, die nicht würdig sind, auf der Straße zu sein«, antwortete ich und trat aufs Gas.

»Nein. Du bist bloß völlig asozial!« sagte Hemstedt. »Dreißig! Mensch, dreißig! Hier ist Dreißiger-Zone, hier spielen Kinder. «

»Es ist Sonntag morgens um sieben«, sagte ich, »hier spielen keine Kinder, die schlafen jetzt, wie es sich gehört.«

»Schlafen! Genau!« sagte er. »Hier wohnen hart arbeitende Menschen, die sonntags länger schlafen wollen.«

Ich nahm den Fuß vom Gas. Es war noch nicht vorbei. Wenn es vorbei gewesen wäre, hätte ich gar nicht erst angehalten, um Hemstedt mitzunehmen. Ich sah den Realitäten wieder ins Auge: Das hunderttausend Mark teure Auto, das ich fuhr, war ein übler Proletenschlitten, dermaßen verspoilt, getunt und umgebaut, daß er sich nicht einmal mehr Mercedes nennen durfte und man ihm den Stern abgenommen hatte, wie einem unehrenhaften Offizier die Schulterklappen. Der Mann, dem er gehörte, war ein aufgeblasener Angeber, der sich in meinen Minderwertigkeitsgefühlen tummelte wie ein Delphin in der Bugwelle eines Schiffs, und ich machte nur deswegen mit ihm auf Liebe, weil ich Angst hatte, sie sonst niemals zu erleben. In Wirklichkeit wollte ich niemanden außer Hemstedt. Ich liebte ihn sogar dafür, daß er in die SPD eingetreten war und mich zum Langsamfahren zwang. Sein gutes Sozialdemokratenherz schlug für die hart arbeitende Bevölkerung und wachte über ihren Schlaf. Wahrscheinlich dachte er ständig über soziale Verbesserungen und gerechtere Steuerverteilung nach. Wie schade, daß mein Unglück nicht von der Art war, daß eine SPD-Reform es hätte lindern können.

Hemstedt fragte, ob ich mit ihm frühstücken wollte. Er wirkte müde und erschöpft. Sein Mantel war völlig zerknittert.

»Kaffee wäre prima«, sagte ich. Ich trug schwarze Breeches, schwarze, kniehohe Stiefel und einen grauen Pulli, die Art von Kleidung, mit der man immer gleich zwei Stufen auf einmal nimmt. Hemstedt führte mich durch einen schmalen Flur in seine Zwergküche. Ich setzte mich ihm gegenüber an den Klapptisch. Er kochte uns Kaffee, dann schüttete er sich etwas aus einem Karton in eine Schüssel und goß Milch darüber. Während er aß, schnappte ich mir die Pakkung und sah mir das Bild darauf an – kleine Kissen aus gesponnenem Weizen.

»Kann man das essen?«

Hemstedt machte eine abwehrende Löffelbewegung in Richtung der Packung und schaufelte stumm weiter. Stumm packte er zwei Weißbrotscheiben in den Toaster und holte sich ein Paket Butter aus dem Kühlschrank.

»Aha, die teure irische Butter«, sagte ich.

»Ja«, antwortete Hemstedt, »die leiste ich mir jetzt. Die ist dreißig Pfennig teurer, aber dafür ist sie leichter zu streichen. Das ist es mir wert.«

»Ist dir klar, daß diese Butter Hunderte von Kilometern unterwegs war und bei ihrem Transport mehrere Tonnen Öl verbrannt worden sind, bevor du sie so leicht über dein Brot streichen kannst?«

Er zuckte die Schultern.

»Butter ist überall die gleiche«, sagte ich. »Kühe fressen Gras und geben Milch und dabei bleibt Butter übrig. Du könntest genausogut Schleswig-Holsteiner Butter kaufen.«

»Ja, aber die läßt sich nicht so gut streichen«, sagte Hemstedt.

Ich sagte nichts mehr, ich hatte alles gesagt, was ich über Butter zu sagen hatte. Hemstedt stand auf

»Ich muß dringend duschen«, sagte er und ging hinaus. Als ich das Wasser rauschen hörte, stand ich ebenfalls auf, um in seiner Küche herumzuschnüffeln. Ich nahm die Pfeffermühle aus dem Gewürzbord und versteckte sie auf dem gegenüberliegenden Regal hinter den Filtertüten. Dann öffnete ich den Kühlschrank. Er war leer bis auf sechs Pakete irischer Butter. Neben dem Kühlschrank hing ein Apothekenkalender. Das aktuelle Bild zeigte ein mümmelndes Kaninchen im Gras. Ich nahm den Salzstreuer und streute ein bißchen Salz auf den Boden.

»Rette mich«, sagte ich zu der irischen Butter hinter der Kühlschranktür. »Rette mich, denn ich befinde mich in einem Zustand höchster seelischer Bedürftigkeit. Liefer mich nicht diesem aufgeblasenen Angeber mit dem Zuhälterauto aus. Er tut Dinge mit mir, die mich krank machen und ängstigen. Aber du könntest mich retten.«

Hemstedt kam aus der Dusche und blieb, nur ein Handtuch um die Hüften geschlungen, an der offenen Küchentür stehen.

»Was polterst du da mit deinen Dominastiefeln durch meine Küche«, knurrte er. Offensichtlich hatte er angefangen, Gewichte zu stemmen. Und jetzt wollte er das Resultat testen. Deswegen stand er da halbnackt – damit ich seinen Körper sehen sollte.

»Ich weiß nicht...«, murmelte ich.

Hemstedt verschwand ins nächste Zimmer. Ich stellte mir

seinen Körper an meinem vor, seine Hände an meinem Gesicht, seine Lippen auf meinen Schläfen.

»Faß mich an«, flüsterte ich der irischen Butter zu. »Streich mir noch einmal so über die Wange. Warum kannst du mich denn nicht gern haben? Was ist denn so falsch an mir?«

»Alles«, sagte die irische Butter.

Hemstedt kam in einem weißen Bademantel zurück.

»Ich bin wahnsinnig müde«, sagte er. »Sei mir nicht böse, aber ich würde jetzt gern schlafen.«

Ich stand hastig auf und ging. Ich versuchte mir vorzustellen, wie Hemstedt sich wohl benahm, wenn er jemanden liebte. Ich hatte keine Ahnung. Seine Liebe fand immer nur in meiner Abwesenheit statt. Ich stieg wieder in mein Angeberauto und fuhr los. Bei der nächsten Ampel fing ich an zu weinen. Ich weinte so sehr, daß ich rechts ranfahren und neben einem Einkaufszentrum halten mußte. Ich legte mich über das Lenkrad und weinte, weinte. An der Rolltreppe des Einkaufszentrums stand eines dieser mageren, verwahrlosten Kinder, die man in diesem Jahr überall in der Stadt sah und die auf einer Ziehharmonika oder einem billigen Synthesizer spielten. Die Armseligkeit des Kindes war überhaupt nicht malerisch. Es sah verwurmt aus und so, als hätte es einen leichten Dachschaden. Ich überlegte, ob ich aussteigen und ihm sagen sollte, daß heute Sonntag war und morgens um acht sowieso kein Mensch ins Einkaufszentrum gehen würde, aber vielleicht hatte es ja seine geheimen, nur ihm verständlichen Gründe. Das Wurmkind spielte auf seinem Klapp-Synthesizer eine eigenwillige Version von Lambada. Es war die traurigste Lambada, die sich denken ließ. Wie der Klagegesang eines räudigen Vogels.

• • • • • • •

Die Londoner Sonne flirrt grün durch die Halle. Hemstedt gibt mir einen Kuß auf die Wange und lächelt. Die Empfangsdame tut abwechselnd so, als wäre sie mit dem Telefon oder mit der Rüsche an ihrem Hals beschäftigt, läßt uns aber keine Sekunde aus den Augen. Wir stehen immer noch an der Glastür. Hemstedt drückt mir einen Schlüsselbund in die Hand und spricht mit mir, doch ich bin viel zu nervös, als daß ich in der Lage wäre, aus den Lauten und Silben, die zwischen diesen beeindruckenden Zähnen hervorkommen, Wörter zusammenzusetzen, geschweige denn ganze Sätze. Ich brauche eine halbe Minute, bis das erste Wort bei mir ankommt. ›Inselhopping‹, heißt es, und ich bin mir nicht sicher, ob es so ein Wort überhaupt gibt. Dann ist von einer Yacht die Rede, das Wort ›Geschäftspartner‹ taucht auf und eine plötzliche Einladung, die nicht ausgeschlagen werden konnte. Es sind Worte wie aus einer langweiligen Fernsehserie, seltsam, denke ich, seltsam, und dann erst begreife ich, was sie bedeuten.

»Ich habe meine Reisetasche schon dabei«, sagt Hemstedt und nickt einem vorbeieilenden Kollegen zu. »Nach der Arbeit fahre ich direkt ins Stadion und nach dem Spiel gleich zum Flugplatz.«

Geht das denn immer so weiter? Welche Verwünschungen sind eigentlich über meiner Wiege ausgesprochen worden? Und warum ist keine einzige *gute* Fee anwesend gewesen, die eine der Verwünschungen hätte mildern können?

Hemstedt erzählt, wie er seine Eintrittskarte fürs Halbfinalspiel geschenkt bekommen hat, wobei er sich jedesmal unterbricht, wenn die Türflügel schnittige junge Männer oder diziplinierte Schönheiten ausspeien, die zurückgegrüßt werden wollen. Hemstedt sagt, daß die Firma irgendwelche Geschäftspartner – aber nicht die mit der Yacht – andere – zum Halbfinalspiel eingeladen hat. Sie werden in einem Prominentenblock sitzen, und Hemstedt ist einer von den Angestellten, die sie begleiten dürfen. So ein Glück. Hemstedt macht es richtig. Der ganze Trick ist, daß man sich in irgend etwas hineinsteigert: Fußball, Pferde, Berufe, Plattensammlungen, Klebebilder, Marktforschung, Politik, Brückenbau, Aquaristik, Inselhopping – egal was; Hauptsache, man kann es kontrollieren, oder es läßt einem nicht allzuviel Zeit zum Nachdenken. Man muß sich zuschütten mit Arbeit und Hobbies, und man muß sich jeden Tag vorsagen, daß das, was man tut, wahnsinnig bedeutend ist, und schon braucht man sich nicht mehr mit der Liebe zu beschäftigen oder herauszubekommen, wer man selber ist. Ich habe keine Ausbildung, kein Geld, keine Aussichten und nichts, was das ersetzen könnte. Das einzige Hobby, das ich je hatte, war dünner werden. Jemand wie ich ist der Liebe ausgeliefert – hilflos wie ein Kätzchen, das in die Waschmaschine gerät. Ich täusche einen Hustenanfall vor, um das Würgen im Hals loszuwerden. Während des Hustens kann ich auch gleich mein zitterndes Kinn festhalten. Was habe ich denn erwartet?

Ich sage: »Das ist ja toll. Großartig. Das ist ja wirklich toll für dich! Und hinterher gleich zum Inselhopping! Mensch!«

»Du kannst natürlich trotzdem meine Wohnung benutzen. Wenn du wieder wegfährst, wirfst du einfach den Schlüssel in den Briefkasten.«

»Ja«, sage ich, »ja, das kann ich tun.«

»Ich muß jetzt wieder an meine Arbeit.«

»Ja. Natürlich. Geh nur. Und vielen Dank, daß ich deine Wohnung benutzen kann.«

Meine Güte, mach ich es ihm wieder leicht. Gleich haut er ab, und nichts wird sich geändert haben.

»Warte«, sage ich, als er mich zum Abschied auf die Wange küssen will. »Was meinst du, weswegen ich wie ein Trottel nach London gefahren bin? Wegen des Fußballspiels? Wegen der Kronjuwelen?«

Er zieht die Schultern hoch und macht ein übertrieben ratloses Gesicht.

»Ich verfluche dich, Peter Hemstedt«, sage ich leise und schaue dabei so unverbindlich freundlich, daß die Empfangsdame unser Gespräch für Geplauder halten darf, »du wirst es in deiner widerlichen Firma weit bringen; du wirst der Chef von einer wirklich wichtigen Abteilung werden oder was immer dir hier begehrenswert erscheint, und du wirst jedes Jahr Inselhopping machen…« »Hey, Peter«, ruft einer von drei vorbeistürmenden jungen Männern, wackelt anzüglich mit den Augenbrauen, hebt den linken Unterarm auf Schulterhöhe und klopft im Vorbeilaufen mit dem rechten Zeigefinger auf seine Armbanduhr. Also war das Brauengewackel vielleicht doch eher mahnend gemeint. Hemstedt sieht ihm hinterher. Ich frage mich wieder, ob es ihm wohl peinlich ist, mit mir gesehen zu werden. Er hat noch gar nichts dazu gesagt, daß ich so dick geworden bin. Eigentlich ist das ja nicht zu übersehen. Selbst wenn man jemandem völlig gleichgültig ist. Hemstedt wendet sein Gesicht wieder mir zu.

»Du wirst eine zauberhafte Frau finden«, fahre ich hastig mit meinem Fluch fort, »die aussieht wie ein Fotomodell und einen akademischen Abschluß in einer romanischen Sprache hat. Ihr werdet eine moderne Stadtwohnung und eine tolle Villa auf dem Land besitzen, und deine Frau wird die Gardinen für die Landhausküche selber nähen. Ihr werdet zwei Kinder haben, zuerst einen Jungen und dann ein Mädchen, und wenn die Kinder aus dem Gröbsten raus sind, wirst du dich scheiden lassen und eine genauso schöne, kultivierte und kluge Frau heiraten, die aber fünfzehn Jahre jünger ist und Kunstgeschichte studiert. Und diesmal wirst du dir für das Baby richtig Zeit nehmen und beruflich etwas kürzer treten, aber du bleibst natürlich immer noch ein superwichtiger Mann, und ihr werdet in einem noch größeren Haus wohnen. Und jetzt, Peter Hemstedt, hör gut zu, denn jetzt kommt der schlimmste Teil meines Fluchs:«

Hemstedt beugt sich höflich vor, um anzudeuten, daß er aufmerksam lauscht.

»Du wirst glücklich sein! Dieses Leben wird dich glücklich machen. Du wirst überhaupt nicht merken, was für ein Drecksleben du führst! Noch auf dem Sterbebett wirst du denken: Das war ja alles richtig prima, hätte gar nicht besser laufen können.«

Hemstedt blinzelt ganz kurz mit den Augen, dann streckt er seine Hand vor und berührt meine Wange, um mich aus der Fassung zu bringen.

»Nimm deine Scheiß-Hand da weg!«

»Es tut mir leid«, sagt er. »Aber ich habe schon zugesagt.« Er geht, wendet sich noch einmal um, die Glastür schnappt zu und Hemstedt löst sich in dem dunklen Gang dahinter auf. Weg ist er. Die Empfangsdame starrt mich an. Ich nicke ihr mechanisch zu, nehme meinen Koffer und gehe hinaus.

Hemstedts Wohnung liegt in einem eleganten Bezirk. An den viktorianischen Fassaden hängen Schilder, die sagen, daß hier stündlich ein Wachdienst patrouilliert. Die Haustür ist selbst mit Schlüssel so schwierig zu öffnen, daß ich hier wirklich nicht Einbrecher sein möchte. Den Weg im Taxi hierher habe ich mich zusammengerissen, aber als ich jetzt an der Tür zu scheitern drohe, bricht ein rauher Schluchzer aus mir heraus, gefolgt von haltlosem Wimmern. Ich klappere und zerre an dem verdammten Schloß herum, und dabei wimmere ich die ganze Zeit in mich hinein. Als die Tür endlich aufspringt, kann mich das schon nicht mehr trösten. Wimmernd wuchte ich den Koffer zwei Marmortreppen hoch und öffne – diesmal ohne Schwierigkeiten – Hemstedts Wohnung. Sie ist riesig. Allein der Flur – mindestens fünfzehn Meter lang. Er ist vollkommen leer und frisch gestrichen. Weiß. Ich lasse meinen Koffer fallen und gehe in das erste Zimmer. Es ist ebenfalls weiß und leer, bis auf sechs massive gußeiserne Kronleuchter, die auf dem grauen Teppich stehen. Grau. Das ist die zweite Farbe. Überall liegt grauer Teppichboden. Statt der Kronleuchter hängen jetzt an allen Decken flache Bullaugen-ähnliche Lampen mit dicken Nieten im Metall. Der zweite Raum ist das Schlafzimmer. Ein schwarzes Stahlbett, eine schwarze Kommode, ein schwarzer Vorhang, hinter dem ein begehbarer Schrank versteckt ist. Fünf Anzüge hängen an einem Metallrohr, zwei blaue, ein grauer, ein schwarzer, ein sandfarbener. Ein Regalfach mit Jeans, eines mit Pullovern, eines mit T-Shirts und zwei mit Hemden. Weiße Wände, grauer Teppichboden. Eine Tür führt vom Schlafzimmer direkt ins Bad. Vergilbte Kacheln, ein großer Spiegel und eine Badewanne mit uralten Messingarmaturen. Ich halte mein Gesicht unter den Wasserhahn, kehre tropfend ins Schlafzimmer zurück, setze mich auf das Bett und ziehe meine Stiefel aus. Es ist kein Doppelbett, aber doch breit genug, daß zwei Menschen bequem darin hätten schlafen können. Schlafen. Genau. Das werde ich jetzt tun.

．．．．．．．

Normalerweise rief meine Mutter immer nur früh morgens an, wenn ich noch schlief, damit ich mich beschwerte und sie dann sagen konnte: ›Was hast du auch für einen gräßlichen Beruf, bei dem du dir die ganze Nacht um die Ohren haust‹. Ich hätte also gleich mißtrauisch sein sollen, als sie sich plötzlich am Nachmittag meldete.

»Anne?« rief es aus dem Hörer. »Anne, ich muß dir was sagen. Es geht um Benno.«

Ich dachte, ich sollte wieder den Hund meines Bruders hüten, aber sie fuhr fort:

»Also wir geben Benno weg, oder wir lassen ihn einschläfern.«

»Was?« sagte ich. »*Was?*«

Ich wußte, daß der Hund meiner Mutter auf die Nerven ging, weil er ihr zuviel Dreck machte und manchmal stundenlang vor sich hinwinselte. Aber das war ja nun doch ein starkes Stück.

»Es geht nicht mehr. Jetzt wo dein Bruder ausgezogen ist, kümmert sich ja keiner mehr, und dein Vater und ich haben die ganze Arbeit. Du willst ja auch nicht mehr auf ihn aufpassen.«

»He«, sagte ich, »das stimmt doch gar nicht. Ich hab ihn doch bisher jedesmal genommen. Ich bin doch mindestens zweimal im Jahr bei euch und paß auf den Hund auf.«

»Aber du hast gesagt, daß es für dich eine Belastung ist. Der Hund ist für alle bloß eine Belastung.«

Ich konnte mir nicht vorstellen, daß meine Mutter wirklich den Hund umbringen lassen würde, er war schließlich ein Familienmitglied. Andererseits klang sie so verbissen, als wollte sie es unbedingt durchziehen.

»Das könnt ihr nicht machen«, sagte ich. »Ich paß auf ihn auf. Wann immer ihr verreisen wollt, paß ich auf den Hund auf. Und wenn ihr ihn ganz loswerden wollt, dann nehm ich ihn. Ihr braucht ihn nicht umzubringen!«

»Du hast ja keine Ahnung, was hier los war«, sagte meine Mutter. »Du bist ja nicht dabeigewesen. Dein Bruder war mit seiner Susanne da, und dein Vater ist fast durchgedreht. Das arme Mädchen war völlig verstört. ›Jetzt bin ich endlich in Rente und könnte verreisen‹, hat er gesagt, ›und da habe ich diesen Hund am Bein.‹ Dein Vater ist sowieso schon depressiv. Der war so verzweifelt, der bringt sich noch um. Und das sag ich dir: Mein Mann ist mir wichtiger als ein Hund.«

Ich konnte mir gut vorstellen, wie das Gesicht von meinem Vater ausgesehen hatte, als er diese Worte hervorpreßte. Bestimmt war es wieder ganz verzerrt gewesen, so eine gerade noch gebändigte Wut ins Nichts hinein, als wenn er jeden Moment haltlos zu weinen anfangen könnte. Wenn er dieses Gesicht aufsetzte, taten wir immer alle, was er wollte.

»Jetzt mal langsam«, sagte ich. »Der regt sich auch wieder ab. Also, ich mach mich jetzt mal schlau, wie ich das regeln kann, daß der Hund zu mir kommt…«

»Du kannst ihn nicht nehmen. Was willst du denn machen, wenn du Taxi fährst? Wir lassen ihn demnächst einschläfern, er ist ja auch alt. Ich sag dir das nur jetzt schon, damit du dich hinterher nicht wieder beklagst, wir würden dir nie Bescheid sagen.«

»Mir fällt was ein«, sagte ich. »Ich nehm ihn, ich kümmer

mich um ihn. Das ist ein gesunder Hund. Hauptsache, ihr bringt ihn nicht um.«

»Na, es ist ja auch noch nicht sofort«, sagte meine Mutter. »Ich wollte es dir nur schon erzählen.«

Am Abend rief ich meinen Bruder an.

»Was ist da eigentlich los gewesen?«

»O Mann, der Alte wird immer verrückter«, sagte mein Bruder. »Wir hatten einen Wäschesack dabei. Mama wollte das. Sie hat mich angerufen und gefragt, ob ich nicht schmutzige Wäsche hätte. Sie hat richtig gebettelt, daß sie sie machen darf. Da hab ich also den Sack mitgebracht, und am Abendbrottisch rastet der Alte plötzlich aus, was das für ein Unding wär, daß wir Mama immer noch die Wäsche vor die Füße werfen. Der hörte gar nicht mehr auf. Und alles, während Susanne dabei war. Die hat beinahe geweint.«

»*Der Hund*«, sagte ich, »haben die dir nicht gesagt, daß sie Benno umbringen wollen?«

»Ach. Der Alte hat sich da wieder reingesteigert, daß er unbedingt verreisen muß. Ist ja auch was Krankes, dieses ewige Verreisen. Der regt sich auch wieder ab. So was Bekopptes.«

»Das ist denen ernst«, sagte ich. »Mama hat gesagt, daß sie ihn einschläfern lassen will. Die hat doch bloß auf eine Gelegenheit gewartet, ihn endlich loszuwerden.«

»So 'n Quatsch. Das macht die nie. Dafür ist die doch viel zu feige. Die traut sich doch gar nicht, den Tierarzt zu fragen. Außerdem ist das immer noch mein Hund. Und wenn sich der Alte gar nicht mehr einkriegt, dann erschieß ich den selbst – in der Garage.«

»Ich nehm ihn«, fing ich wieder an. »Ihr braucht Benno nicht umzubringen!«

»Sieh du man zu, daß du allein über die Runden kommst. Damit hast du genug zu tun«, sagte mein Bruder.

Ich machte eine Liste, was alles zu erledigen war. Zuerst mußte ich meinen Vermieter fragen, ob ich nicht ausnahmsweise doch einen Hund in meiner Wohnung halten dürfte. Falls nein, mußte ich mir schleunigst eine neue Wohnung besorgen und außerdem einen Job suchen, bei dem ein Hund erlaubt war. Vielleicht konnte ich Funkerin werden oder in einem Hundefutterladen aushelfen. Vielleicht konnte ich zu meinem neuen Freund ziehen, falls dessen Vermieter Hunde erlaubte. Allerdings kannten wir uns erst seit zwei Wochen. Es war nicht einfach. Ich hoffte wirklich, daß meine Eltern sich wieder einkriegten. Andererseits würde ich nun vielleicht doch noch zu einem Hund kommen. Benno würde neben meinem Bett schlafen und mich überallhin begleiten. Er würde mich zwingen, mein Leben zu ändern. Wer wußte, wozu das gut war.

Am nächsten Tag etwa gegen halb fünf Uhr nachmittags rief meine Mutter schon wieder an. Sie weinte haltlos. Ihre Stimme überschlug sich und war immer wieder von Schluchzern unterbrochen:

»Anne? Anne, du darfst jetzt nicht schimpfen! Versprich mir, daß du nicht mit mir schimpfst!«

»Was ist denn los?« sagte ich, aber eigentlich wußte ich es schon.

»Benno ist tot.«

»Wie, Benno ist tot?«

»Ich habe ihn heute zum Einschläfern gebracht.«

»Du meinst, du hast ihn abspritzen lassen.«

»Du darfst mir jetzt keine Vorwürfe machen! Mir geht es ganz schrecklich. Sag, daß du mir verzeihst! Sag jetzt, daß du mir verzeihst!«

Sie schluchzte wieder.

»Nein«, sagte ich. »Ich kann dir das nicht verzeihen. Du hast ihn gekillt. Du hast einen gesunden Hund gekillt.«

»Ja, ach… wenn du das so siehst…«, und dann legte sie auf.

Ich legte auch auf, und dann fing ich ebenfalls an zu weinen. Zuerst saß ich bloß stumm da, während mir unaufhörlich Tränen aus den Augen leckten, aber dann legte ich richtig los. Es war ein völlig entstellendes Geplärre, bei dem sämtliche Schleusen brachen, und es hörte nicht mehr auf; es hörte einfach nicht mehr auf. Ich warf mich auf den Boden und brüllte und tobte, bis mir die Tränen auch noch aus der Nase liefen, Speichelfäden zwischen meinen Lippen hingen, und Rotze an meinem Kinn. Ich hätte den Hund gleich holen müssen. Warum hatte ich Benno nicht gleich geholt? Ich heulte und schrie, bis mir die Luft wegblieb. Ich versuchte, mich noch weiter hineinzusteigern. Ein Notarztwagen sollte kommen und mich ins Krankenhaus bringen. Aber dafür reichte es nicht. Plötzlich öffneten sich meine Lungen knisternd, und ich bekam wieder Luft und mußte selber sehen, wie ich diesen Tag zu Ende brachte.

Nachts träumte ich, daß meine Mutter mir eine Drahtschlinge um den Hals legte und versuchte, mich zu erdrosseln. Sie machte das im Badezimmer, vermutlich, weil sich die Kacheln leichter reinigen ließen. Aus dem Wasserhahn schoß Blut ins Waschbecken. Ich versuchte, auf allen vieren, immer noch mit der Drahtschlinge um den Hals, aus dem Badezimmer zu kriechen, und meine Mutter lief neben mir her und schlug mir mit Schüsseln auf den Kopf.

Zuerst rief meine Schwester an, dann mein Vater, und dann kam auch noch mein Bruder vorbei. Sie verlangten, daß ich mich wieder einkriegen und mit der Familie vertragen sollte. Mein Vater hatte mich noch nie zuvor freiwillig angerufen, und es war etwas so Außerordentliches, seine Stimme um eine Aussprache bitten zu hören, »damit wir die Sache endlich klären«, daß ich prompt darauf hereinfiel. Aber dann sagte mein Vater bloß, daß ich eben psychisch labil sei und die Dinge alle viel zu schwernähme und daß ich damit wohl würde leben müssen, daß ich so war, wie ich war. Ich widersprach nicht, aber danach ging ich überhaupt nicht mehr ans Telefon. Deswegen hatten sie meinen Bruder geschickt.

»Der Alte ist doch ein unglaublicher Heuchler«, sagte mein Bruder. »Das hättest du mal erleben sollen, wie er den toten Hund im Garten vergraben hat. Der heulte und heulte, der konnte kaum aus den Augen kucken. Und am nächsten Morgen ist er mit Mama quietschvergnügt los und hat sich bei Möbel Kraft eine komplette neue Wohnzimmergarnitur bestellt. Endlich können sie das fleckige Sofa rausschmeißen.«

Merkwürdigerweise wollte mein Bruder trotzdem, daß ich mich mit den Eltern vertragen oder wenigstens Weihnachten mit ihnen feiern sollte, und als ich mich weigerte, sagte er:

»Du bist doch genauso bekloppt wie die Alten.«

Bevor er ging, fiel ihm gerade noch ein, daß er Axel Vollauf getroffen hatte und mich von ihm grüßen sollte.

»Du sollst dich mal melden«, sagte mein Bruder.

»Axel Vollauf? Ist nicht wahr. Wie sah er aus?«

»Wie immer. Der hat sich kein Stück verändert.«

Natürlich hatte er sich doch verändert. Er war einer dieser dünnen hochaufgeschossenen Typen geworden, mit endlos langen Streichholzbeinen und einem Hintern wie ein Stück Seife. Allerdings hatte er immer noch den gleichen Haarschnitt wie damals und immer noch die Augen eines panischen Rehs, das ins Scheinwerferlicht starrt. Wir gingen ins Lullaby, eine Kneipe, die viel von Taxifahrern frequentiert wurde, weil sie bis in den frühen Morgen aufhatte. Axel war ebenfalls Taxifahrer geworden. Ich war ihm aber nie begegnet, weil er tagsüber fuhr. In dieser Nacht erzählte ich Axel, daß meine Eltern den Hund umgebracht hatten, daß ich immer nur mit Kfz-Mechanikern und Taxifahrern zusammen war, daß ich keinen von ihnen je geliebt hatte, auch den nicht, mit dem ich jetzt gerade zusammen war, obwohl es diesmal ein Fahrlehrer war, daß ich es aber nie fertigbrachte, Schluß zu machen, daß ich nur mit einem einzigen Mann jemals guten Sex gehabt hatte und derjenige sich bloß deswegen so ins Zeug geworfen hatte, um mich bis in die privatesten Bereiche meiner Seele und meines Körpers zu beherrschen und zu quälen, daß ich die einfachsten fundamentalen Dinge nicht auf die Reihe kriegte und nicht mal Bahn fahren konnte, und daß das einzig Schöne in meinem Leben die Zeit mit ihm im Tierspital gewesen war und ich ihn bloß deswegen abserviert hatte, weil meine Familie von seinen wilden Umarmungen genervt war.

»Ja«, sagte Axel bitter, »das habe ich immer wieder erfahren müssen, daß meine herzlichen Umarmungen nicht überall gleich gut ankamen.«

Mir fiel wieder ein, daß er mich damals beinahe erwürgt hatte, aber ich fand es unangebracht, ihn in diesem Moment darauf hinzuweisen. Axel erzählte, daß er inzwischen in Therapie war und daß das die beste Entscheidung seines Lebens gewesen sei, daß seine Mutter, als er vierzehn war, sich nackt vor ihn hingestellt und gefragt hatte: ›Sag mal, wie findest du eigentlich, wie ich aussehe?‹ und er geantwortet hatte: ›Schön, Mutti, ich finde, daß du schön bist‹, daß er in Wirklichkeit aber am liebsten weggelaufen wäre. Er erzählte, in eine Frau namens Andrea verliebt gewesen zu sein, ganz fürchterlich verliebt, daß er jetzt aber darüber hinweg und immer noch mit ihr befreundet sei, daß sein Freundeskreis, der aus dieser Frau und einem Mann bestand, jetzt seine Familie wäre, seine neue kleine Familie, mit der er auch Weihnachten feierte, und daß er manchmal Artikel für Szenezeitschriften schrieb. Gerade hatte er einen Artikel darüber schreiben wollen, warum Frauen plötzlich wieder mehr Binden als Tampons benutzten.

»Dieser neue Binden-Trend«, sagte Axel, »und ob das womöglich mit einem größeren Körperbewußtsein zusammenhängt, daß Frauen sanfter mit sich umgehen und nichts mehr in sich hineinstecken wollen. Aber dann hat mein Therapeut gesagt, daß ich das lassen soll, weil es bloß mit meinem eigenen Geburtstrauma zusammenhängt, all das Blut und so.«

Ein kluger Mann, dieser Therapeut, schien mir, und das Beste war, daß er anscheinend ständig in Gleichnissen redete wie der Lehrmeister von Kwang Chai Cane aus der Serie ›Kung Fu‹.

Damals, als Axel noch in diese Andrea verliebt gewesen war, die nichts von ihm wissen wollte, da hatte sein Therapeut ihm folgende Geschichte erzählt:

»Stell dir vor, du willst Brötchen kaufen. Du hast wahnsinnigen Hunger auf Brötchen. Und endlich findest du einen Laden, gehst hinein und sagst: Ich möchte bitte zehn Brötchen. Und da sagt der Ladeninhaber zu dir: Tut mir leid, Brötchen verkaufe ich nicht. Das hier ist ein Schraubenladen. Ich verkaufe bloß Schrauben.

Jetzt hast du drei Möglichkeiten. Du kannst jeden Tag wiederkommen und schreien, daß du Brötchen haben willst, und wenn du Glück hast, gehst du dem Ladeninhaber damit irgendwann dermaßen auf den Senkel, daß er beschließt, seinen Schraubenladen dichtzumachen und statt dessen

Brötchen zu verkaufen. Die zweite und empfehlenswertere Möglichkeit ist: Du gehst wieder aus dem Laden hinaus und schaust, ob du nicht woanders eine Bäckerei findest. Und drittens könntest du natürlich auch überlegen, ob du nicht vielleicht ein paar Schrauben gebrauchen könntest. Ob dein Hunger auf Brötchen möglicherweise gar nicht so dringend ist. Ob es Schrauben nicht vielleicht auch tun. Aber wenn du meinst, daß Schrauben deinen Hunger niemals stillen werden, dann solltest du diesen Laden verlassen und dir eine Bäckerei suchen.«

Mit solchen Gleichnissen hatte sein Therapeut ihn von einem unseligen Lebensirrtum nach dem anderen geheilt:

»Wenn ich früher bei Umzügen geholfen habe, dann habe ich mir absichtlich immer die schwersten Kartons aufgeladen«, sagte Axel, »ich dachte, ich müßte beweisen, daß ich das kann. Aber inzwischen weiß ich, daß ich nicht der Kräftigste bin. Jetzt nehm ich immer die leichten Kartons, und ich schäm mich nicht dafür.«

So richtig begeisterte mich diese neue Form männlichen Selbstbewußtseins nicht. Wenn es etwas gab, das mir die üblichen männlichen Mängel versüßt hatte, dann ja wohl, daß meine Kfz-Mechanikerfreunde immer meine jeweiligen Autos, Motorräder und elektrischen Haushaltsgeräte tipptopp in Schuß gehalten und mir die schwersten Kisten hochgetragen hatten. Ich fand nicht, daß man diese Gefälligkeiten einfach so weglassen konnte, ohne auf anderen Gebieten deutlich an Qualität zuzulegen. Andererseits: War ich denn auch nur für fünf Pfennig glücklich gewesen mit meinen Kfz-Mechanikern? Lag darin nicht womöglich mein ganzes Unglück, daß ich immer nach dieser konventionellen Männlichkeit geschielt und Herzlosigkeit für Lässigkeit gehalten hatte?

»Ich versteh nicht, wieso du dich nicht von deinem

Freund trennen kannst«, sagte Axel. »Der fährt jetzt stupide mit seinem Taxi durch die Gegend und hört Heavy-metal-Musik. Und damit so ein dumpfer Idiot weiter glücklich sein kann, mußt du unglücklich sein und mit ihm zusammenbleiben, obwohl du das gar nicht willst? Oder ist es das, was du willst?«

»Er fährt gar kein Taxi, und er hört überhaupt keine Heavy-metal-Musik«, tat ich empört, mußte aber gleichzeitig ein beifälliges Kichern unterdrücken. Zum ersten Mal erschien mir eine Trennung durchführbar. Ja, dachte ich, ja, ich werde meinen Freund verlassen. Ich werde ihm sagen, daß ich ihn nicht liebe, und dann wird es endlich vorbei sein. Und dann… Warum sollte ich das traurige Unrecht, zu dem mich meine Familie damals gedrängt hatte, nicht wieder rückgängig machen. Warum sollte ich die Liebesgeschichte von Axel und mir nicht doch noch zu einem guten Ende bringen und all unsere Wunden heilen? Falls wir eines Tages zusammenziehen sollten, müßte vermutlich ich die Kartons mit den LPs tragen. Aber war es das nicht wert?

Kurz vor Sonnenaufgang fuhr Axel mich in seinem kleinen roten Hausfrauenauto wieder zurück zu meiner Wohnung. Vor der Tür stellte er den Motor aus. Die Vögel lärmten schon. Wir sahen uns an und lächelten erst und waren dann ein bißchen verlegen. Schließlich fragte ich, ob ich ihn küssen dürfte. Ich dachte, er hätte es darauf angelegt. Stellt man sonst den Motor aus?

Aber statt sich zu mir herüberzubeugen, riß Axel panisch seine Telleraugen auf, preßte sich in den Sitz und quetschte ein tonloses Ja heraus, wobei er stur geradeaus starrte. Ehrlich gesagt, hatte ich jetzt nicht mehr die allergeringste Lust, ihn zu küssen. Es war nicht gerade sexy, wie er sich anstellte. Andererseits war es möglicherweise noch schlimmer für ihn, wenn ich ihn jetzt einfach so sitzenließ. Die Situation

war wirklich zu blöd. Ich beugte mich kurz hinüber und küßte ihn so flüchtig wie möglich auf die Lippen. Selbst das war
schon zuviel. Meine Güte, was war bloß los mit ihm?

Bei unserem zweiten Treffen gingen wir ins Kino. Es gab
einen Film, der in Irland spielte. Jemand ersteigerte ein
Rind, es war eine pummelige Kuh mit einem riesigen Euter,
zweifellos das Tier, das die besonders streichfähige Butter
produzierte, und der Held des Films zog sie an einem Strick
hinter sich her durch eine irische Bilderbuchlandschaft.

»Wie süß!« quietschte Axel.

Ich beschloß, das als ein positives Zeichen auszulegen.
Keiner der Männer, mit denen ich je zusammen gewesen
war, hätte beim Anblick einer Kuh »wie süß« gesagt, und
mit keinem von ihnen war ich glücklich gewesen. Nach dem
Kino gingen wir direkt zu mir. Ich war ein freier Mensch.
Zwei Tage zuvor hatte ich mit dem Fahrlehrer Schluß gemacht. Einfach nur, indem ich es sagte. Ich hatte ihn nicht
erst betrügen müssen. Es war keineswegs einfach gewesen,
aber jetzt war ich nur noch erleichtert.

Axel beschwerte sich, daß das Licht in meinem Wohnzimmer so grell sei und fragte nach einer Kerze. Ich holte
die Kerze. Mach dich bloß nicht über die Kerze lustig, sagte
ich zu mir, das ist ihm bestimmt schon schwer genug gefallen, danach zu fragen. Dann lagen wir beide auf dem
Boden und redeten, das Kerzenlicht machte es tatsächlich
einfacher, das mußte ich zugeben, und außerdem hatte ich
mir vorgenommen, diesmal keinen Finger zu rühren und
nichts zu erwarten. Manchmal streckte Axel seine Hand
aus und strich über meinen Arm, und es sah aus, als könnte das hier endlich einmal ein netter Abend werden, so ein
Abend, an dem sich niemand bösartig oder geisteskrank
aufführte, an dem man einfach nur freundlich zueinan-

der war. Im nachhinein ist es immer schwer zu sagen, zu welchem Zeitpunkt der Mann, mit dem man im Begriff ist, so einen netten Abend zu verbringen, es sich plötzlich anders überlegt hat. Möglicherweise war es schon, als Axel zu mir sagte:

»Ich mag es, wie dein großer Hintern in diesem Rock aussieht.«

»Das ist nicht gerade die Art von Kompliment, über die man sich aus vollem Herzen freuen kann«, antwortete ich.

»Wieso? Weil ich gesagt habe, daß du einen dicken Hintern hast? Aber du hast nun einmal einen dicken Hintern. Und mir gefällt das ja auch.«

»Macht es dir was aus, das Thema zu wechseln?«

»Wieso denn? Hast du Probleme mit deinem Hintern? Ich finde das nicht schlimm, wie dick du bist.«

»Schon gut«, sagte ich, »belassen wir es dabei. Du magst meinen dicken Hintern. Wir brauchen es nicht weiter zu erörtern.«

Ich war nicht auf der Hut. Ich glaubte, Axel wäre bloß besonders ungeschickt darin, Komplimente zu machen. Ich wollte das glauben. Ich hatte mich in die Idee verrannt, daß wir zwei Kinder wären, denen einmal übel mitgespielt worden war und die jetzt eine zweite Chance bekommen hatten, und diesmal würde ihre Liebe über die ganze Bosheit und Kleinheit der Welt triumphieren. So sah ich uns.

»Ich würde dich gern küssen«, sagte Axel und rutschte dicht an mich heran. Ich nahm den Arm weg, mit dem ich mich aufgestützt hatte, ließ meinen Kopf zu Boden sinken und schloß die Lider. Nichts passierte. Ich öffnete meine Augen wieder. Axel hatte sich über mich gebeugt, die Hände links und rechts von meinen Schultern aufgestützt. Sein Gesicht war keine zwanzig Zentimeter von meinem entfernt, und es war kein guter Blick, mit dem er mich ansah, keiner, unter dem man sich wohl fühlte. Ich mußte ihm Zeit lassen. Er war so furchtbar verkorkst. Axels Augen waren tellergroß, so wie immer, und die Partie um sie herum starr. Aber in den Augen begann sich etwas zu bewegen. Die Pupillen. Sie wurden abwechselnd groß und wieder klein. Zehn Sekunden lang sah er mich mit großen samtigen Pupillen der Zuneigung an, und dann – schnapp – funkelte er mich plötzlich haßerfüllt aus kleinen schwarzen Punkten an, und – schnapp – die Pupillen wurden wieder groß, und – schnapp – wieder klein, zehn-, zwanzigmal das Ganze. Es war richtig unheimlich.

»Was ist denn los?« sagte ich.

»Ich weiß noch gar nicht, ob ich dich überhaupt küssen will«, antwortete er.

Ich war nicht mehr besonders widerstandsfähig.

»Warum tust du das? Macht dir das Spaß?«

»Das muß ich mir nicht anhören«, sagte Axel und stand auf, »den Scheiß hör ich mir nicht an!«

Ich stützte mich auf die Ellbogen, lag aber immer noch mehr oder weniger am Boden. Warum setzen sich Menschen eigentlich all den Demütigungen aus, mit denen sie rechnen müssen, wenn sie jemanden mit nach Hause nehmen?

»Ich hätte dich tausendmal auflaufen lassen können«, schrie ich. »Denkst du, du bist nicht lächerlich? Ich hab's doch auch nicht getan. Warum tust du's?«

»Du hast da echt ein Problem!« brüllte Axel zurück. »Du hast da ein ziemliches Problem, aber das geht mich nichts an. Laß mich mit deinem Scheiß zufrieden!«

»So, das hat jetzt wohl alles keinen rechten Sinn mehr«, fuhr er fort, jetzt wieder sehr gefaßt. »Paß auf, ich schreib dir hier eine Telefonnummer auf. Das ist die Nummer von meinem Therapeuten. Da kannst du anrufen oder es auch sein lassen. Ich will mit deinen kranken Anfällen jedenfalls nichts mehr zu tun haben.«

»Steck dir deine Telefonnummer in den Arsch!« schrie ich. »Du Idiot!«

»Ich leg den Zettel hier auf den Tisch«, sagte Axel. »Und jetzt geh ich. Tschüß!«

Und er ging und zog die Tür hinter sich zu. Und damit waren wir dann wohl quitt.

Ich konnte den Therapeuten von Anfang an nicht richtig ausstehen. Er war sehr groß und hatte lange schwarze Haare, die er nachlässig zu einem Pferdeschwanz zusammenknüllte. Ich hätte lieber einen kleinen häßlichen und klug aussehenden mit verhedderten Augenbrauen gehabt. Der hier sah aus wie der begehrteste Mann auf einem Open-air-Konzert. Der hier sah aus wie einer von den Leuten, die mir immer schon das Leben verpestet hatten. Das ist gut, sagte ich zu mir, wenn man gleich am Anfang eine Negativübertragung oder -projektion, oder wie das heißt, hat, kann man die an seinem Therapeuten abarbeiten, und hinterher ist man ein Stück weiter. Das Therapiezimmer sah so aus, wie ich es mir vorgestellt hatte: Rauhfasertapete in stimmungsaufhellendem Apricot, zwei scheußliche Aquarelle angedeuteter menschlicher Körper und zwei sich gegenüberstehende bequeme Sessel mit orangen Überwürfen. Neben einem der Sessel stand eine Spenderbox Kleenex-Taschentücher. Das einzige, was ich nicht erwartet hatte, war die hellgelbe Küchenzeile, die von einer monströsen Kaffeemaschine dominiert wurde, einem Riesending aus Metall, das aus einer Großkantine oder aus dem Pentagon stammen mußte.

Wie ich ziemlich schnell mitkriegte, bestand die Hauptaufgabe eines Therapeuten nicht darin, sich konkrete Lösungsvorschläge für die Probleme seiner Patienten auszudenken, sondern einen die ganze Zeit so anzusehen, als glaubte er an einen, wie man selbst gern an sich glauben würde. Meiner machte seine Sache recht ordentlich, bloß daß er sich zu Anfang jeder Stunde erst mal einen Milchkaffee aufschäumen mußte. Die Angelegenheit dauerte mindestens drei Minuten, und die Pentagon-Kaffeemaschine dröhnte, vibrierte, spotzte und rülpste dabei, als würde sie gleich abheben. Man hätte schon schreien müssen, um gehört zu werden, während mein Therapeut mit seiner Tasse, dem höhenverstellbaren Kaffeeauslauf und der Aufschäumdüse hantierte. Falls er mir damit meine Nichtigkeit demonstrieren wollte, war das eine ziemlich gute Methode. Dann setzte er sich mit seinem Milchkaffee in den anderen Sessel und schaute mich erwartungsvoll an, während seine Oberlippe wie die eines gierigen Shetlandponys bereits nach dem Tassenrand tastete.

Zuerst dachte ich, er wollte mich provozieren oder herauskriegen, wie lange ich mir diese Unverschämtheit bieten lassen würde. Aber der machte immer so weiter. Der wollte überhaupt nicht provozieren. Der soff einfach bloß gern Kaffee, während er sich das deprimierende Gewäsch seiner Patienten anhörte. Schließlich rechnete ich ihm vor, daß bei seinem Stundentarif von hundertzwanzig Mark dieser Milchkaffee mich, bzw. die arme Techniker Krankenkasse, mindestens sechs Mark kostete.

»Welche Rolle spielt eigentlich Geld in deiner Familie«, fragte mein Therapeut. Ich zuckte mit den Schultern. Jedesmal, wenn ich ihm etwas über meine Familie erzählte, hatte ich den Verdacht, ich würde die ganze Zeit lügen oder maßlos übertreiben, wahrscheinlich, um mich wichtig zu machen. Es war schon so gewesen, wie ich es ihm erzählte, aber es war nicht die ganze Zeit so gewesen. Außerdem war es für mich nicht so schlimm gewesen, wie es für einen Außenstehenden klingen mußte, sondern irgendwie normal. Und wenn es einer mit dem Geld hatte, dann ja wohl mein Therapeut. Kaum hatte sich die Techniker Krankenkasse bereit erklärt, den bisherigen Satz zu übernehmen – hatte er sofort sein Stundenhonorar um zwanzig Mark erhöht. Er behauptete allen Ernstes, es wäre gut für mich, wenn ich zumindest einen Teil meiner Therapiestunden selbst bezahlen würde.

»Nee«, sagte ich, »das ist bloß gut für dich«, und schon war er wieder bei meinem Geldproblem. Anschließend sah er mich ernst an und sagte: »Weißt du eigentlich, daß ich dich sehr gern habe und dich für einen liebenswerten Menschen halte?«

»Das ist dein Job«, sagte ich, »dafür zahlen die arme Techniker Krankenkasse und ich dir hundertzwanzig Mark die Stunde.«

Stimmte ja auch.

»Du mit deinem verdammten Geldprobleml Das glaubst du wirklich, nicht wahr? Du denkst, ich lüge dich an?«

»Ach, komm«, sagte ich versöhnlich, »so funktioniert nun mal die Welt. Boutiquenverkäuferinnen sagen: Das steht Ihnen aber gut, Prostituierte sagen: Oh, bist du stark, und Therapeuten sagen: Du bist ein liebenswerter Mensch. Und wer irgendwas davon glaubt, ist nicht sehr helle. Oder hast du jemals zu einem deiner Patienten gesagt, daß du ihn nicht leiden kannst, daß er ein langweiliger dummer Mensch ist und dir vor der Stunde mit ihm graust?«

Mein Therapeut behauptete daraufhin, daß es überhaupt keine langweiligen Menschen gäbe – so wie Eltern immer behaupten, sie hätten alle ihre Kinder gleich lieb –, was mich wiederum zu der Vermutung veranlaßte, er hätte möglicherweise in seinem ganzen Leben noch keinen interessanten Menschen kennengelernt oder wäre erschreckend wahllos. Ehrlich gesagt, verachtete ich meinen Therapeuten deswegen ein bißchen, wobei mein Therapeut die Meinung vertrat, daß Verachtung bloß eine Abwehrhaltung sei, um die Angst vor Ablehnung zu entschärfen. Außer übers Geld stritten wir uns nämlich auch noch darüber, daß ich von ihm immer als von meinem Irrenarzt sprach. Er meinte, das wäre abwertend, dabei fand ich den Ausdruck Therapeut viel schlimmer.

Wenn ich schon nicht seine Freundschaft annahm, sollte ich wenigstens was *spüren*. Es genügte ihm nicht, wenn ich sagte, daß mich etwas bekümmerte. Mein Irrenarzt wollte mich heulen sehen. Ich versuchte, ihm zu erklären, daß mein Problem nicht darin bestand, zuwenig zu spüren, sondern daß ich ständig auch noch das fühlen mußte, was andere gerade fühlten. Aber das begriff er nicht.

»Wer keinen Schmerz spürt, kann auch kein Glück empfinden«, sagte er. Das klang logisch. Aber die Rechnung ging natürlich bloß dann auf, wenn überhaupt Aussicht auf Glück bestand. Das hatte er, glaube ich, nicht bedacht. Was am Ende dabei herauskam, war, daß ich mich schlechter verstellen konnte. Während ich früher kaum mit der Wimper gezuckt hatte, wenn mir etwas zu schaffen machte, überfiel mich jetzt schon bei Kleinigkeiten ein Würgen im Hals, und meine Stimme brach verräterisch. Das war keine Hilfe; das war, als schickte er mich unbewaffnet zwischen lauter Revolverhelden.

Nach der zehnten Stunde hatte mein Therapeut damit angefangen, mich zur Begrüßung und zum Abschied in die Arme zu nehmen. Schauderhaft, aber ich ließ es ein paarmal geschehen, um ihn nicht vor den Kopf zu stoßen. Er umarmte nämlich alle seine Patienten. Wenn ich aus der Stunde ging und der nächste hereinkam, fielen die beiden sich sofort in die Arme und umklammerten und herzten sich ewig lange. Irgendwann fragte ich, ob wir das nicht lassen könnten, und er sagte, er hätte das auch schon bemerkt, daß ich das nicht so richtig wollen würde, und von da an gab er Ruhe. Bloß spürte ich jetzt jedesmal, wie sehr er darauf lauerte, daß ich ihn eines Tages doch noch umarmen würde. Es ging ihm dabei weniger um die Sache selbst, als darum, daß ich es *wollen* sollte. Das war ihm aus irgendeinem Grund wichtig. Ich mochte ihn nicht dauernd enttäuschen. Deswegen tat ich manchmal so, als wäre mir jetzt danach. Und tatsächlich sah er gleich viel besser aus, wenn ich ihn umarmt hatte.

Nach einem Jahr wollte ich die Therapie abbrechen, aber ich hatte immer noch nicht gelernt, Schluß zu machen. Ich wußte nicht, wie ich es meinem Therapeuten beibringen sollte, ohne ihn zu kränken. Unsere Aussprache endete damit, daß ich mich zu einem seiner Workshops anmeldete. Der Workshop dauerte fünf Tage und fand in einem umgebauten niedersächsischen Bauernhof statt, in dem auch die geschiedene Frau meines Therapeuten und ihr gemeinsamer Sohn wohnten. Am ersten Abend traf sich die Gruppe in einem nierenförmigen Anbau, der durch helle Holzverschalung, Parkett, ergonomische Sitzkissen in Türkis und Violett und einen Stapel Wolldecken orthopädischen Charme versprühte. Die Fenster waren zum Schutz gegen die interessierte Nachbarschaft mit schweren blauen Leinenvorhängen gesichert. Alle setzten sich in einen Kreis, und dann mußte jeder erzählen, wer er war, was er machte, was er sich von diesem Workshop erhoffte und ob es etwas gab, wovor er sich fürchtete. Wir waren – ohne Therapeuten – zwölf Leute, sieben Männer und fünf Frauen. Von den sieben Männern fuhren fünf Taxi, einer war Informatiker und einer Sozialpädagoge, und von den fünf Frauen waren vier Sozialpädagoginnen, die fünfte war ich. Im Gegensatz zu mir schienen sich die anderen alle mehr oder weniger zu kennen, hatten sich zur Begrüßung umarmt und auf die Wangen geküßt. Einige waren sogar zusammen angereist.

»Normalerweise sollten sich die Leute auf einem Workshop ja nicht kennen«, erklärte unser Therapeut fröhlich, »aber da setz ich mich einfach drüber hinweg.«

Als es darum ging, was wir erhofften und fürchteten, hofften so ziemlich alle, in ihrer psychischen Entwicklung weiterzukommen, und hatten Angst, daß sie etwas über sich herausfinden könnten, das sie dann vielleicht doch lieber nicht herausgefunden hätten. Ich hatte mich eigentlich überhaupt nicht gefürchtet, jedenfalls so lange nicht, bis ich das Gespräch zwischen meinem Therapeuten und seinem Sohn im Flur mit anhören mußte.

Kurz bevor wir in den Nierentempel hinübermarschiert waren, hatten wir nämlich noch einen Augenblick im Flur des Haupthauses herumgestanden, und der Sohn meines Therapeuten war hereingekommen, um uns angewidert zu mustern. Er war ungefähr acht Jahre alt, trug Jeans und ein Jurassic-Park-T-Shirt und hatte ein Maschinengewehr aus Plastik über der Schulter. Mein Therapeut war in die Knie gegangen und hatte seinen Sohn so herzlich umarmt, wie er das auch bei seinen Patienten zu tun pflegte.

»Was hast du denn da? Oha, ein richtiges Gewehr.«

Er hatte sich hinter seinen Sohn gehockt, über seine Schultern nach der Knarre gelangt und mit ihm gemeinsam auf ein imaginäres Ziel angelegt. Beide hatten ein Auge zugekniffen, so daß die Sozialpädagoginnen und Taxifahrer vor lauter Rührung schmunzeln mußten.

»Na, was meinst du«, hatte mein Therapeut seinen Sohn gefragt, »wen wollen wir damit erschießen? Wollen wir damit die Mami erschießen? O ja, wir könnten zusammen Mami erschießen! Was meinst du?«

Die anderen Workshop-Teilnehmer, anscheinend eingeweiht in die Scheidungsquerelen ihres Therapeuten, hatten
verständnisvoll gelacht, während der Achtjährige seinem
Vater zuliebe ein klägliches Grinsen aufgesetzt und in seiner
Not einen Buckel gemacht hatte, als wollte er sich in sich
selbst verkriechen. Mir ging es ähnlich. Am liebsten wäre
ich sofort wieder nach Hause gefahren, hätte alle Gardinen
zugezogen und mir eine Kekstüte über den Kopf gestülpt.
Aber um mir diese Veranstaltung leisten zu können, war ich
eine Woche lang Taxi gefahren, und ich hatte alles im voraus bezahlt. So, wie ich meinen Therapeuten kannte, würde
er die Kursgebühr niemals wieder rausrücken, sondern höchstens eine Diskussion über mein Geldproblem anfangen.
Deswegen tat und sagte ich nichts. Nach mir war der Informatiker dran. Er hatte getrocknete Spucke in den Mund-
winkeln und hoffte ebenfalls, hier in seiner psychischen
Entwicklung weiterzukommen. Dann fügte er verlegen la-
chend hinzu, er hoffe außerdem, hier jemanden kennen-
zulernen. Die anderen grinsten wissend in sich hinein.

Am nächsten Morgen wurde mir klar, warum alle so dämlich
gegrinst hatten und warum so erstaunlich viele Männer an
dieser Veranstaltung teilnahmen. Vermutlich gibt es nicht
viele Gelegenheiten, bei denen man jemanden so leicht und
selbstverständlich kennenlernen kann wie bei einem the-
rapeutischen Workshop. Es liegt an all diesen Übungen, die
man paarweise durchleidet und bei denen man sich manchmal ganz schön dicht auf die Pelle rückt. Gleich für die erste
Übung sollten wir uns einen Partner suchen. Während die
anderen noch mit sich rangen, ob sie sich die Blöße geben
sollten, jemanden zu erwählen, oder ob sie lieber abwarten
sollten, daß jemand sich ihrer erbarmte, stand ich schnell
auf und fragte Frank, einen der Taxifahrer, ob ich mich

zu ihm setzen dürfte. Frank war auf eine altmodische Art männlich – wie der Held aus einem 70er-Jahre-Action-Film mit Autos. Dieses etwas verhärmte und vertrocknete Gesicht mit den scharfen Falten neben dem Mund und diese gleichzeitig verletzt und aggressiv schauenden Augen. Jaja, das Leben hatte ihn nicht ungeschoren davonkommen lassen, aber er hatte nie gejammert und konnte bloß durch Zufall in diesen Workshop geraten sein. Allerdings hatte die Jeans, die er trug, einen selten bescheuerten Schnitt. Ich hatte es schon bemerkt, als ich hinter ihm her in den Gruppenraum gegangen war. Sie saß viel zu hoch über den Hüften und wurde dort eng, wo bei einer Frau die Taille gesessen hätte.

Die Aufgabe war, sich paarweise gegenüberzusetzen und einander fünf Minuten ins Gesicht zu sehen. Wie lange schaut man jemandem, den man nicht kennt, normalerweise in die Augen? Vier Sekunden? Vier Sekunden ist wahrscheinlich schon zu lang. Um nicht bedürftig zu erscheinen, fixierte Frank mich finster. Im Gegenzug lächelte ich sanft. Zum Glück hatte ich das inzwischen vor dem Spiegel geübt. Wenn ich die Unterlippe über den Zähnen ließ und nur die obere Zahnreihe entblößte, wenn ich die Partie um die Augen herum einfror und nur das Gesichtsstück von den Wangenknochen bis einschließlich der Oberlippe kontrolliert nach oben und außen zog, dann bekam ich etwas hin, das als konventionell liebliches Lächeln durchging. Ich sah Frank tief in die Augen, lächelte, ließ meinen Blick zu seinem Mund gleiten, wurde dabei ernst, tauchte abermals in seine Augen und lächelte, bis mein Unterkiefer taub wurde. Er tat sich schwerer, taute aber zusehends auf, und als die Übung längst vorbei war, als alle wieder im Kreis saßen und berichteten, wie es ihnen damit ergangen war und welche Gefühle das in ihnen ausgelöst hatte, suchten sich unsere Augen immer noch. Als mein Therapeut mich fragte, wie es für mich gewesen sei, sagte ich einfach bloß: »Schön«. Als er Frank fragte, sagte Frank: »In Ordnung«.

Es war wirklich einfach. Wer auch auf einem Workshop keinen Anschluß findet, sollte in eine Gesellschaftsform übersiedeln, in der die Hochzeiten arrangiert werden.

Danach war schon wieder Pause, und alle gingen zum Rauchen in den Garten. Da standen sie herum, erwachsene Menschen, und jeder für sich glaubte insgeheim, der interessanteste Patient seines Therapeuten zu sein. Ein seltsamer Ehrgeiz – die größte Meise zu haben. Wobei, wenn ich mir die öde Bande da so anschaute, aller Wahrscheinlichkeit nach immer noch ich der interessanteste Patient war. Ich hörte, wie die Sozialpädagogin Brigitte zur Sozialpädagogin Maria sagte:

»Ich würde niemals mehr etwas mit einem Mann anfangen, der keine Therapie-Erfahrung besitzt.«

»O nein«, sagte Maria, »das würde ich mir auch nicht mehr antun. Womöglich einer, bei dem man ganz von vorne anfangen muß.«

Zwei Bauern näherten sich dem Gelände, gingen am Zaun entlang und starrten uns an. Für die waren wir natürlich alle Bekloppte. Wahrscheinlich hieß der Hof im Dorf immer bloß der Bekloppenhof oder die Irrenfarm. Die anderen ließen sich seelenruhig beglotzen, denen schien das so wenig auszumachen wie Kolonialherren die Blicke des eingeborenen Personals.

Die nächsten beiden Übungen machte ich auch mit Frank. Aber am Nachmittag war er nicht schnell genug, und der Taxifahrer Ronald forderte mich zuerst auf. Ronald war auffallend groß, hatte eine Halbglatze und ein hitziges Temperament. Diesmal sollten wir uns abwechselnd sagen, was wir am anderen wahrnahmen und was wir daraus über ihn folgerten, und zwar ganz egal, ob das jetzt besonders schlüssig oder kompletter Unsinn war. Ronald legte den Kopf schief und sagte:

»Ich sehe da kleine Falten an deinem Auge, und ich folgere, daß du ein warmherziger Mensch bist, der gern lacht.« Ich sagte: »Du legst den Kopf schief und grinst mich an und machst ein Kompliment, das nicht wirklich eines ist, und ich folgere, du denkst, du kannst auf die Tour bei mir landen.«

»Ich sehe, daß du mit den Augen zuckst«, sagte Ronald. »Du bist nervös, und ich folgere, du hast Angst vor mir.«

»Ha«, machte ich, obwohl wir nicht kommentieren sollten, »ich sehe, daß du mir mit deinem Gesicht immer mehr auf die Pelle rückst und daß du die Zähne fletschst, wenn du mit mir redest, und ich folgere, daß du beleidigt bist, weil ich dich habe abblitzen lassen, und daß du dir wünschst, ich hätte wenigstens Angst vor dir.«

»Ich sehe, daß du noch mehr mit den Augen zuckst, und ich folgere, daß du dich dieser Situation überhaupt nicht gewachsen fühlst, aber den Eindruck erwecken möchtest, dir macht es gar nichts aus, was ich sage.«

»Ich sehe, daß du gerade mein Handgelenk greifst, und ich folgere, daß du dich nicht für fünf Pfennig unter Kontrolle hast, und wenn du nicht gleich deine Pfote da wegnimmst, hau ich dir was an die Ohren!«

»Du dämliche Kuh, das kannst du ja mal versuchen!«

Das war dann der Moment, in dem unser Therapeut dazwischenging.

»Halt, stop! Alle aufhören. Was ist da hinten los? Ronald, du läßt sie sofort los! Ist das klar? Sofort!«

»Sie hat mich beleidigt!«

Ronalds Augen waren glasig, während er sich bei unserem Therapeuten über mich auspetzte. Ich schenkte ihm mein schönstes kontrolliertes Lächeln und massierte mein Handgelenk. Sperr zwölf beliebige, zivilisiert wirkende Erwachsene unter Jugenherbergs-ähnlichen Bedingungen zusammen, und innerhalb von vierundzwanzig Stunden sind alle auf das Niveau von Zwölfjährigen regrediert.

Am letzten Abend gab es die sogenannte Wahrheitsrunde, bei der jeder loswerden durfte, was er noch auf dem Herzen und sich bisher nicht zu sagen getraut hatte. Nach mehrminütigem Schweigen meldete sich der erste Taxifahrer:
»Ich wollte sagen, daß ich mich in Brigitte verliebt habe. Und außerdem wollte ich noch sagen, daß ich Angst vor Anne habe.«
»Ich auch«, »Ich auch«, kam es noch von zwei anderen. Ich war maßlos erstaunt. Ich konnte mir keinen schwächeren und elenderen Menschen als mich denken. Offenbar traute man mir Fähigkeiten zu, von denen ich längst wußte, daß ich sie nicht besaß.

Wahrscheinlich hätte es mir zu denken geben sollen, daß Frank, als er in meine Wohnung kam, als erstes die Frontscheibe von meinem Fernseher abmontierte und mit Glasreiniger schrubbte. Aber ehrlich gesagt – mir gefiel das. Die Scheibe war hinterher wirklich fantastisch sauber. Meine Güte, war das Bild plötzlich klasse, so klar und farbig!
Der Name Andrea fiel relativ früh. Andrea war seine große Liebe. Sie hatte ihn beinahe zerstört, war auf seinem goldenen Herzen herumgetrampelt, eine Schlampe, ein Miststück, hatte sogar behauptet, er würde sie mißhandeln, dabei war bloß ihre Haut so empfindlich, daß es sofort blaue Flecken gab, wenn man sie nur ein bißchen fester am Arm packte. Fundament ihrer sexuellen Macht waren anscheinend ihre Augen. Laut Frank war Andrea nur knapp einen Meter sieb-

zig groß, kriegte es aber durch irgendwelche gymnastischen Kniffe fertig, selbst zu einem Liliputaner von schräg unten aufzuschauen. Sie hatte so einen Blick drauf, dem jeder Mann hilflos ausgeliefert war. Damit hatte sie auch Frank immer wieder rumgekriegt. Aber jetzt nicht mehr! Jetzt hatte er sie durchschaut und war endgültig darüber hinweg.

»Andrea?« fragte ich. »Du meinst doch nicht etwa die Andrea, mit der Axel Vollauf einmal zusammengewesen ist?«

Doch. Genau die meinte er.

»Der hat auch gesagt, daß er drüber hinweg ist.«

»Der?!« rief Frank. »Niemals! Der ist in hundert Jahren noch nicht darüber weg. Die glucken doch ewig zusammen in ihrer kleinen Familie, oder wie sie das nennen. Der zweite Typ, der dabei ist, ist natürlich auch in sie verschossen. Eine völlig kranke Veranstaltung. Wenn Axel über sie hinweg wäre, hätte er sich doch längst von ihr getrennt.«

Das Bild jener unheilvollen Andrea schillerte im Laufe der Zeit in immer neuen Facetten. Bernhard, der beste Freund von Frank, war nämlich auch einmal mit ihr zusammengewesen und hatte anschließend das ganze Elend seines Freundes miterlebt.

»So schlimm, wie er sie darstellt, ist sie natürlich gar nicht«, verriet Bernhard mir. »Genaugenommen ist sie eigentlich ein armes Luder. Ihr ist früher einmal etwas Schreckliches passiert. Sie ist von mehreren Bundeswehrsoldaten vergewaltigt worden, glaube ich. Genau weiß ich das natürlich nicht, aber so was in der Art hat sie mal angedeutet.«

Frank hatte mir hingegen erzählt, daß ihr Vater sie wohl mißbraucht hätte, während Axel damals in der Taxikneipe spekuliert hatte, sie wäre von ihrem ersten Freund vergewaltigt worden. Bei allen dreien hatte Andreas Schicksal den Wunsch ausgelöst, zu ihrem Retter und Erlöser zu werden, ohne daß einer von ihnen auf die Idee gekommen wäre, einmal genauer nachzufragen.

»Und jetzt macht sie alle Typen scharf, ohne dann etwas mit ihnen anzufangen. Wenn es zur Sache gehen soll, ist Feierabend«, sagte Bernhard. Natürlich steckte auch er bis über beide Ohren in der Es-war-mal-sehr-schlimm-aber-jetzt-bin-ich-vollkommen-darüber-hinweg-Phase. Eine Phase, die mir nur allzu vertraut war und die der Okay-das-ist-jetzt-die-totale-Kapitulation-dann-bin-ich-eben-für-den-Rest-meines-Lebens-unglücklich-verliebt-Phase unmittelbar vorangeht. Bernhards Hosen hatten den gleichen unvorteilhaften Schnitt wie die von Frank. Frank besaß siebzehn dieser taillenhohen Dinger, die aus Männerhüften lange Tantenärsche machten. Er trug überhaupt keine anderen. Andrea hatte sie gefertigt. Außer einem Brandmal auf dem Herzen und unvorteilhaften Hosen hatten die meisten von Andreas Ehemaligen auch noch denselben Therapeuten.

»Ich glaube, sogar Frederic hatte mal was mit ihr«, sagte Frank. Frederic war der Vorname unseres Therapeuten.

»Ja, das ist richtig«, sagte Frederic, als ich ihn damit konfrontierte.

»Das darfst du gar nicht. Das weiß doch jeder, daß man das auf gar keinen Fall darf.«

»Ich glaube, ich habe das korrekt gehandhabt«, sagte mein Therapeut. »Es ist mir ganz am Anfang passiert, als ich die Praxis gerade erst eröffnet hatte. Und als ich merkte, daß ich mich in sie verliebte, habe ich die Therapie sofort abgebrochen…«

»…und mit ihr geschlafen«, ergänzte ich, obwohl ich das gar nicht wußte.

»Da war sie ja nicht mehr meine Patientin.«

Treffer, versenkt.

»Aber sie ist doch immer noch bei dir.«

»Die Geschichte ist acht Jahre her. Und vor zwei Jahren hat sie wieder neu bei mir angefangen.«

»Hältst du das für eine gute Idee?«

»Ich bin ja nicht mehr in sie verliebt. Es war ein Anfängerfehler. Ich habe dann sehr schnell begriffen, was da mit mir passiert ist...«

»Und jetzt bist du drüber hinweg?«

»Vollkommen«, sagte er.

Es war nicht das erste Mal, daß ich dachte, ich sollte eigentlich den Therapeuten wechseln. Das hatte ich mir schon überlegt, als Frank, der unter anderem deswegen in Therapie war, weil er sich so schwer damit tat, seine Ansprüche durchzusetzen, Frederic bei der Renovierung seiner Wohnung half und Frederic ihm nur halb soviel Stundenlohn zahlte wie dem anderen Arbeiter. Aber wenn ich mir nur schon vorstellte, den Therapeuten zu wechseln – standen die eigentlich im Branchenverzeichnis? und machte das die Krankenkasse so ohne weiteres mit? –, schienen mir die Komplikationen unüberwindbar. So blieb ich noch ein Jahr bei Frederic.

Bei meinem zweiten Workshop war Axel Vollauf dabei. Ich wußte es vorher und meldete mich trotzdem an. Oder gerade deswegen. Das war der erste und der größte Fehler. Danach ergab sich eins aus dem anderen.

Ein Buchhändler, dessen Telefonnummer ich von meinem Therapeuten bekommen hatte, nahm mich in seinem Kleinwagen mit. Der Buchhändler war dunkelhaarig und hieß Winfried. Er war auf eine etwas staubige Art hübsch, und er war so klug und angenehm, wie ich das von einem

Workshop-Teilnehmer niemals erwartet hätte. Allerdings fuhr er schlechter Auto als meine Mutter. Schon beim Anfahren schabte er mit den Radkappen am Kantstein entlang, auf der Autobahn mußte ich ihm mehrmals korrigierend ins Lenkrad greifen, wofür er sich jedesmal überschwenglich bedankte, und beim Einbiegen auf den Parkplatz der Irrenfarm drückte er die Hecke ein.

Axel war bereits da. Er stand mit seinem Gepäck auf dem Flur, und er hatte seine Ersatzfamilie mitgebracht: die legendäre Andrea und einen Mann, der Olaf hieß. Von Frank wußte ich, daß jeder von ihnen seit mindestens fünf Jahren in Therapie war. Vom Workshop redeten sie bloß als vom »Shop«.

»Na, bist du auch mal wieder beim Shop dabei?« rief Andrea, ganz Frau von Welt, einem rothaarigen Mädchen zu. Daß es Andrea war, erkannte ich sofort daran, wie sie mich anschaute: so, als hätten wir bereits zusammen den Kindergarten besucht und wären schon damals verfeindet gewesen. Sie war viel hübscher, als ich erwartet hatte, so schön, daß man mit ihrem Gesicht Kosmetika und mit ihrem Körper Autozubehör hätte verkaufen können. Sie hatte lange schwarze Haare und so große und gerade Zähne wie Peter Hemstedt. Sie war drei Klassen zu gut für Axel, Frank oder den Olaf, den sie da noch im Schlepptau hatte. Warum gab sie sich mit diesen verkorksten Spinnern ab?

Am Abend spielte ich mit Axel, seiner kleinen Familie, dem Buchhändler Winfried und einem Mann, der Guido hieß, wie die jugendliche Version von Franz Josef Strauß aussah und immer zusammenzuckte, wenn ich ihn ansprach, ein Würfelspiel. Normalerweise verachtete ich jede Art von Gesellschaftsspiel, diesmal auch, aber ich wollte mich an den Buchhändler heranmachen.

Das mit dem Buchhändler zerschlug sich schon am nächsten Tag bei der ersten Paarübung. Diesmal konnte man sich seinen Partner nicht aussuchen. Wir mußten uns in zwei Reihen aufstellen, die mehrere Meter voneinander entfernt waren, und dann sollte man auf denjenigen zugehen, der einem zufällig gegenüberstand. Den Buchhändler hatte Andrea gekriegt. Ich mußte die Übung mit Olaf hinter mich bringen. Seine Aufgabe war, herauszubekommen, wie nahe er mich herankommen lassen wollte. Er machte eine große Sache daraus, schrie schon »Stop«, als ich gerade erst losmarschiert war – grübelte heftig, sagte dann: »Langsam näherkommen, noch langsamer«, schrie sofort wieder »Stop! Zurück! Zurück!«, ließ mich doch wieder näher kommen, und am Ende stand ich dann so zwei Meter vor ihm. Beim Rollenwechsel brauchte ich nicht lange auszuprobieren, in welcher Nähe ich Olaf ertragen konnte. Ich ließ ihn bis auf einen Meter herankommen, bremste ihn dort, und dann war es auch gut. Einen Meter saßen die Fahrgäste hinter mir im Taxi. Was einen Meter oder weiter von mir entfernt war, spürte ich inzwischen überhaupt nicht mehr.

In der anschließenden Runde sollte wieder jeder sagen, wie es ihm bei der Übung ergangen war.

»Ich bin erstaunt, daß Anne mich so nah an sich hat herankommen lassen«, sagte Olaf. Danach versuchte er Augenkontakt aufzunehmen, aber ich sah einfach über seine Schulter hinweg den Buchhändler an.

Andrea sagte: »Ach, ich will eigentlich gar nichts zu der Übung sagen. Ich wollte bloß Winfried sagen, daß er ein schönes Lächeln hat. Wenn er lächelt, entsteht da so ein süßes Grübchen auf seiner rechten Wange.«

Der Buchhändler verfärbte sich rosig und war fortan für diese Welt verloren. Wie ein blinder Elch taumelte er ihr vor die Flinte. Es war ein rechter Jammer. Der Buchhändler war der einzige kluge und interessante Kopf in diesem Verein, sympathisch, gebildet, differenziert, aber dagegen war er natürlich machtlos.

Die Nachmittagsrunde verlief zäh. Frederic gab sich Mühe, jemanden aus der Fassung zu bringen, aber aus irgendeinem Grund hingen alle apathisch auf ihren runden Kissen, und wenn er uns etwas fragte, gaben wir einsilbige Antworten oder schwiegen bockig.

»Und dir? Wie geht es dir hier, Anne?« fragte Frederic.

»Mir? Mir geht's gut.«

»Bist du sicher? Bist du sicher, daß es nicht irgend etwas gibt, was du ansprechen möchtest?«

Er fragte jetzt schon deutlich genervter.

»Nö«, antwortete ich, »nö, mir geht's gut.«

Der Job unseres Therapeuten war es, uns stets einen Schritt voraus zu sein, die emotionalen Abstürze vorauszusehen, sie auszulösen, zu inszenieren und die Abstürzenden dann wieder aufzufangen. Vermutlich war es ein gutes Gefühl, alle Fäden in der Hand zu halten, als einziger im Besitz sämtlicher Hintergrundinformationen und des großen heilenden Wissens zu sein und sich am Ende des Workshops stolz und einsam zurückzuziehen. Aber diesmal kam die Sache nicht in Gang; nichts klappte. Frederic wurde immer gereizter, blaffte Axel an, als der mit Andrea tuschelte, und beendete die Runde schließlich vorzeitig.

Da ich keinen Grund mehr sah, auch noch den zweiten Abend mit Würfelspiel zu verplempern, beschwatzte ich Silke, eine Frau, die in der Einführungsrunde gesagt hatte, sie wünsche sich, hier endlich nein sagen zu lernen, mir ihr Auto zu leihen, und rief meine Ex-Geliebte Rita an. Ex-Geliebte klingt vielleicht wie eine einschneidende Umorientierung (und für Frank war es auch ein ziemlicher Schock gewesen), aber dazu muß ich anmerken, daß Rita einen Meter zweiundneunzig groß und von Beruf Kfz-Mechanikerin war. Die Geschichte hielt nicht lang. Ich hatte die ganze Zeit ein schlechtes Gewissen, weil ich erst dick und fett und unglücklich hatte werden müssen, bevor ich auf die Idee gekommen war, es mit einer Frau zu versuchen. Gerade wenn man sich von den Männern abwendet, sollte man perfekt aussehen, ihren Erwartungen und Sehnsüchten bis ins kleinste entsprechen. Und dann, wenn alle Männer ganz verrückt nach einem sind, erst dann sagt man: »Tut mir leid, Jungs, das habe ich mir anders vorgestellt«, um sich von einer Frau lieben zu lassen, wie man noch nie zuvor geliebt worden ist. Jemand wie ich war kein Verlust, sondern bestätigte bloß das Vorurteil von der häßlichen Emanze, die keinen Mann abkriegt. Außerdem war ich mir nicht ganz sicher, ob ich wirklich auf Frauen stand. Solange alle beteiligten Personen angezogen blieben, war ich voller Sehnsucht und Begehren, aber sowie jemand sich auszog, kam ich mir immer gleich viel weniger lesbisch vor. Vielleicht fühlte ich mich bloß deswegen im Camelot so wohl, weil die Frauen dort normale Kleidung trugen. Sie hatten keine Schleifchen im Haar und keine Rüschen am Kragen oder Applikationen auf dem Sweatshirt oder süße kleine Bären als Ohrringe. Sie sahen aus wie erwachsene Menschen, die tagsüber einer vernünftigen Arbeit nachgingen. Eine Ausnahme bildeten allerdings die SM-Lesben, die – von ihren dunklen, abgründigen Parties kommend – frühmorgens ins Camelot einfielen und mit kahlrasierten Schädeln, großmaschigen Netzhemden über der blanken Brust und Lackstiefeln auf der Tanzfläche herumfuhrwerkten. Auch Rita ging manchmal zu den Black Parties. Sie hatte versprochen, mich zur nächsten mitzunehmen, aber dann war mir der Workshop dazwischengekommen. »Ich komm doch mit«, sagte ich jetzt zu ihr am Telefon, »das hier ist 'n total lahmer Zock.«

In Silkes Polo sauste ich Richtung Hamburg. Zuerst fuhr ich in meine Wohnung, um mich umzuziehen. Die Kleiderfrage stellte mich vor kein geringes Problem. Außer ziemlich brutal aussehenden schwarzen Biker-Stiefeln besaß ich nichts Passendes für eine Sadistenfete. Schließlich zog ich eine schwarze Hose und ein enges schwarzes Jeanshemd an.

Rita trug schenkelhohe Piratenstiefel zu engen Elastikhosen und einer so eng geschnürten Ledercorsage, daß sie Schwierigkeiten hatte, in den Polo zu steigen. Gegen zehn fuhren wir vor. Das Ganze fand in einer düsteren, verschachtelten Villa statt, die wie das Haus der Familie Munster aussah. Rechts und links von der wuchtigen Haustür brannten Fackeln. Zuerst saßen wir in einem kneipenähnlichen Vorraum herum, und abgesehen davon, daß alle ziemlich merkwürdig angezogen waren, hatte die ganze Angelegenheit etwas von einem Klassentreffen. In den Ecken wurde gekichert und geflüstert, bloß aus den Lautsprechern kam düstere Sadistenmusik, eine langsame, theatralische Melodie, deren Refrain darin bestand, daß eine Frauenstimme immer wieder verzagt »Nein, ich will nicht« rief und ein tiefer Männerbaß »Los, komm schon!« antwortete. Hinter einem blutroten Samtvorhang ging es zu den Folterkammern, aber noch durfte niemand hinein. Ich erzählte Rita vom Workshop. Und von Andrea.

»Mindestens drei Männer, mit denen ich was hatte, sind auch mit ihr im Bett gewesen. Und alle sind immer noch in sie verliebt. Genau wie sämtliche Männer auf dem Workshop. Sogar mein Therapeut war schon mit ihr im Bett.«

»Das arme Mädchen«, sagte Rita, »es muß schrecklich unglücklich sein.«

»Siehst du«, sagte ich, »das habe ich mir gedacht. Jetzt hast du dich auch noch in sie verliebt. Das war ja klar!«

Ich blätterte in einem ausliegenden Heft, das ›Haumi-blau‹ hieß.

»Sadomasochismus auf freiwilliger Basis – schön und gut«, schrieb Leserbriefschreiber Anton F. aus HH-Eppendorf, »aber wer von uns echten Sadisten könnte wohl wirklich widerstehen, wenn er die Möglichkeit sähe, straffrei jemanden zu quälen, der das nicht will. Angenommen die politische und rechtliche Lage wäre so, daß man ein Hausmädchen abrichten und schlagen dürfte? Wer würde da aus moralischen Gründen nein sagen?«

»Du denkst vielleicht, die Masochisten sind die besseren Menschen, weil sie niemandem was tun, was?« sagte Rita, als ich ihr den Brief zeigte. »Ich will dir mal was sagen: Masochisten sind bloß stinkend faul. Masochisten, die sich bedienen lassen wollen, gibt es wie Sand am Meer. Aber find mal eine gute Sadistin. Danach suchen doch alle, die Heteros ganz genauso.«

Eine Kellnerin kam und stellte uns zwei Biere auf den Tisch. Auf ihrem schwarzen T-Shirt stand STRAFE MUSS SEIN. Bevor wir austrinken konnten, ging es auch schon los. Eine zweite Frau, auf deren T-Shirt MIR TUT DAS VIEL MEHR WEH ALS DIR stand, raffte den roten Vorhang zur Seite und entriegelte das dahinterliegende Burgtor. Alle Frauen traten eine nach der anderen in den mit schwarzen Tüchern verhängten Saal. Orgelmusik dröhnte aus riesigen Boxen. In der grottenartigen Beleuchtung erkannte ich ein Holzkreuz, groß genug, um Jesus Christus daran zu nageln, und einen Gitterkäfig für Menschen, dessen Boden mit Teelichtern vollgestellt war. Rita schlug vor, daß wir uns getrennt umsehen sollten. Ich war nicht begeistert, aber sie verschwand bereits im rechten Ausgang.

»Folter ist kein Jux«, brüllte ich ihr hinterher, bevor ich mich nach links wandte. Fackeln beleuchteten die schmalen Gänge, die von einem Raum in den nächsten oder auch bloß in eine Sackgasse führten. In einem großen Saal befand sich ein langer wurmstichiger Holztisch, auf dem aus völlig unerfindlichen Gründen eine silberne Schale voller Kartoffeln stand. Dort traf ich Pony, eine Freundin von Rita, die ich schon mal im Camelot gesehen hatte und nicht leiden konnte. Pony trug schwarze Lederhosen, die den Hintern freiließen, und hatte sich als Gegenpol den Schädel kahl rasiert. Ich war dankbar, überhaupt jemanden zu treffen, den ich kannte.

»Pony, he, Pony, jetzt sag mir doch um Himmels willen, was die hier mit den Kartoffeln anstellen.«

»O ja«, sagte sie mit einer viel dunkleren Stimme als gewöhnlich, »mit Kartoffeln kann man viele schöne Dinge machen«, lächelte das überlegene Lächeln der Eingeweihten und ließ mich stehen. Ich stolperte weiter durch die Gänge. Noch passierte nicht viel. Die meisten Frauen waren feige Voyeure wie ich. In einer kleinen Kapelle mit Kirchenfenstern aus Buntpapier wurde ein Mädchen von einer konzentriert dreinschauenden Frau gepeitscht, aber meiner Meinung nach schlug die gar nicht richtig zu. In einem andern Raum drängten sich die Gafferinnen um eine Hängematte, in der eine nackte Frau von vier anderen abwechselnd mit einem Dildo penetriert wurde. Ich ging wieder zurück, um zu sehen, ob inzwischen jemand etwas mit den Kartoffeln anstellte, und bemerkte in der hintersten Ecke des Kartoffel-Saales ein Campingzelt, das ich auf dem Hinweg übersehen hatte. Ich schlüpfte hinein und fand mich in einer merkwürdigen Szene wieder. Drei Damen beim Tee. Sie trugen 60er-Jahre-Kleider mit Amöbenmustern, saßen um einen Klapptisch, schenkten sich die Tassen voll, schwenkten den Tee und griffen nach Gebäck. Liebe Tanten. Nur geplaudert wurde nicht. Das ging nicht wegen der dröhnenden Orgelmusik. Ein vierter Stuhl war noch frei. Er stand etwas abseits vom Tisch. Das paßte mir gut. Mir tat nämlich schon wieder der Rücken weh, und sonst konnte man hier nirgends sitzen. Ich war die einzige Zuschauerin. Die Frauen in den Tantenklamotten stellten die Tassen beiseite und jetzt entdeckte ich ein dürres nacktes Mädchen, das wohl schon die ganze Zeit im Hintergrund gewartet hatte. Eine der Tanten winkte sie herbei, zog sie auf ihren Schoß und begann das Mädchen zuerst zu küssen und dann zu beißen. Die anderen sahen schweigend zu. Danach mußte das Mädchen sich über den Schoß der zweiten Tante legen, und die zweite Tante hob einen Teppichklopfer vom Boden auf und schlug sie damit. Dann drehte sie den Klopfer um und bohrte den Stiel dem Mädchen in den Hintern. Es war wie in einem Alptraum. Ich wäre gerne aufgestanden und gegangen, aber ich wollte auf keinen Fall die Aufmerksamkeit dieser fürchterlichen Frauen auf mich lenken. Erst als sich der Vorhang noch einmal teilte und weitere Zuschauerinnen hereinkamen, traute ich mich abzuhauen.

»Meine Güte, das war echt schrecklich«, sagte ich zu Rita, die ich zusammen mit Pony unter dem Kreuz wiederfand. »Das andere hier ist ja mehr oder weniger Kasperletheater. Aber der Teppichklopfer ist mir wirklich an die Nieren gegangen. Ich habe jetzt noch weiche Knie.«

Das Kreuz war immer noch nicht besetzt, im Käfig hockte eine nackte Frau. Daneben stand eine Wärterin mit geschnürten Stiefeln, Lederslip, einem Ledergeschirr um den Brustkorb, und einer Maske. Die Frau im Käfig kannte ich vom Sehen. Auch aus dem Camelot. Sie hieß Gabi und versuchte immer, sich irgendwo dazuzustellen, aber niemand wollte so richtig mit ihr zu tun haben.

»Wann hat sie sich einschließen lassen?«, fragte ich.

»Schon vor einer halben Stunde«, sagte Pony. »Wenn du der Wärterin fünf Mark gibst, kannst du fünf Minuten lang mit ihr machen, was du willst.«

»Aber es kommt niemand, der sie quälen will«, rief Rita. Die beiden wollten sich ausschütten vor Lachen. Sie mußten sich gegenseitig stützen.

»Es kommt einfach niemand.«

»Jemand sollte hingehen und sie wenigstens ein bißchen peitschen oder so«, sagte ich, »man kann sie da doch nicht einfach hängen lassen.«

»Geh du doch«, sagte Rita.

»Ich kann das nicht. Ich weiß doch gar nicht, wie man das macht. Geh du, ich spendier dir auch die fünf Mark.«

»Ich faß die nicht an. Nicht für hundert Mark.«

»Ich auch nicht«, sagte Pony, »die hat doch selber schuld. Beim letzten Mal hat sie versucht, sich auf der Sklavenauktion versteigern zu lassen, und da wollte sie auch schon niemand haben. Nicht mal, als das Mindestgebot auf zehn Mark herunterging.«

Wieder mußten sie sich vor Lachen aneinander festhalten. »Ich muß allmählich wieder zurück«, sagte ich zu Rita. »Hab noch 'nen weiten Weg. Du kannst ja mit Pony zurückfahren.«

Erst als ich wieder in Silkes Polo saß, merkte ich, daß meine Knie zitterten. Ich beschloß, daß ich die Black Party aufgesetzt und lächerlich fand, aber die Knie zitterten trotzdem.

Kurz hinter Lüneburg wurde mir schlecht. Ich hielt an, stieg aus und kotzte auf den Seitenstreifen. Gegen fünf war ich wieder auf der Irrenfarm. Meine Kontaktlinsen waren so ausgetrocknet, daß ich mir beim Herausnehmen fast die Hornhaut mit herunterriß. Ich legte mich ins Bett. Zuerst konnte ich nicht einschlafen, und dann träumte ich die Teppichklopfer-Szene. Um acht standen alle auf. Ich wartete, bis sie fertig geduscht hatten und beim Frühstück waren und ich das Badezimmer für mich allein hatte. Es war überhaupt nicht daran zu denken, die Kontaktlinsen einzusetzen. Ich mußte mit Brille hinuntergehen. Als ich in den Nierentempel kam, saßen die anderen schon auf ihren runden Kissen. Während ich meines aufsuchte, folgte mir der Blick meines Therapeuten. Es war der Blick eines Menschen, der sich mit erhobener Fliegenklatsche auf ein Insekt konzentriert. Aber noch war Olaf dran. Er trug an diesem Morgen Hosen, die eindeutig von Andrea gefertigt waren, und erzählte von dem Disney-Film ›Bambi‹. Eine Freundin hatte ihn beschwatzt, mit ihr zusammen ›Bambi‹ anzuschauen, und abgesehen davon, daß die Biester alle so zuckersüß gewesen waren, daß er beinahe Diabetes bekommen hatte, waren da auch noch Bambis widerwärtige Eltern gewesen.

»Bambis Mutter hat die ganze Zeit nur geschwärmt: ›Mensch, Bambi, dein Vater, so 'n Geweih!‹ Das hat mich total an meine eigene Familie erinnert. Meine Mutter hat uns auch ständig erzählt, was für 'n Klassetyp unser Vater sei. Dabei ist der Alte von Bambi überhaupt nie da. Der kümmert sich um gar nichts. Der steht bloß immer auf irgendeinem Bergrücken rum und hält sein Geweih in die Gegend.«

Andrea saß mir gegenüber und bearbeitete den Buchhändler, indem sie die Augen senkte, dann plötzlich zu ihm hoch- und gleich wieder wegschaute und dann zu Boden blickte. Wenn ihre großen braunen Augen sich mit den seinen trafen, lag darin etwas herzzerreißend Verletztes und Flehendes. Wenn ihre Augen zufällig mich streiften, wurden sie kalt wie nasse Socken.

»Diese Scheiß-Rehkitze!« sagte Olaf.

»Weißwedelhirsche«, warf ich ein. »In der Disney-Adaption handelt es sich um Weißwedelhirsche. Deswegen auch das große Geweih.«

»Wie geht es dir heute morgen?« fragte Frederic. »Wie war's denn in Hamburg?«

Ich hatte natürlich nicht erzählt, daß ich auf eine Sado-maso-Party gefahren war.

»Gut«, sagte ich. »Mir geht's gut. Ganz prima!«

In Wirklichkeit fühlte ich mich, als würde ich aus Zucker-watte bestehen, und jeder, der wollte, konnte sich ein Stück von mir abpflücken und damit wegrennen.

»Willst du behaupten, es gebe zwischen dir und Axel nicht etwas, das dringend besprochen werden müßte?«

»Ich weiß schon, was du meinst«, sagte ich. »Ich weiß das, und du weißt das, die Hälfte der Anwesenden ist informiert. Ich habe jedoch für mich beschlossen, nicht daran zu rühren. Und eigentlich geht es mir damit ganz gut.«

Mein Gott, ich redete schon in den gleichen Phrasen wie mein Irrenarzt.

»Warum«, fragte Frederic, »willst du nicht darüber spre-chen?«

»Schau mal«, versuchte ich einzulenken, »es ist doch ein-fach bloß traurig. Ich hatte Axel halt als meinen Kinder-freund in Erinnerung, wie er da mit einem Strauß Papagei-entulpen an meinem Bett steht. Ich habe die ganze Zeit ge-glaubt, man hätte mir das einzig Schöne in meinem Leben zerstört. Aber es war bloß ein Haufen Scheiße. Es hat über-haupt niemals etwas Schönes gegeben, das jemand hätte zer-stören können.«

Ich kriegte schon wieder dieses Würgen im Hals. Warum hatte ich nicht einfach mein Maul gehalten? Große Fetzen Zuckerwatte wehten davon. Frederic – nun endlich wieder in seinem Element – wandte sich an Axel.

»Was geht in dir vor, wenn du das hörst?«

Axel zuckte die Schultern.

»Kann ich nix zu sagen. Will ich auch nicht. Das hat ja wohl nicht wirklich was mit mir zu tun.«

»Und wie geht es dir damit, wenn du jetzt Axel hörst?«

»Das«, sagte ich, »ist genau der Grund, warum ich nicht darüber sprechen will. Warum soll ich ihm noch das Vergnügen machen?«

»Anne«, sagte Frederic sehr sanft, »wie geht es dir damit? Nun horch doch einmal in dich hinein, wie dir wirklich zumute ist.«

Er wollte endlich einen Erfolg haben.

»Mach das bitte nicht mit mir«, sagte ich.

»Jetzt schau dir doch einmal Axel an«, sagte Frederic. Axel sah woanders hin und stieß Luft durch die Lippen. Seine Augen waren normal groß, sein Gesicht entspannt. Es ging ihm großartig.

»Warum sagst du nicht einfach, daß du traurig bist«, sagte Frederic noch sanfter.

Na, ich weiß nicht, ob *traurig* das richtige Wort war. Im selben Moment brüllte ich nämlich auch schon los. Ich brüllte und heulte, ich verlor mein Gesicht, die Zuckerwatteflocken stoben in alle Richtungen, und der Jammer schlug über mir zusammen wie eine Welle über einer Sandburg. Viel blieb nicht von mir übrig. Ich wußte nicht, wo dieser Tonnen-Schmerz herkam, was ihn ausgelöst hatte. Die gespielte Anteilnahme in der Stimme meines Therapeuten vermutlich, damit kriegte er die meisten dran. Ich versuchte, mich auf die Mineralwasserflasche neben mir zu konzentrieren, ich mußte ihr nur den Boden abschlagen und mir dann den scharfkantigen Rest ins Gesicht drücken und darin herumdrehen. Wenn ich so aussah, wie ich mich fühlte, konnte ich vielleicht auch aufhören zu heulen.

»Damit habe ich jetzt nicht gerechnet«, sagte Frederic

schließlich etwas hilflos, »ich wußte nicht, daß du so stark reagierst.«

Ich versuchte zu antworten, kriegte aber nur das Jaulen eines mittelgroßen Hundes zustande. Ich war ein Schiffbrüchiger, der im tosenden Meer des Schmerzes herumgewirbelt wurde, während die Wellen der Scham unaufhörlich über ihn hinwegjagten, der Orkan der hilflosen Wut in seinen Ohren pfiff und die Wolken der absoluten Verlassenheit den Himmel verdunkelten. Wenn man nicht einmal mehr denen vertrauen konnte, denen man hundertzwanzig Mark die Stunde dafür bezahlte, wem denn dann bitte noch?

»Gibt es irgend etwas, was ich für dich tun kann? Gibt es irgend etwas, was du möchtest?« fragte mein Therapeut.

»Ja, tot sein«, quakte ich.

»Wie geht es euch denn jetzt damit?« wandte er sich an die anderen. Warum konnte das Arschloch keine Ruhe geben? Warum mußte er alles immer schlimmer und schlimmer machen? Ich verstand das nicht. Ich verstand das einfach nicht.

»Also ich bin total genervt«, sagte Andrea, »mich nervt das echt, diese lächerliche Selbstmordankündigung. Sie tut's ja sowieso nicht. Ich weiß natürlich auch, warum mich das so ärgert. Ich ärger mich ja bloß deswegen, weil ich das von mir selber kenne. Weil ich auch immer meinen Selbstmord ankündige und das dann doch nicht tue. Es ist so lächerlich.«

Sie schaute scheu zu Boden, und als sie ihre Augen wieder hob, fing sie den besorgten und zärtlichen Blick des Buchhändlers auf.

Jetzt meldete sich Olaf zu Wort.

»Es ist doch immer das gleiche«, sagte er und lehnte sich zurück. »Gerade die Frauen, die am Anfang so stark tun, sind hinterher immer ganz klein. Ich möchte echt mal wissen, wieso?«

»Ja«, fiel Guido ein, »ich hab das gleich gesehen. Ich hab das schon am Anfang gesehen, wie sie da so hart und cool aufgetreten ist. Da war mir gleich klar, daß sie das nicht durchhalten kann. Das war ja total aufgesetzt.«

Jetzt waren sie nicht mehr zu bremsen. Während ich weiter vor mich hin plärrte und jaulte, rief einer nach dem anderen, daß er es gleich gesehen hätte, daß ich da was vorspielte, was ich gar nicht war. Nur der Buchhändler schwieg, weil er ein gutherziger und feiner Mensch war und weil er die ganze Zeit darüber nachdenken mußte, was Andrea wohl Schlimmes widerfahren sein konnte, daß sie sich hatte umbringen wollen.

»Ich bin wirklich erstaunt, daß du so heftig reagiert hast«, sagte mein Therapeut schließlich, als hätte ich bereits aufgehört zu heulen. »Ich weiß gar nicht – kann ich dich denn so in die Pause entlassen?«

Er brauchte seinen Milchkaffee und war der ganzen Sache überdrüssig.

»Na klar«, jaulte ich, »was willst du denn sonst machen? Das hier bis in alle Ewigkeit fortführen?«

»Aber nicht, daß du dir nachher etwas antust?«

Er lächelte, der Arsch.

»Nein«, sagte ich, »nein. Hat Andrea doch bereits sehr treffend analysiert, daß ich das nicht drauf hab.«

»Gut«, dann machen wir jetzt Mittagspause und sehen uns um drei wieder.«

Sie rutschten alle auf ihren Socken zum Mittagessen. Ich wollte eigentlich erst gehen, wenn sie draußen waren, aber ich sah, wie mein Therapeut mich beobachtete, und wenn ich bis zuletzt geblieben wäre, hätte er das als Zeichen mißdeutet, daß ich mit ihm allein reden wollte. Deswegen stand ich schnell auf, ging mit dem Rest hinaus und schnappte mir meine Schuhe. Ich ging am Speiseraum vorbei, tat, als wenn ich zu den Schlafräumen wollte, kehrte dann aber wieder um und schlüpfte zur Haustür hinaus. Ich lief durch den Garten, rannte in die Scheune, in der mein Therapeut sein Auto stehen hatte, und sah nach, ob es dort nicht einen Strick gab, aber es war eine von diesen aufgeräumten Scheunen, in denen bloß sein Auto stand, ein Wandbrett voller Schraubenschlüssel und ein Reservekanister. Verbrennen wollte ich mich nicht, und darum ging ich wieder hinaus und lief zu einem kleinen Wäldchen. Es war ein Laubwald, lauter junge schlanke Bäume, keiner über zehn Meter hoch, dazwischen Brennnesseln und Gestrüpp. Ich verließ den Pfad und schlug mich durch die Büsche. Es war wie gesagt ein kleines Wäldchen, ringsum von Feldern und Häusern umgeben, man konnte darin nicht verschwinden, ohne in kürzester Zeit gefunden zu werden. Ich lief so tief hinein, wie es irgend ging, und suchte nach einem Stein. Es gab eine Menge Steine. Die Gegend nannte sich wegen ihrer Trockenheit und Steinigkeit die Streubüchse des Nordens oder so ähnlich. Trotzdem dauerte es eine ganze Weile, bis ich einen fand, der die richtige handliche Größe hatte. Ich setzte mich auf den Boden und lehnte mich an eine Birke. Ich malte mir aus, was die anderen sagen würden, wenn ich mich umgebracht hatte. Das hatte ich schon als Kind immer gern getan. Axel würde sich natürlich wahnsinnig geschmeichelt fühlen, jedenfalls hätte ich mich geschmeichelt gefühlt, wenn sich einer meinetwegen umgebracht hätte. So was könnte Axel dann später gut in ein Gespräch einflechten, wenn er eine Frau kennenlernte, und dann würde er ganz schwermütig ins Nichts schauen. Das würde die Neue gleich auf ihren Platz verweisen. Andrea würde sich verzweifelt weinend an die Schulter des Buchhändlers lehnen und schluchzen: »Es ist meine Schuld. Ich habe sie da hineingetrieben, als ich sagte, sie würde sich ja doch nicht umbringen.« Und der Buchhändler, ganz überwältigt von seinem Glück, würde die Frau, die ihm seine eigene Stärke offenbart hatte, in die Arme nehmen, ihre Schultern streicheln und sagen: »Aber nein. Du kannst überhaupt nichts dafür. Denk doch nicht so was.«

Axel und Olaf und alle andern Männer würden sich auch um sie scharen, und Axel würde sagen: »Die war doch sowieso völlig plemplem.« Und dann würde sich Frederic aufbauen und verkünden: »Niemand ist schuld daran. Wenn jemand wirklich vorhat, sich umzubringen, dann kann ihn niemand daran hindern. So jemand findet immer Mittel und Wege. Und das hier war natürlich bloß ein Anlaß. Wenn sie sich nicht hier umgebracht hätte, dann hätte sie es wahrscheinlich ein halbes Jahr später getan, aus einem genauso nichtigen Anlaß. Niemand trägt dafür die Verantwortung außer ihr selbst.«

Allerdings würden seine Nachbarn das wahrscheinlich anders sehen. Wenn sich hier einer umbrachte, das würde ein schönes Getuschel geben. Wenn mein Therapeut in die Bäckerei ginge, würden von nun an die Gespräche sofort ersterben, und alle würden sich nach ihm umdrehen. Er tat mir sehr leid, mein Therapeut, wie er da in der Bäckerei stand. Es war nicht einfach gewesen, im Dorf halbwegs akzeptiert zu werden. Er hatte all den heimlichen Spott so tapfer weggesteckt, und als seine Nachbarn sahen, daß die Irrenfarm tatsächlich florierte, daß er anbauen und renovieren konnte, da hatte er zum allerersten Mal gemeint, so etwas wie Respekt zu spüren. Und jetzt war alles wieder zunichte gemacht, durch eine nervige Idiotin, die mit ihrem Selbstmord nicht warten konnte, bis sie zu Hause war.

Ich hob den Stein und donnerte ihn mir auf den Schädel.

Natürlich hatte ich nicht fest genug zugehauen, denn ich wollte mich ja nicht wirklich umbringen, ich wollte mir bloß einreden dürfen, daß ich mich umzubringen versuchte, und es nur nicht schaffte. Sonst hätte ich ja auch den Reservekanister nehmen können. Aber wenigstens wollte ich Schmerzen haben, und daß mir Blut übers Gesicht lief. Das war schwieriger, als ich es mir vorgestellt hatte. Ich schlug noch einmal zu und noch einmal. Dann sackte ich gegen die Birke und ging, einen Arm um ihren Stamm geschlungen, in die Knie. Immer noch ohne Blut im Gesicht. Es hatte schon seinen Grund, warum Selbstmörder sich im allgemeinen lieber für Strick, Schlafmittel oder Brückenpfeiler entschieden. Das hier erforderte einfach zu viel Entschlossenheit. Ich kroch auf allen vieren herum und suchte einen größeren Stein. Den warf ich in die Luft und versuchte mir vorzustellen, ich wollte einen Fußball köpfen. Beim vierten Versuch traf ich. Es tat so weh, daß mir sofort klar wurde, daß ich heute nicht mehr sterben würde. Ich zog mich am weißen Baumstamm hoch und wartete, bis mir nicht mehr schwindlig war. Dann nahm ich den Stein, küßte ihn, deponierte ihn neben der Birke und trollte mich Richtung Irrenfarm. Während ich ging, wuchsen auf meinem Schädel vier Beulen. Wie bei einer Comicfigur. Ich entschied, den Rest der Pause mit Duschen zu verbringen. So mußte ich niemandem begegnen und mit niemandem sprechen. Natürlich waren auch die Duschen ständig zugänglich, genau wie die Sechsbettschlafräume, sie waren nicht einmal nach Geschlechtern getrennt, aber ich duschte so lange und so heiß, daß eine Wand aus Dampf um mich entstand.

Als ich zum Nierentempel ging, war meine Haut aufgequollen und gerötet. Ich hoffte tatsächlich, daß mein Therapeut die ganze Geschichte für mich auflösen könnte. Die Demütigung hatte ich hinter mir, jetzt kam die Erkenntnis. Er hatte mich zerbrochen, und nun würde er mich wieder neu zusammensetzen. Ich würde erfahren, warum ich hatte so heulen müssen, er würde mir die richtigen Fragen stellen, er würde Axel die richtigen Fragen stellen, und ich würde irgend etwas über mich erfahren, das das alles wert war. Immer denkt man, es wird schon noch gut werden. Warum eigentlich?

Frederic setzte sich in den Kreis zu den anderen und mir und fragte, wie es mir ginge.

»Das fragst du doch nicht im Ernst«, sagte ich und tastete mit einer Hand nach der größten Beule. Der Schmerz war atemberaubend. Solange ich mir solche Schmerzen zufügen konnte, würde ich das hier durchstehen, ohne noch einmal weinen zu müssen.

»Du siehst gut aus«, sagte Frederic. »Ganz weich und gelöst.«

»Findet ihr nicht auch?« wandte er sich an die anderen.

»Ja. Ganz weich«, sagte Guido.

»Find ich auch«, sagte eine Frau namens Grit.

»Ich glaube, das hat ihr gutgetan«, fiel Olaf ein.

»So … irgendwie so entspannt«, sagte Andrea.

Ich fummelte in meinem Haar herum, ließ ein Feuerwerk von Schmerzen in meinem Schädel explodieren.

»Gebrochen«, sagte ich. »Das Wort, das ihr sucht, heißt gebrochen.«

Mein Therapeut wandte sich an den Buchhändler.

»Du hast hier auch schon mal sehr geweint, erinnerst du dich?«

»Ja«, sagte der Buchhändler. »Ich erinnere mich sehr gut. Ich bin froh, daß ich diesmal nicht dran war.«

Mein Therapeut sprach mit dem Buchhändler, dann mit Olaf. Ich war abgehakt. Der Workshop funktionierte wieder, und mein Therapeut war wieder Herr des Geschehens.

Ich hatte nicht die Absicht, diese Nacht im Sechsbettzimmer zu verbringen, darum holte ich mein Bettzeug herunter und verkroch mich im Gruppenraum in dem Haufen roter Decken. Ich ließ den CD-Spieler laufen. Grits ›La Traviata‹-CD steckte noch drin, und ich stellte die Endloswiederholung ein.

Gegen elf kam Olaf herein. Ich hatte damit gerechnet, daß er kommen würde.

»Darf ich mich neben dich legen?«

Ich sagte nichts, und er kroch zu mir unter die Decken. Er streichelte mir über den Kopf und über den Rücken. Seine Hände waren groß und warm, seine Berührungen tröstlich. Ich mußte nur vergessen, wer da hinten an den Armen dran hing. Er küßte mein Gesicht, meine Schläfen und meine Wangen und dann meinen Hals. Sein Atem strich über meine Haut und ließ mich erschauern. Ich würde nie etwas anderes bekommen als solche wie ihn. Es war völlig unvorstellbar, daß ein netter, kluger Mann sich je für mich interessieren würde. Vielleicht würde es mir eines Tages gelingen, mich aufzuhängen, wenn ich nur sicher sein könnte, daß irgend jemand meine Leiche herunterschneiden und auf den Boden betten würde.

Die Tür ging ein zweites Mal auf, und Andrea kam herein.

»Oh, Entschuldigung«, murmelte sie, »ich habe bloß vergessen, meine Decke mitzunehmen.«

Sie griff sich ihre Wolldecke und verschwand wieder.

»Sie ist eifersüchtig«, sagte Olaf, als sie gegangen war. »Die ist nicht zufällig reingekommen. Das kann sie jetzt nicht ertragen, daß ich bei dir bin.«

»Sie hat Angst vor dem Alter«, fuhr er fort, als ich nicht antwortete. »Sie verliert langsam ihre Attraktivität, und sie weiß das.«

Er wollte sich bei mir anschleimen, indem er sie herunter-
machte.

Aber Andrea würde niemals ihre Attraktivität für ihn
verlieren. Olaf würde niemals über sie hinwegkommen;
er würde noch im Altersheim um ein Lächeln von ihr
betteln. Er war ein Versager und ein Widerling, und er war
der einzige Mensch auf der ganzen Welt, der bereit war,
mich in den Arm zu nehmen. Er küßte meinen Mund, er
küßte gut, und es war fast genauso, als wenn wir uns gern
hätten.

»He, du kannst ja richtig nehmen«, sagte Olaf, »das hätte
ich dir gar nicht zugetraut.«

．．．．．．．

Als ich aufwache, scheint mir die Nachmittagssonne ins Gesicht, ich blinzel, wer bin ich noch mal und wo?, ich liege in Hemstedts Bett, so viel Sonne, blinzeln reicht nicht, also drehe ich mich um, da liegt ein zweites weißes Kopfkissen. Reflexartig streckt sich mein Arm vor, und meine Hand streicht über den kühlen, glatten Stoff. Ich sehe ihr eine Weile dabei zu, aber dann stelle ich mir vor, wie David Peskow allein in *meiner* Wohnung auf *meinem* Bett sitzen und über mein Kopfkissen streicheln würde, wenn ich ihn nur ließe – eine ganz und gar widerliche Vorstellung –, und pfeife schleunigst meine Hand zurück. David Peskow gehört zum selben niedergedrückten, trübsinnigen Menschengeschlecht wie ich und ist mindestens zehn Jahre in mich verliebt gewesen – bis ich richtig fett wurde. Da war ich ihn los. Ich kenne also auch die andere Seite. Ich weiß, wie es ist, über alle Maßen geliebt zu werden und keine Antwort darauf parat zu haben. David Peskow glaubte, ich wäre das Mittel, dem Dunkel und der Ausweglosigkeit seiner eigenen Existenz zu entkommen. Und eine Zeitlang wollte ich ihn tatsächlich retten. Jede Kreuzotter wäre besser dafür geeignet gewesen. Denn genaugenommen teilte ich die schlechte Meinung, die David von sich selber hatte. Wenn ich bloß schon seine schlaffe Haltung sah, die vernachlässigte Kleidung, den hündischen Blick – man konnte ihn nur ablehnen. Sowie er etwas sagte, fuhr ich ihm über den Mund. Hatte er gerade »wir« gesagt? Wie kam er darauf, sich und mich für ein Wir zu halten? Ich verhöhnte und quälte ihn, und gleichzeitig suhlte ich mich wie ein Schwein in seiner Liebe. Man sollte die Anweisungen des Flugpersonals beherzigen: Immer zuerst die eigene Sauerstoffmaske finden und aufsetzen, bevor man daran denkt, anderen zu helfen.

Ich gähne und versuche, mich zu recken, kann jedoch meine Schulterblätter nicht mehr zusammenbringen, weil sich zwei Fettrollen dazwischenschieben. Beim vorhanglosen Duschen vermeide ich es, in den großen Badezimmerspiegel zu sehen. Ich bringe es nicht fertig, mich nackt in einem Spiegel zu betrachten. Aber auch wenn ich mich angezogen darin besehe, ist es sofort klar: Die Sache ist erledigt. An Sex brauche ich nicht einmal mehr zu denken.

Wie eine alte Jungfer durchschnüffele ich das Schlafzimmer, arbeite mich bis zur schwarzen Kommode durch. Was trägt Hemstedt denn für Unterhosen? Schwarze. Ich nehme eine heraus, setze sie mir auf den Kopf und gehe damit auf den Flur. Schön doof, mir einfach die Wohnung zu überlassen! Der Flur ist mit Einbauschränken tapeziert. Ich öffne den ersten. Er ist leer. Auch der zweite ist leer, und der dritte und vierte. Und der fünfte, sechste und siebte sind leer, leer und leer. Es ist ein bißchen unheimlich. Acht Einbauschränke, und sieben davon sind leer. Als ich den achten öffne, hängen dort auf einem Bügel ein braun-weißer St.-Pauli-Schal und ein brauner Pullover mit einem Totenschädel darauf. In einem Fach darunter liegt eine braunweiße Pudelmütze. Andächtig nehme ich die Unterhose vom Kopf. Ich vermute, es ist männlich, sich zugehörig zu fühlen. Sie können gar nicht anders, als alles auf sich zu beziehen, besonders den Erfolg oder Mißerfolg einer Fußballmannschaft. Ich habe nicht mal bei den Fernsehnachrichten das Gefühl, sie gingen mich etwas an, und ich würde lieber Esel treiben, als mich in ein Stadion zu stellen und jemandem zuzujubeln, der meinen Namen nicht kennt. So, und jetzt raus hier.

It's coming home,
   it's coming home,
   its coming,
   football's coming home – aber außer zwei jungen Männern, die Schals und alberne weiche Hüte in den englischen Nationalfarben tragen, deutet noch nichts auf das bevorstehende Spiel. Die Sonne scheint, ich schlendere, die Hände in den Taschen meiner hüftlangen Jacke, über den Trafalgar Square. Die Jacke ist beinahe ein Kaftan, sonst sehe ich in Hosen nämlich wirklich schlimm aus. Ab hundertzehn Kilo habe ich angefangen zu schnaufen und zu watscheln. Erstaunlicherweise werde ich jetzt, seit ich richtig fett bin, viel weniger angeglotzt und kommentiert als zu der Zeit, als ich beinahe schlank war. Wenn ich mich durch das viel zu enge Drehkreuz eines Supermarkts wuchte, stoßen sich schon manchmal die Leute an, aber die Männer und Jungen, die mir früher etwas über meinen Arsch nachgerufen haben, nehmen mich jetzt gar nicht mehr zur Kenntnis. Ihre Blicke gleiten an mir vobei, wenn nicht sogar durch mich hindurch wie durch ein Gespenst, was ich von ihrem Standpunkt aus ja auch geworden bin. Das ist erleichternd, aber gleichzeitig verunsichert mich dieses Desinteresse, denn ich weiß nicht, ob ich außer meinem Körper noch etwas anderes zu bieten habe. Immer noch mit den Händen in den Jackentaschen stolpere ich über eine Taube und klatsche der Länge nach hin. Schon habe ich soviel Aufmerksamkeit, wie man sich nur wünschen kann. Touristen aller Nationalitäten beobachten begeistert die verunfallte Dickmadam, die sich das Blut mit einem Taschentuch vom Kinn tupft. Da aber keiner an der Aufmerksamkeit, die ich errege, teilhaben möch-

te, muß ich mich allein wieder aufrappeln. Als ich mich abstütze, ist es nicht mein ganzer Rumpf, der sich bewegt, sondern mein altes, schlankes Ich beugt sich innerhalb meines Körpers, während eine Welle Fett meine Rippen hochschwappt und mir bis unter die Achseln steigt. Um wieder aufzustehen, muß ich praktisch in meinen eigenen Körper hineintauchen.

In der Eingangshalle des Museums ist es angenehm kühl. Ein schwarzgekleideter Security Man verlangt meine Umhängetasche, faßt vorsichtig hinein und gibt sie mir zurück. Ich umrunde eine Gruppe kleiner Mädchen in schwarzen Schuluniformen, die im Schneidersitz, einen weißen Kniestrumpf über den anderen gelegt, auf dem Boden hocken und Rousseaus Tiger mit Wachsstiften auf ihre Zeichenblöcke malen, schlendere an wahnsinnigen Sonnenblumen und gepünktelten Landschaften vorbei, bis ich vor dem riesigen Gemälde eines historischen Unglücks stehenbleibe. Es zeigt überaus realistisch die Hinrichtung der siebzehnjährigen Lady Jane Grey, Königin für neun Tage. Lady Jane kniet in einem finsteren Verlies und trägt dabei ein sehr schickes, leuchtend weißes und unglaubwürdig fleckenfreies Seiden- oder Taftkleid. Um Kleid und Königin herum hat der Künstler eher düstere Farben verwendet, die Mauern des Verlieses sind von dem gleichen stumpfen Grau wie die Plastiktüten, in denen nach Flugzeugabstürzen die Leichenteile eingesammelt werden. Die Kammerzofen und der Henker haben sich schwarz und rot angezogen, und man muß unwillkürlich daran denken, wie sich das weiße Kleid der jungen Königin gleich mit Blut vollsaugen wird. Lady Janes Augen sind verbunden. Sie gibt sich Mühe, alles richtig zu machen, tastet kindlich fügsam nach dem Richtblock, auf den sie ihren Kopf legen soll. Niemandem ist wohl bei der ganzen Angelegenheit, den zusammengebrochenen Zofen sowieso nicht, aber auch nicht dem alten Mann, der ihr hilft, den Richtblock zu finden, und dabei väterlich und besorgt den Babyspeck ihrer Arme berührt. Selbst der Henker ist traurig, wenn auch bloß auf die autistische und inkonsequente Weise, in der ein Henker traurig sein kann. An einem Ärmel trägt er eine Schleife, wie man sie auf Ponyturnieren bekommt, bloß größer. Man hat gleich Zutrauen, daß er seine Sache gut machen und Lady Jane nicht lange leiden wird. Aber das ist vielleicht gerade das Schlimme, daß es so schnell vorbei sein wird und das Leuchtende und Helle nicht die allergeringste Chance hat gegen all das Dunkel um es herum.

Eine halbe Stunde gestanden, und meine Achillessehnen sind dick wie Kälberstricke. Ich breche den Museumsbesuch ab, kaufe mir an einem Kiosk den ›Daily Star‹, steuere das nächste Café an und lasse mir drei Stück Torte plus eine Kanne Tee bringen. Die Frauen an den Nachbartischen werden ganz blaß. Ich schaue bis auf den Grund ihrer verschrumpelten kleinen Herzen. Zweimal Schokoladentorte à 730 Kilokalorien, rechnen sie, und einmal Erdbeer mit Schlagsahne für mindestens 560. Die hat's grade nötig! Und gleichzeitig kriecht der Neid in ihnen hoch.

Dabei sind die drei Tortenstücke, die ihnen so zu schaffen machen, gar nichts. Wenn ich es richtig darauf anlege, fresse ich fünf Tafeln Schokolade und danach noch eine und dann noch eine Tüte Chips und eine Tüte Kekse und hinterher vier Käsebrötchen. Nach dem zweiten Workshop habe ich nicht nur die Therapie, sondern auch jeden Diätversuch aufgegeben. Ich bin an einem Punkt angelangt, an dem ich an nichts und niemanden mehr glaube, außer an eine Tafel Schokolade. Es ist wie ein Rausch, ein unaufhaltsamer Sturz, und natürlich werde ich dabei fetter und fetter.

Es ist genau das eingetreten, wovor ich mich immer gefürchtet habe. Manchmal beobachte ich mich selbst, wie ich mich bis zur Besinnungslosigkeit vollstopfe, und frage: Was ist los mit dir? Bist du noch nicht fett genug?

Hundertsiebzehn Kilo – wer jetzt keinen Freund hat, kriegt auch keinen mehr. Wer jetzt allein ist, wird es lange bleiben. Bald werde ich ein richtiges Monstrum sein. Wenn ich von jemandem lese, der dreihundert oder vierhundert Kilogramm schwer ist, denke ich nie: Wie kann der nur? Ich denke: Wieso wiege ich eigentlich noch nicht soviel? Nach meinen Freßanfällen fühle ich mich krank, aufgebläht, als wäre ich bis oben hin mit Kleister abgefüllt, und an Stelle von Blut fließt stinkender schwarzer Schleim durch meine Adern. Aber das ist noch nicht das Schlimmste. Das Schlimmste ist, daß selbst ich irgendwann nicht noch mehr essen kann. Es kommt der Punkt, an dem nichts mehr reingeht. Auch nicht mit Gewalt. Und dann weiß ich nicht, was ich vor Angst machen soll. Wenn ich nicht esse, ist es, als würde eine große braune Wand auf mich zurollen. Solange ich esse, steht die Wand still.

Ich ziehe das zweite Tortenstück zu mir heran und falte die Zeitung auf: »WATCH OUT YOU GERMAN SAUSAGES. TONIGHT EL TEL'S BOYS ARE GOING TO SHOW YOU WHAT IT MEANS TO GET A GOOD KICKING IN THE STRUDELS.«

Die rechte Hälfte der ›Daily Star‹-Titelseite ist für eine halbnackte Blondine mit stark geschminkten Augen und einem Löwen-Wappen auf der Unterhose reserviert. Die Unterhose leuchtet so weiß wie das Kleid, das die junge Königin zur Hinrichtung trug. HANS OFF, FRITZ! steht auf der Schulter der Blondine. YOU'VE GOT YOUR OWN PAGE FRAU BIRD INSIDE. Das Pin-up für die Deutschen finde ich dann auch sofort auf Seite 3. Sie ist ungefähr so

dick wie ich, und sie trägt eine billige hellblonde Gretchen-
perücke, einen großen fleischfarbenen, angegrauten BH und
eine bayerische Lederhose mit selbstgebastelten Hosenträ-
gern aus bemalten Stoffstreifen. Ihre Waden sind in Knobel-
becher geschnürt. In der einen Hand hält sie ein merkwürdiges Henkelglas, das mit etwas englischer Phantasie für eine
Maß Bier durchgeht. In der linken Hand hält sie einen ganzen Laib Brot, der wie ein Brötchen aufgeschnitten und ge-
buttert und mit einer ganzen Fleischwurst belegt ist. Darunter steht: MEIN GOTT! SHE MAY LOOK LIKE YOUR WURST
NIGHTMARE: BUT TODAY YOUR FAIR PLAY DAILY STAR
STRIKES A BLOW FOR ANGLO GERMAN ACCORD BY
PROUDLY PRESENTING OUR VERY FIRST PAGE FRAU
GIRL: LEDERHOSEN LOVELY BRUNHILDE GROSSEN-
TITTI BOOBS MIGHT NOT SEEM SO WUNDERBAR TO
REGULAR READERS THOUGH SHE IS A HUN-EY.

Als ich mich gegen sieben auf den Rückweg mache, sind die
Straßen voller Männer und Frauen mit Flaggenzylindern,
englischen Fahnen und Wimpeln. Alle sind so aufgekratzt,
als hätten sie bereits gewonnen. Bei dem Gedanken, in
Hemstedts minimalistische Wohnung zurückzukehren und
mich in sein schwarzes Bett zu legen, fühle ich mich nur erschöpft und am Ende eines langen vergeblichen Wegs. Die
Liebe ist nichts, auf das ich noch hoffen kann. Die Liebe ist
etwas, das ich in der Vergangenheit verpaßt habe. Ich kann
genausogut hinter all diesen hoffnungsvollen Menschen her
in einen Pub gehen und mir ansehen, wie die deutsche
Mannschaft ohne Jürgen Klinsmann und all die anderen
verletzten Spieler antritt und von Pearce, Platt und Gascoigne den World Cup 1990 und den Zweiten Weltkrieg
heimgezahlt bekommt. DON'T MENTION THE WAR –
WHY NOT FRITZ, YOU STARTED IT

Der nächste Pub ist schon übervoll, wie vermutlich alle Pubs, aber niemand, der dabeisein und auf seine Weise zum Sieg beitragen will, wird abgewiesen. Eine große schicksalhafte Begegnung steht bevor, die die Nation des Verlierers demoralisieren soll. Wieder ist mein Körper ein Problem, denn ich kann mich nicht einfach so zwischen den Menschen hindurchdrängen, ich muß bitten, daß man für mich zur Seite tritt. Erstaunlicherweise ist direkt an der Theke ein großer Platz frei. So groß, daß sogar ich dort bequem stehen und mich bewegen kann. Überall sonst herrscht Gedränge, aber ich kann sofort mein Bier bestellen. Erst als das Fußballspiel beginnt, begreife ich warum. Ich stehe direkt unter dem Fernseher. Um etwas vom Spiel zu sehen, muß ich mich weit zurücklehnen und den Kopf in den Nacken legen. Ich halte hier die Stellung, und ich bin natürlich für Deutschland, aber bloß deswegen, weil es noch dämlicher wäre, nicht für Deutschland zu sein. 1990 saß ich zusammen mit einem Taxifahrer und dessen beiden Freunden vor dem Fernseher, und wir sahen uns das Endspiel der Fußball-Weltmeisterschaft an. Einer der Freunde, ein Lehrer, sagte mittendrin, daß er eigentlich für Argentinien sei.

»Du hast das Spiel nicht verstanden«, sagte der zweite Freund, Redakteur von ›Welt am Sonntag‹. »Der Sinn des Fußballspiels ist, für die eigene Mannschaft zu sein. Jeder Argentinier ist für Argentinien, und jeder Franzose ist für Frankreich, und jeder Kolumbianer ist für Kolumbien …

»Ist mir egal«, sagte der Lehrer, »ich bin gegen Deutschland.« »Deswegen werden sie dir Auschwitz auch nicht verzeihen«, sagte der Taxifahrer, und sein Freund, der Redakteur, fuhr fort:

»… und jeder Isländer ist für Island, und jeder Italiener ist für Italien, und jeder Fidschi-Insulaner ist für Fidschi, und jeder Guatelmalteke ist für Guatemala …«

»Und komm mir bloß nicht mit irgendwelchen sympathischen oder stilistisch überragenden Afrika-Mannschaften«, sagte der Taxifahrer, und der Redakteur fuhr fort:

»...und jeder Kameruner ist für Kamerun, und jeder Norweger ist für Norwegen, und jeder Deutsche hat folglich gefälligst auch für Deutschland zu sein, und ein Deutscher, der nicht für Deutschland ist, hat das Spiel nicht begriffen.«

Ich sauge gerade an meinem Bier, als der Jubel der Pubbesucher gegen mich brandet, erst zögerlich und irgendwie fragend, und dann, zwei Sekunden versetzt, noch einmal und richtig. Keine drei Minuten Spielzeit, und England führt bereits. Noch nie habe ich die Gefühle so vieler Menschen gleichzeitig gespürt: Alles wird gut werden dank Shearer. Jetzt kann es doch nur noch gut werden, nicht wahr? Erst drei Minuten, und wir führen bereits. O Shearer, Shearer, Shearer! Alle ihre Gefühle richten sich auf den Punkt unter dem Fernseher, dorthin, wo ich stehe, und ihr Schreck, als keine Viertelstunde später Kuntz den Ausgleich erzielt, trifft mich wie ein Fausthieb in den Magen. Kuntz, Kuntz, Kuntz, denke ich so enthusiastisch wie möglich, um mich gegen das Anrollen ihrer Enttäuschung zu wappnen, balle aber nur kurz die Faust, um keine Aufmerksamkeit auf mich zu ziehen. Im Fernseher führen die deutschen Fans einen rituellen Tanz auf, sie wiegen sich bärenartig von einem Fuß auf den anderen und heben dabei abwechselnd die rechte oder linke Faust gegen den Himmel, ohne die Arme zu strecken, ziehen unsichtbare Energiefäden zu sich heran, verweben sie zu einem Glücksteppich. Die Anspannung, unter der die Pub-Gäste stehen, läßt mir das Bierglas in der Hand zittern. Ein gemeinsamer hoffnungsvoller Aufschrei, der in sich zusammenfällt, bevor er sich ganz entfaltet hat. Pfosten! Und dann wieder Verzweiflung, Verzweiflung über ein weiteres Tor für Deutschland, oh, welche Verzweiflung, in die sich sofort Hoffnung mischt. War das Foul? Das war doch Foul? Der Torwart sagt Foul. Und der Schiedsrichter sagt es auch. Foul! Foul! Aufatmend faßt man sich an Herz oder Stirn, taumelt rückwärts und in die Arme der Freunde. Die Erleichterung des ganzen Pubs umspült meine Füße.

Als das Elfmeterschießen beginnt, bin ich bereits schweißgebadet, mein Nacken ist völlig verspannt. England schießt und trifft, Deutschland schießt und trifft, England schießt und trifft, Deutschland schießt und trifft. Schuß und Jubel, Schuß und Enttäuschung, Schuß und Jubel... Immer wieder landet der Ball in der rechten oberen Ecke. Auf dem Fernsehrasen sitzt der ausgepumpte und ergebene Rest der Mannschaften und kann nichts mehr tun, braucht nichts mehr zu tun. Über Sieg und Niederlage wird jetzt ein einzelner Mann entscheiden, der, der als erster nicht trifft, und dieser Mann wird an allem schuld sein. Gascoigne trifft und schmeißt sich in Positur wie ein Bodenturner, der nach der dreifachen Schraube landet. Perfekt gestanden. Dann brüllt und flucht er in Richtung des Publikums, irgend etwas muß man ihm einmal vorgeworfen haben, und was es auch war, jetzt muß man es zurücknehmen. Ziege. Ziege trifft, und niemand kann ihm ansehen, was in ihm vorgeht. Sheringham. Auch Sheringham trifft rechts. Wieder rechts. Sheringham hebelt die Faust von unten in die Luft. Kuntz. Kuntz hat es am leichtesten, denn er hat bereits ein Tor geschossen und dazu ein zweites, das aberkannt wurde. Ohne ihn würde es das Elfmeterschießen gar nicht geben. Ohne ihn hätte die deutsche Mannschaft bereits verloren. Ihm könnte man nicht wirklich einen Vorwurf machen. Kuntz schießt und trifft. Rechts, alle Bälle scheinen nach rechts zu gehen. Kuntz ballt ohne allzuviel Emotion die Fäuste auf Brusthöhe, ein Mann, der vorher wußte, daß er trifft. Southgate. Southgate sieht auf den ersten Blick wie Sheringham aus, nein, doch nicht. Er ist jünger. Und hübscher. Southgate hat Angst. Die Angst des Tormanns beim Elfmeter ist nichts gegen die Angst desjenigen, der den Elfmeter schießen muß. Alle hatten sie Angst, aber alle beherrschten den Trick, ihre Angst mit irgend etwas zu verwechseln, mit Wut oder Pflichtgefühl oder Konzentration. Southgates Angst fühlt sich einfach nur wie Angst an, und er fängt an zu denken. Er denkt, weil bisher alle Tore nach rechts gingen, wird der Torwart sich diesmal nach rechts schmeißen. Southgate schießt anders, als er es eigentlich vorgehabt hat. Southgate schießt links. Links ist ein Fehler. In ohnmächtiger Wut schleudert Gascoigne seine Wasserflasche auf den Rasen. Englands Hoffnung vertan, mit einem einzigen Schuß. Die Verzweiflung im Pub preßt mich gegen den Tresen. Southgate fühlt nichts. Noch fühlt Southgate nichts. Erst jetzt sickert langsam die Verzweiflung in ihn ein, mechanisch murmelt er etwas, das vermutlich Scheiße heißt, und er begreift, daß er der unglücklichste Mensch auf der ganzen Welt ist und selbst seine Mutter sich von ihm abkehren wird. Sein Unterkiefer schiebt sich etwas vor, aber er weint nicht. Ich würde gerne wissen, wie er das hinkriegt. Als nächstes schießt Andy Möller. Wenn er trifft, wird dies sein Sieg, seine Europameisterschaft sein. Das Entsetzen im Pub ist grenzenlos. Alle versuchen zu hoffen, aber niemand zweifelt daran, daß Andy Möller treffen wird, und Möller trifft. Oh, not again! Sie schlagen die Hände vors Gesicht. Andy Möller läuft an den Spielfeldrand, baut sich wie ein kleiner dicker Gockel vor den Zuschauern auf, stemmt die Hände in die Hüften und ruckt triumphierend mit dem Kopf nach links und rechts. Aber die Menschen um mich herum sind viel zu entsetzt, um sich über ihn aufzuregen. Der bereitgestellte Sekt hat aufgehört zu perlen. Das war's. Noch ein ›Oh, so near!‹

Die Hälfte der Gäste verläßt gleich nach Spielende den

Pub, der Rest geht nach vorn zum Tresen, will auch im Schmerz zusammenhalten und sich gemeinsam vollaufen lassen, und das verschafft mir die Schneise, die ich brauche, um aus diesem Laden zu kommen, ohne jemanden in gebrochenem Englisch um Verzeihung bitten zu müssen. Fett und deutsch, das wäre jetzt vielleicht ein bißchen viel. Draußen. Männer, die sich gegenseitig stützen und über die gesenkten Köpfe streichen. Schwer lastet das Versagen auf Britannien. Es war nicht nur das Team, es ist auch ihre eigene Schuld, weil sie nicht fest genug geglaubt, nicht laut genug gejubelt haben, weil sie nicht live dabeigewesen sind und ihre Glücksjacken nicht getragen haben. Ein junger Mann lehnt an einer Mauer, hat sich in die englische Flagge gewickelt und schluchzt herzzerreißend. Aber was ist sein Schmerz gegen das, was Southgate jetzt gerade fühlen muß. Wieviel Jahre Psychotherapie braucht man, bis man einen solchen Fehlschuß verwunden hat?

Und ich, strahlender Nutznießer des Sieges, den Andy Möller gerade für mich errungen hat, begebe mich wieder zu Hemstedts Haus, knacke die widerborstige Tür, steige die Treppe zu Hemstedts Wohnung hoch, gehe hinein, schließe die Wohnungstür hinter mir, ziehe mich aus, ohne mich anzusehen, dusche, ziehe meinen Pyjama an, putze mir die Zähne und gehe ins Bett. Und verglichen mit Southgate bin ich glücklich.

Etwa gegen Mitternacht, jedenfalls könnte ich mir vorstellen, daß es Mitternacht ist, höre ich Geräusche an der Tür. Zuerst denke ich: Hemstedt. Dann denke ich: Einbrecher! Wie haben die bloß die Haustür geknackt? Dann fällt mir ein, daß Hemstedt ja noch etwas von einer verreisten Untermieterin erwähnt hat. Als es an der Schlafzimmertür klopft, weiß ich, daß es Hemstedt ist.

»Ja«, sage ich und setze mich schnell auf. Zum Glück trage ich meinen blau und golden gestreiften Pyjama, das einzige Kleidungsstück, in dem ich halbwegs passabel aussehe.

»Hallo«, sagt Hemstedt und lehnt als dekorativer Schattenriß im Türrahmen. »Tut mir leid, daß ich dich wecke, aber ich muß noch mal an meinen Kleiderschrank.«

»Ich dachte, du sitzt längst im Flugzeug?«

»Hab ich nicht mehr geschafft. Die Straßen waren völlig verstopft. Als das Taxi am Flughafen ankam, war mein Flugzeug schon weg.«

»Und was machst du jetzt?«

»Ich nehme morgen das nächste.«

Dem Schicksal kann man keine Vorwürfe machen. Das Schicksal hat getan, was es konnte. Es liegt an Hemstedt. »Ich kann auf dem Sofa schlafen«, sagt Hemstedt zögernd, geht in seinen begehbaren Kleiderschrank und zieht sich dort bis auf die Unterhose aus. Sie ist schwarz wie all die anderen in der Kommode.

Bleib hier, will ich sagen. Fahr morgen nicht weg! Ich will ihm alles mögliche sagen, aber ich frage bloß, wie das Spiel gewesen ist, und das Spiel war natürlich großartig, denn Deutschland hat ja gewonnen, und dann ist es auch egal, wie.

»Haben sie dich nicht gelyncht? Du mußt doch zwischen lauter Engländern gestanden haben?«

»Zwischen den Angestellten aus meiner Firma, und die kenn ich ja alle. Nur einer von den Geschäftspartnern hat gesagt, daß er meinen Schädel gleich gegen die Wand haut, wenn ich weiter so laut jubel.«

»Wieso jubelst du auch so laut?«

»Weil wir gewonnen haben«, sagt Hemstedt zufrieden und geht ins Badezimmer. Er läßt mir Zeit, seinen Körper zu bewundern. Er hat sich nicht meinetwegen so gut in Form gebracht, aber sehen darf ich es ruhig. Während er duscht, überlege ich, ob er von mir das Angebot erwartet, mit in seinem Bett schlafen zu dürfen. Einiges an seinem Verhalten spricht dafür, und natürlich würde ich gern mit ihm schlafen, aber da ist immer noch mein vernachlässigter und aus allen Kleidern außer dem Pyjama quellender Körper, der einfach nicht gemeint sein kann. Schwerfällig verlagere ich mein Gewicht und lasse die Beine aus dem Bett hängen. Mein Fett bewegt sich wellenförmig unter dem Stoff und kommt zitternd zur Ruhe. Der, der dort drüben duscht, ist ein schöner, sportlicher und erfolgreicher Mann. Ich bin bloß eine dicke Frau ohne Selbstbewußtsein, die besser zu Hause geblieben wäre. Hemstedt kommt dampfend aus dem Bad und zieht wieder die Nummer mit dem Badelaken um die Hüften ab. Er soll sich neben mich setzen, und ich will meinen Kopf auf seinen Schoß legen, und er soll mir die Hand auf den Kopf legen, und dann wird es endlich gut sein, und ich werde ganz schnell sterben, bevor er es sich anders überlegt und seine Hand wieder zurückzieht. Hemstedt dreht sich an der Tür um, schaut mich an und geht ohne ein Wort hinaus. Einen Augenblick später höre ich Musik aus dem Wohnzimmer. Ich stehe auf und ziehe den schwarzen Bademantel an, den er sich erst herausgehängt und dann doch nicht benutzt hat, und schleiche mich auf den Flur. Hemstedt hat das Licht brennen lassen. Ich möchte so gerne zu ihm gehen und ihn berühren, aber das Gewicht meines Körpers hält mich bleischwer an meinem Platz. Dieser Körper ist der Grund all meiner nie geschehenen Taten. Ich lehne mich gegen die Wand. Die Musik, die jetzt beginnt, ist finster und doch weich und mit einem treibenden, stampfenden Indianerrhythmus unterlegt. Es ist das eine, das wunderbare und einzigartige Lied, es dringt in mich ein, ist in mir, durchströmt mich, macht mich leicht und zieht mich auf den Flur hinaus. Der Flur verbreitert sich zu einer Küche, und hinter der Küche liegt das Wohnzimmer. Die Küchenwände sind ockerfarben, nicht weiß. Auf der Arbeitsplatte neben dem Herd stehen eine Kaffeemaschine, eine Zitronenpresse und ein Wasserkessel – alle von Alessi. Vor dem Tresen reiße ich mit der dicken Hüfte einen der drei langbeinigen Hocker um, und er fällt mit Gepolter auf die Terrakottafliesen. Wenn man so schnell so viel zugenommen hat wie ich, dauert es eine Weile, bis man mit seinen neuen Ausmaßen vertraut geworden ist und die Kiste anstandslos rangieren kann.

Hemstedt öffnet die Wohnzimmertür und tritt zur Seite, um mich hereinzulassen. Er ist nackt, bis auf eine von den schwarzen Unterhosen, die er anscheinend überall in der Wohnung deponiert hat. Das Ausziehsofa ist ausgezogen und mit einem Laken und einer Bettdecke versehen. Es steht ziemlich allein auf dem Fußboden herum. An der rechten Wand sind Regale voller Schallplatten, CDs und Kassetten. An der linken Wand steht ein kleines Bücherbord mit vier Böden. Aus lauter Verlegenheit gehe ich hinüber und nehme mir den Inhalt vor. Hauptsächlich gradlinige männliche Literatur, ›Vom großen Aufstand‹, ›Hollywood-Babylon‹, ›Zwang‹, aber auch ›Die Nebel von Avalon‹ und das ›Große Sommer-Reise-Lese-Buch‹. Das ›Große Sommer-Reise-Lese-Buch‹ schnappe ich mir und halte es ihm entgegen.

»Was ist das denn? Wie kann man sich so was ins Regal stellen?«

»Wieso denn nicht?«

»Das fragst du noch? Das ist genauso, als würde die Pop-Explosion-LP von K-Tel in deiner Plattensammlung stehen.«

»Es war ein Geschenk. Ich hab doch so wenig Bücher, da habe ich es halt dazugestellt.«

Ich reiße ein ›Hermann Hesse. Lektüre für Minuten‹-Buch heraus und werfe es zusammen mit dem Sommer-Lese-Buch auf den Teppich. Hemstedt stellt sich neben mich und sieht mir zu.

»Ich lese das ja sowieso nicht. Ich komme nie dazu, weil ich fast jeden Tag bis abends um neun arbeite. Ich komme ja nicht einmal mehr dazu, CDs zu hören. Ich kaufe ständig neue, aber die meisten hör ich mir gar nicht an.«

»Das hier – und das – und das. Das ist doch alles Mist!«

Ich werfe weitere Bücher auf den Boden.

»Die Nebel von Avalon – da kannst du dir auch gleich eine Enya-CD kaufen. Merkst du eigentlich überhaupt keine Einschläge! Ich weiß wirklich nicht, warum ich jemanden wie dich liebe. Wahrscheinlich hast du das auch nie gemerkt, daß ich dich liebe?«

»Doch«, sagt Hemstedt, »das habe ich schon mitgekriegt. Das ist mir schon aufgefallen, daß du immer wieder bei mir aufgetaucht bist. Ich fand das auch sehr schmeichelhaft. Das war schon schmeichelhaft.«

»Ich weiß«, sage ich, »aber du brauchst dir darauf nichts einzubilden. Das liegt nicht daran, daß du so liebenswert bist, sondern hat mit meiner unbewältigten Kindheit zu tun. Und?«

»Was und?«

»Gibt es irgendeine Hoffnung?«

»Nein.«

»Das habe ich mir gedacht.«

»Träumst du denn immer noch von mir?«

Ich stelle das Buch, das ich gerade herausgezogen habe, ins Regal zurück und wende Hemstedt langsam den Kopf zu. Ich sehe ihm in die Augen.

»Ich habe noch nie von dir geträumt. Ich träume überhaupt nicht. Ich schlafe noch nicht einmal. Ich habe noch keine Nacht in meinem Leben geschlafen. Warum kannst du mich nicht lieben?«

Er zuckt die Achseln.

»Ich glaube, ich habe früher Angst vor dir gehabt.«

Darauf hätte ich vorbereitet sein müssen. Bin ich aber nicht.

»Du hast immer so harte Sprüche gerissen«, fährt er fort. »Das war ziemlich einschüchternd.«

Ich hebe ›Die Nebel von Avalon‹ auf und stelle sie zurück ins Regal. »Und jetzt? Hast du jetzt immer noch Angst vor mir?«

Hemstedt streckt seine Hand aus und streicht mit zwei Fingern meinen Hals hoch bis zu meinem Ohr und wieder herunter. Das ist vielleicht die einzige Stelle an meinem Körper, die noch schlank ist.

»Du denkst wahrscheinlich, daß ich wahnsinnig fett geworden bin«, sage ich, »aber das sieht bloß so aus. Innen drin bin ich dünn und verletzlich und begehrenswert. Man kann es bloß nicht sehen.«

»Komm«, sagt Hemstedt, nimmt mich an die Hand und führt mich zu seinem ausziehbaren Sofa. Sein nackter Oberkörper streift meinen in Frottee gekleideten Arm. Wie spät mag es jetzt sein? Zwei Uhr morgens? Ich ziehe den Bademantel aus, schnappe mir die einzige Bettdecke und wickel mich sofort darin ein.

»Na gut, du siehst toll aus«, fahre ich ihn an. »Aber hat dir das irgendwas genützt? Ich meine absolut! Verläuft dein Leben zufriedenstellend? Bist du glücklich?«

»Nein«, sagt er friedfertig, »eigentlich nicht.«

»Du denkst vielleicht, es ist eine Leistung, so auszusehen, wie du aussiehst, aber in Wirklichkeit bist du doch bloß zu feige, es fett und häßlich mit deinen Mitmenschen aufzunehmen!«

»Kann schon sein«, sagt Hemstedt, legt sich neben mich und schiebt eine Hand unter die Decke und versucht sie dann auch noch unter mein Pyjama-Oberteil zu schieben. »Nicht«, sage ich, »nein! Ich will nicht, daß du mich da berührst. Kannst du nicht einfach bloß meine Hand halten? Faß nichts an, was unter der Decke ist.«

Hemstedt zieht die Bettdecke ein Stück von mir herunter und sieht mich an. Seine Augen sind ohne Bosheit. Seine Augen sind wie nächtliche Fensterscheiben, in denen man viel besser aussieht als in Wirklichkeit. Ich kann kaum ertragen, wie er mich ansieht. Hemstedt schlingt den Arm um mich, wofür er beschämend weit ausholen muß, und legt sich halb auf mich. Es ist gut, ihn zu fühlen, aber wieviel besser müßte es sein, wenn ich dünn wäre und seinen Körper richtig spüren könnte, nicht nur durch einen doppelten Neoprenanzug aus Fett. Ich weine. Ich weine, weil ich einmal eine junge, schöne und schlanke Frau gewesen bin, ohne es je gewußt zu haben. Schon damals hat Hemstedt mich nicht geliebt. Und wenn es nicht mein Körper gewesen ist, der mich für ihn unattraktiv machte und macht, dann muß es etwas Existentielleres sein, und ich werde niemals etwas daran ändern können.

»Nicht doch«, sagt Hemstedt und wischt mit einem Zipfel der Bettdecke um meine Augen herum. Er denkt natürlich, ich weine jetzt seinetwegen, und das stimmt ja auch.

»Ich liebe dich so sehr«, sage ich, »ich wünschte, ich täte es nicht, aber ich kann das nicht ändern. Ich werde dich nicht nerven, morgen fahre ich wieder nach Hause, dann bin ich weg.«

»Nein«, sagt er, »du bleibst hier. Außerdem bin ich doch morgen weg.«

Er hat dazugelernt, inzwischen küßt er gut, hält meine Oberlippe mit den Zähnen fest, während seine Zunge über sie streicht, legt seinen großen Mund auf meinen und berührt mein Herz. Er will mich beeindrucken. Ich soll nicht bereuen müssen, mich in ihn verliebt zu haben. Er küßt wirklich umwerfend gut, selbst wenn man merkt, wie sehr er es darauf anlegt, gut zu sein. Alles, was ich je wünschte, liegt neben mir, nur der Wunsch selber scheint aus einem unerreichbar weit entfernten Dunkel zu stammen. Die Tränen laufen einfach so aus meinen Augen. Es hört überhaupt nicht auf. Das Endspiel wird wegen Überschwemmung nicht stattfinden können.

»Jetzt hast du genug geheult«, sagt er schließlich freundlich und ein ganz klein bißchen ungeduldig, »jetzt kannst du mal kurz Pause machen und lächeln.«

»Ich kann nicht lächeln«, heule ich. »Du hast mal gesagt, wenn ich lächel, verzieht sich mein ganzes Gesicht zu einer einzigen Grimasse.«

»Habe ich das wirklich gesagt? Das sieht mir ähnlich. Vergiß es.«

Hemstedt nimmt mich wieder in seine Arme und wiegt mich sanft hin und her. Einen riesen Riesentümmler wiegt er da in seinen Armen. Ich möchte nicht wissen, wie das aussieht. Das ist das Schlimme: Wenn du fett bist, kann nichts mehr schön oder zart oder romantisch sein, an dem du beteiligt bist. Nichts. Nie. Dein Anblick versaut alles.

»Es tut mir leid!« sagt er, obwohl er nichts versteht. »Es tut mir leid, daß du so traurig bist.«

Er wiegt mich weiter, und er küßt an meinem Gesicht herum und atmet ein bißchen schneller. Ich lege meine dicken Arme um ihn, um seinen Körper, der so jung und so schön und so offensichtlich nicht für mich geschaffen ist. Ich denke an die eleganten disziplinierten Frauen, die in seiner Firma an uns vorbeigelaufen sind, und das macht mich ganz verzagt.

»Ich möchte gern mit dir schlafen«, sagt er, »aber nur, wenn du auch möchtest«, und er küßt mich noch einmal. Er kann so gut küssen; und es macht nichts, daß er das weiß. Hemstedt läßt mich los und streift sich ohne Verlegenheit die Unterhose herunter. Ich schaue nicht hin. Er fummelt neben dem Bett herum, da gibt es anscheinend ein Nest für Kondome, und dann zieht er mir mit einer Hand die Hose herunter. Ich schlage die Hände vors Gesicht. Es ist so furchtbar. Mitleid, schießt es mir durch den Kopf. Er will bloß aus Mitleid mit mir schlafen. Gleich sieht er mich an und merkt, was er hier eigentlich tut. Ohne Hose sprechen alle Argumente gegen mich. Hemstedt schiebt meine Beine auseinander, kniet sich dazwischen und faßt vorsichtig nach meinen Ellbogen, so daß ich die Hände wieder wegtue und die Augen aufmache. Einfach und selbstverständlich nimmt er seinen rosa verpackten Schwanz in die Hand, fühlt mit den Fingern kurz vor und ist in mir. Ich halte mich an seinen Schultern fest, meine Hände gleiten seine Wirbelsäule hinunter, wandern seine Rippenbögen hoch, tasten über die hart erarbeitete Bauchmuskulatur. Ich presse mich an ihn, spüre seine Lebendigkeit und Stärke.

»Anne«, sagt er sanft. »Anne...« und streichelt mein Gesicht.

Jetzt erst komme ich in der Gegenwart an, jetzt erst werde ich wirklich, und die schauderhafte Leere, die sich hinter mir dehnt, geht mich nichts mehr an. In meinem Kopf öffnet ein ganzes Feld von Papageientulpen seine Blüten, und meine Seele reicht bis zu den Sternen. Verschmelzung, megalomanische Wunscherfüllung, Verklärung, Regression, Selbstverlust und sein Gegenteil – all die wundervollen Zustände, vor denen uns unsere Therapeuten gewarnt haben, finden sich ein. Oh, bestimmt haben die Therapeuten alle recht, bestimmt ist es viel vernünftiger, sich Schmerz, Wahn und Besessenheit zu ersparen und seine Beziehungen zu anderen Menschen rational und besonnen anzugehen. Nur daß man dann natürlich niemals das fühlen kann, was ich gerade fühle.

Später steht Hemstedt auf, um eine neue CD einzulegen. Dann tritt er ans Fenster und sieht hinaus. Ich stütze die Ellbogen auf. Es donnert abseitwärts, denn die Boxen stehen auf dem Fußboden, und eine traurige Männerstimme singt »Don't try so hard to be different«.

»Southgate«, sage ich. Southgates Schicksal hat zwar nicht allzuviel mit dem Songtext zu tun, aber Peter versteht trotzdem sofort, was ich meine.

Noch später, als Peter schon schläft, stelle ich mir vor, wie er am nächsten Tag für uns Brötchen holen will und dabei von einem Auto überfahren wird. Das wäre ein schönes Ende. Ich würde den Rest meines Lebens damit verbringen, um ihn zu weinen. Es ist das schönste Ende, das ich mir vorstellen kann. Nicht einmal in meinen kühnsten Träumen hat meine Phantasie je dafür gereicht, mir ein Leben mit Hemstedt auszumalen. Daß ich mir nichts mehr wünsche, als mit ihm zusammenzusein, bedeutet ja nicht, daß ich dazu auch in der Lage wäre. Peter atmet leise. Ich werde ihn immer lieben. Da ist nichts zu machen. Dies war die Nacht, auf die ich hingelebt habe. Jetzt kommt nichts mehr. Ich fühle mich sonderbar gelassen. Natürlich wird er morgen keine Brötchen holen. Er wird früh aufstehen und herumtelefonieren, wann sein nächstes Flugzeug nach Italien geht. Das Beste wird sein, ich bringe ihn um, solange er noch neben mir liegt. Ich könnte mich in die Küche schleichen und mir ein Alessi-Küchenmesser schnappen. Mit dem Zeigefinger berühre ich die Stelle auf seinem Brustkorb, wo ich die Messerspitze ansetzen würde. Peter schläft tief und fest, ohne sich zu rühren. Das Problem ist nur, daß ich ihn wirklich liebe und ihm niemals weh tun könnte. Als ich meinen Finger wieder wegziehe, bewegt er sich heftig aus- und ein-atmend im Schlaf, und dabei gleitet etwas aus dem Bett zu Boden. Ich taste danach. Es ist meine Pyjamahose. Vorsich-tig stehe ich auf und schlüpfe hinein. Dann gehe ich leise ins Schlafzimmer zurück, ziehe mich wieder an und packe mei-nen Koffer.

Danksagung

Ich danke Doris Engelke, Wolfgang Hömer und Christina Hucke für Geduld und Zuversicht, Karin Graf für die Aufklärung, was guten von schlechtem Sex unterscheidet, Thomas Meinecke für musikhistorischen Rat, Guido Schröter für Fußballberatung und Friedemann Sittig für englische Zeitungen.

»Große Duve-Kunst!«

Frankfurter Allgemeine Sonntagszeitung

Karen Duve
Taxi
Roman
300 Seiten · geb. mit SU
€ 19,95 (D) · sFr 35,90 · € 20,60 (A)
ISBN 978-3-8218-0953-3

Als Alex die Annonce »Taxifahrerin gesucht« sieht,
bekommt ihr zielloses Treiben der letzten Jahre einen
Sinn: keine Entscheidungen mehr treffen müssen,
sondern dorthin zu fahren, wo der Kunde hin will,
und dafür noch bezahlt werden. Doch Alex kann
im Taxi vielleicht ihrem eigenen Leben davonfahren –
dem Leben der anderen entgeht sie nicht ...

»Bei dieser Autorin liegen Weisheit und Lakonie,
Melancholie und wache Wahrnehmung so eng beieinander, dass die Übergänge kaum wahrzunehmen
sind ... voller hinreißend pointierter Dialoge ...
ein großartiger Roman.« *Der Spiegel*

Eichborn BERLIN
www.eichborn-berlin.de